e스포츠人을 만나다

이 저서는 2022년 대한민국 교육부와 한국연구재단의 지원을 받아 수행된 연구임 (NRF-2022S1A5C2A02093162)

e스포츠人을 만나다

발   행 | 2024년 02월 06일
저   자 | 경성대학교 e스포츠연구소
펴낸이 | 한건희
펴낸곳 | 주식회사 부크크
출판사등록 | 2014.07.15.(제2014-16호)
주   소 | 서울특별시 금천구 가산디지털1로 119 SK트윈타워 A동 305호
전   화 | 1670-8316
이메일 | info@bookk.co.kr

ISBN | 979-11-410-7078-6

www.bookk.co.kr
ⓒ e스포츠人을 만나다. 2024
본 책은 저작자의 지적 재산으로서 무단 전재와 복제를 금합니다.

e스포츠人을 만나다

경성대학교 e스포츠연구소
소장 황옥철 교수

발표자
윤덕진 (게임아이 대표)
이경혁 (칼럼리스트)
구마태 (빅피쳐 인터렉티브 실장)
백학준 (크라니쉬, 크리에이티브)
윤서하 (님블뉴런 이스포츠파트장)

토론자
김재훈 연구교수
김영선 연구교수
이상호 연구교수
이학준 연구교수 (대구대학교)

편집자
임동균 (부경대학교)
박수찬 (부경대학교)
박성은 연구교수

CONTENT

제5장 변화하는 사회에서 e스포츠인으로 살아가기/

윤서하(님블뉴런 이스포츠 파트장)

그림출처

머리말

    경성대 e스포츠연구소는 2019년부터 연구재단으로 지원을 받아 'e스포츠의 학제적 토대연구 구축'의 주제로 연구를 진행해 오고 있습니다. e스포츠의 외형적인 성장에 비해 e스포츠 그 자체에 대한 학문적 근거 부족은 e스포츠의 지속가능성에 도움이 되지 않습니다. 특히 e스포츠 발전은 단순히 외형적으로 보이는 경제적인 수치로 평가할 수 없습니다. 이러한 발전은 25년의 짧은 역사에도 불구하고 한국 e스포츠 역사 안에서 눈에 보이지 않는 많은 사람의 열정과 실천에 근거하여 가능한 일이었습니다. 이 책은 e스포츠 분야에서 종사하고 있는 분들을 중심으로 어떻게 e스포츠에 입문했는지, 그리고 그것을 바탕으로 지금 자신만의 e스포츠 영역을 개척하고 있는지 보여주고 있습니다. 독자들은 e스포츠인들의 이야기를 통해 e스포츠가 어떻게 성장하였고, e스포츠가 미래의 산업으로 가치가 있는지를 파악할 수 있을 것입니다. 여기에 e스포츠연구소에 재직하고 있는 교수님들과의 토론 속에서 e스포츠가 지향해야 할 방향성과 관련하여 의미 있는 답을 찾기를 기대합니다.

    여기에 참여하여 발표해 주신 분들의 이야기는 한국 e스포츠가 어떻게 성장해 왔고 미래에 어떠한 방향으로 진행되어야 할지 많은 생각을 할 수 있는 기회를 제공하였다고 생각합니다. 제1장에서 게임아이 윤덕진 대표는 자신의 e스포츠 경험이 어떻게 현재 사업으로 연결되었는지를 잘 보여주고 있습니다. 제2장에서 칼럼니스트 이경혁 선생님은 우리나라에서 초창기 게임에서부터 e스포츠 탄생을 재미있게 설명하고 있습니다. 제3장에서 구마태 빅피처 인터렉티브 실장은 기술의 발전에 따른 e스포츠의 미래를 조명해 주었습니다. 제4장에서 대학 e스포츠 동아리를 만든 백학준 크리에이티브는 자신이 어떻게 대학생에서 하스스톤 프로게이머로, 그리고 현재 크리에이티브로 활동했고, 지금의 e스포츠인이 되었는지를 설명해 주었습니다. 제5장에서 윤서하 파트장은 대학 e스포츠 동아리 활동을 확대한 전국 대학e스포츠동아리연합회(ECCA)를 창립하고, e스포츠 생태계를 경험하면서 현재 게임 회사에서 e스포츠 업무를 담당하며 어떻게 e스포츠인으로 살아가고 있는가를 전달해 주었습니다. 그리고 교수님과 학생들의 토론에서 강의에서 하지 못한 내용을 가감 없이 이야기함으로써 한국 e스포츠의 상황을 이해할 수 있는 소중한 정보를 제공하였다고 생각합니다. 그리고 e스포츠 학자와 학생들과 진지한 토론은 앞으로 e스포츠 연구자들에게 연구 주제를 던져 주었습니다.

이 저서를 통해 e스포츠인들이 살아온 경험과 의미들을 이해할 좋은 기회라고 생각합니다. 그리고 미래에 e스포츠를 직업으로 생각하고 있는 이들에게도 좋은 지침서가 되기를 바랍니다.[1]

2024년 2월
경성대학교 스포츠건강학과 교수
e스포츠연구소 소장, 한국e스포츠학회장
황 옥 철

---

1) 이 책은 『e스포츠와 사회: e스포츠인을 만나다』의 기존 내용에 새로운 내용, 사진, 표 자료를 추가하여 개정판으로 재구성한 저서입니다.

2023 경성대학교 e스포츠연구소 제1차 정기포럼

한국사회와 e스포츠

강사: 윤덕진 대표 ((주)게임아이)

2023년 1월 12일 9일(목) 13:30-15:30
경성대 중앙도서관(27호관) 507호

윤덕진 대표 약력
- (주) 게임아이 대표
- e스포츠데이터 전문분석가
- 국내외 LOL 팀 코치 및 해설가
- 호남대학교 e스포츠산업학과 강사

김영선 교수 안녕하십니까. 2023년, e스포츠 연구소[2]에서는 총 다섯 번의 포럼을 준비하고 있습니다. 오늘 첫 번째 연사분으로 게임아이의 윤덕진 대표님을 모시게 되었습니다. 대표님께 박수를 부탁드립니다.

나의 e스포츠 경력

윤덕진 대표 네. 게임아이의 윤덕진이고요. 보통 사람들이 닉네임으로 부를 때 조이러(Joy Luck) 이라는 닉네임으로 부르고 있습니다. 여러분들께서 저를 조금 아시는 분들도 계시고, 아예 처음 보시는 분들도 있어서 제가 여기까지 어떻게 살아왔는지 간략하게 한 번 설명해 드리고, 오늘 내용이 아니더라도 '아 이 사람이 뭐 이쪽도 좀 알 것 같다'라고 감을 잡으실 것이기 때문에 나중을 위해서 제가 했었던 것을 조금만 설명하도록 하겠습니다.

저는 2003년 블리자드에서 워크래프트 3[3]이라는 게임이 나와서 시작했어요. 방송은 우연한 기회로 하게 되었습니다.

> "최근까지 아프리카TV[4]에 계시던 형님 한 분이랑 현재 스트리머 방송 세팅해 주는 대표님(닉네임: 고블린)이 제게 블리자드 토너먼트 해설을 해보자고 하셔서 해설을 처음 시작하게 되었습니다. 그리고 나서 게임도 하고 해설도 하다가 아프리카 TV가 더 블루플레이어라고 베타버전[5]이던 시절부터 개인 방송을 시작해서 현재 9년 정도 하게 되었습니다."

---

2) 머리말에서와 같이 경성대학교 e스포츠 연구소는 2019년부터 한국연구재단 인문 사회 중점연구소로 시작하여 같은 해 11월 한국 e스포츠 학회를 창립하고, 『e스포츠 연구: 한국 e스포츠 학회지』를 창간하여, 현재 등재 후보 학술지가 되어 e스포츠에 관한 다양한 분야의 연구를 게재하고 있다. 한국e스포츠학회 (ises.or.kr) 참고.

3) 블리자드 엔터테인먼트(Blizzard Entertainment)는 미국의 비디오 게임 개발사로, 워크래프트는 2002년에 개발하고 출시한 전략 게임(RTS) 전 세계적으로 1,900만 장의 판매고를 올렸으며, 세계 유명 e스포츠 게임 대회에 정식 종목으로 채택되어 활발하게 플레이되었다. 이후 추가 확장팩으로 워크래프트 3: 프로즌 쓰론이 발매되었다(출처: 위키피디아).

4) 아프리카TV(AfreecaTV)는 2006년에 정식 오픈한 대한민국의 1인 미디어, 인터넷 방송, SNS 플랫폼이다. ㈜ 아프리카TV에서 운영하며, 특별한 기술, 장비, 비용 없이도 누구나 쉽게 개인용 PC나 모바일 기기로 언제 어디서나 실시간 생방송을 할 수 있다(출처: 위키피디아).

5) 베타(Beta) 버전은 알파(Alpha) 버전 뒤를 잇는 소프트웨어 개발 단계로, 소프트웨어가 기능을 완성할 때 일반적으로 이 단계가 시작된다. 베타 단계는 시험판이므로 일반적으로 속도와 성능 문제와 더불어 온전히 완성된 소프트웨어보다 더 많은 버그가 존재한다(출처: 위키피디아).

[그림 1-1] 빅파이 배틀로얄 시즌3 중계 (좌측부터) 윤덕진 해설, 김의중 캐스터, 정윤성 해설

자료: 포모스

리그오브레전드(League of Legends)[6]이 나오기 전, 제가 당시 같이 방송하는 분들과 워크래프트3의 리그 해설을 진행하고 있었지만, 그때 당시 e스포츠 시장은 암울했습니다. 그래서 '내가 e스포츠를 계속 해야 하나 말아야 하나?' 굉장히 고민을 많이 하고 있었지만 포기하지 못해서 메인 취미로서 계속하고 있었습니다.

"시청자는 대기업(유명방송인)만큼 크지 않지만, 콘텐츠에 따라서 500명에서 2,000명까지도 보는 방송을 이어오고 있었고요. 그러다가 리그오브레전드가 출시되고 직접 해보니 e스포츠라던가 게임적으로 느낌이 온다고 생각했습니다. 2012년부터 방송을 시작해서 시즌2, 시즌3, 시즌4 이렇게 2014년까지 했었습니다. 당시 리그오브레전드를 많이 했다면 지나가다 제 강의 영상을 한 번 정도는 보실 수 있을 정도로 조회 수가 잘 나왔습니다. 2012, 2013년도 같은 경우에는 유튜브 시대 전이라 아프리카TV에 강의 영상을 올렸었는데 조회 수가 잘 나왔습니다."

---

6) 2009년 라이엇 게임즈에서 출시한 멀티플레이어 온라인 배틀 아레나 비디오 게임. 5명의 챔피언으로 구성된 양 팀이 상대방의 본진인 넥서스를 파괴하는 식으로 진행되며, 현재 전 세계에서 가장 인기 있는 e스포츠 종목이다(출처: 위키피디아).

[그림 1-2] 개인 방송 시절 강의 영상

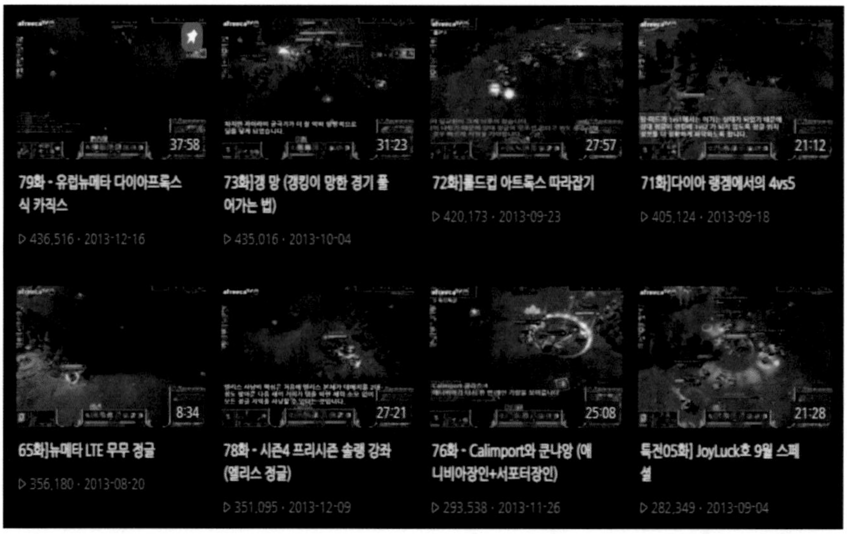

자료: 아프리카TV JoyLuck 방송국

이후 e스포츠에 전념하기로 마음을 먹었을 때, 당시 라이엇게임즈[7] 2부 리그(담당), LCS(북미 유럽 리그)[8]을 진행하고 있는 '나이스게임 TV[9]'이라는 곳에 취직했어요. 여기서 유튜브(YouTube) 콘텐츠 제작, LCS 해설자, 여러 가지 리그 운영도 같이하다 보니 e스포츠 분야에서 계속 일하고 싶다는 확신을 두게 되었습니다.

직업으로서 e스포츠

e스포츠를 직업으로써 가지기 위한 노력

리그오브레전드를 시작하기 전에 e스포츠의 현재 구조의 문제점이 무엇이며 이를 어떻게 해결할지, 어떤 부분이 필요하며 이를 더 나은 방향으로 나아가는 데에

---

7) 라이엇 게임즈(Riot Games)는 미국의 게임 개발회사로, 2009년 10월 '리그오브레전드'라는 이름의 게임을 발매한 이후 운영하고 있다. 2006년 설립 당시에는 미국의 회사였으나, 2011년에는 중국 게임사인 텐센트에게 인수되어 텐센트 소속의 자회사가 되었다(출처: 위키피디아).
8) 리그오브레전드 챔피언십 시리즈(League of Legends Championship Series)의 약자로, 리그오브레전드 북아메리카 지역 e스포츠 대회이다. 현재 총 10개의 팀이 참가하고 있다(출처: 위키피디아).
9) 2005년 6월 정식적으로 설립하여 개국한 인터넷 e스포츠 방송. 개국 초창기에는 워크래프트3 리그와 카오스 리그에 비중을 두었으나, 현재는 리그오브레전드 리그를 포함한 다양한 비디오 게임 등을 활용해 방송 콘텐츠를 제작하고 있다(출처: 위키피디아).

대한 고민을 많이 했습니다. 이런 측면에도 기여하고 싶은 욕심이 있었기 때문에 사업 분야에서 자리를 잡는 것을 목표로 설정하고, 제가 관심이 많이 있었던 e스포츠 교육 부분에도 시간을 내어 활동하게 되었습니다.

> "사업 분야에서 자리를 잡기 위한 목표로 나아갈 때, 이곳의 문화에서는 'Show & Prove'를 굉장히 중요하게 여겨서, 이력이 부족하면 편견을 갖는 경향이 있어서 많이 고민했습니다. 그때, 28, 29세 때는 게임 실력이 매우 부족한 시절이었지만, 솔로 랭크 리그오브레전드 게임에서 100위 안에 들기도 했고, 팀 랭크에서 한국 서버 1위 챌린저에까지 도달했습니다. 이를 통해 '이 사람은 게임을 나이에 비해 잘한다'라는 이미지를 구축하려 했습니다. 이렇게 이미지를 구축하게 되면, 제가 원하는 인지도 혹은 게임 실력 등 게임으로 할 수 있는 것은 이뤄냈다고 생각했습니다."

[그림 1-3] 리그오브레전드 시즌4 팀랭크 챌린저 1위

자료: 리그오브레전드

2015년에는 게임 산업계에 자리를 잡는 것이 목표였기 때문에 글로벌 네트워크가 필요하다고 생각하던 와중, 유럽에 있는 저와 가까웠던 리그오브레전드 구단인 프나틱10)이 감독 제의가 오게 되었습니다. 논의 끝에 프나틱에 어드바이져로 팀의 리빌딩(rebuilding)11)을 돕고 당시 한국에서 롤드컵12) 준비를 하였습니다.

---

10) 영국을 소재로 한 다국적 e스포츠 프로 게임단으로 월드 챔피언십 초대 우승팀이자 월드 챔피언십 13회 중 11회 진출에 빛나는 월드 챔피언십 최다 진출 팀이다(출처: 위키피디아).
11) 성적이 나오지 않는 팀의 여러 부분을 고치고 바꾸는 일을 의미

디그니타스13) 같은 경우에는 코어장전이라는 한국 선수는 디그니타스에 합류하였고, 중국과 일본에서도 코치 생활을 하게 되었습니다.

이렇게 4개 대륙의 팀에서 동시다발적으로 경험을 쌓았던 것이 좋았습니다. 3년 정도는 해외에서 활동하려 했지만 1년 정도 만에 '이 정도면 준비된 것 같다'라고 생각해서 한국으로 돌아오게 되었습니다.

한국에 돌아와서 에버8 위너스 팀을 창단하다

한국으로 돌아온 다음에는 당시 신촌에 있는 에버8 호텔에서 여러 프로팀의 전지훈련을 진행하면서 에버8 호텔 측에서 무료로 한 팀을 비용 지원해 주는 스폰서십으로 인연이 되었습니다. 동시에 에버8 위너스팀을 창단 지원해 준다고 하여 '에버8 위너스'라는 명칭의 팀을 창단하였고, 해당 호텔 내에서 전지훈련 사업과 팀 운영을 진행하게 되었습니다.

[그림 1-4] 에버8 위너스 리그오브레전드 팀 창단

자료: 데일리 e스포츠

당시 에버8 위너스의 목표는 선수들도 본인들의 가치를 높여야 하고 저도 개인적으로 LCK 팀 소유주의 타이틀을 가지는 것이 중요했기 때문에 LCK14)팀에 들

---

12) 리그오브레전드 월드 챔피언십(League of Legends World Championship)은 라이엇게임즈가 주최하는 리그오브레전드 대회이며, 한국에서는 비공식 명칭으로 리그오브레전드와 월드컵의 합성어로 리그오브레전드드컵이라고도 불린다. 1년을 주기로 하는 시즌당 1회가 진행되며, 각 국가별 리그에서 상위권을 차지한 팀들이 선발되어 해당 시즌의 세계 최강팀을 가리는 대회이다(출처: 위키피디아).

13) 디그니타스(DIGNITAS). 영국을 소재지로 하는 프로 게임단으로, 리그오브레전드, 발로란트, 스매시 브라더스 시리즈, 로켓 리그의 팀을 운영하고 있다(출처: 위키피디아).

어가는 것을 목표로 하였습니다. 이후 좋은 선수들이 있었고 코치들이 노력하여 1부 리그로 가게 되면서 제 목적을 이루게 되어서 단장님에게 팀을 양도하고 공식적으로 나오게 되었습니다.

전지훈련 사업과 에이전시 사업의 시작

2015년에는 전지훈련 사업이나 에이전시도 사업을 여러 가지 시작했습니다. 이때 당시 선수를 100명 넘게 해외에 소개하였고, 리그오브레전드를 좋아하신다면 아실만 한 선수들(코어 장전, 후니, 히릿, 와디드 등)부터 잘 알려지지 않은 선수들까지 팀 이적 작업에 개입하였습니다.

이다음 단계로는 시스템을 만들어야 한다는 생각이 들어, 함께 시스템을 만들 좋은 분들을 찾아보다 뜻이 맞아서 함께 '게임아이15)'라는 회사를 설립하게 되었습니다. 회사를 설립하고 어떻게 운영하느냐에 대해 고민해 보았을 때, 데이터 분야에서는 후발주자이기 때문에 기존 사이트처럼 데이터(빅 데이터)를 활용하면 경쟁력이 약하다고 생각했습니다. 그래서 '다음 세대는 무엇이냐'라고 생각해 보았을 때 AI(인공지능)라고 생각해서, AI 기술을 통해 유저들이 한 단계씩 익숙해질 수 있도록 '딥리그오브레전드(DEEP리그오브레전드)16)'이라는 전적 사이트를 만들고 있습니다.

[그림 1-5] DEEP리그오브레전드.GG 전적검색(AI 평점)

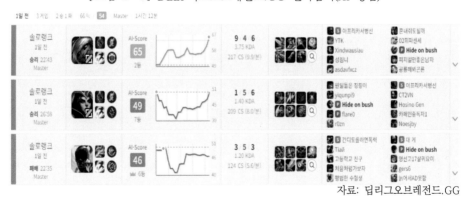

자료: 딥리그오브레전드.GG

---

14) 리그오브레전드 챔피언스 코리아(League of Legends Champions Korea)의 약자로, 리그오브레전드 대한민국 지역 e스포츠 대회이다. 현재 총 10개의 팀이 참가하고 있다(출처: 위키피디아).

15) 빅데이터와 인공지능 기술로 리그오브레전드 프로리그 팀들의 경기 데이터 관리 자동화 및 분석 기술을 고도화하는 것을 목표로 하는 회사로, 딥리그오브레전드와 딥리그오브레전드프로 서비스를 제공하고 있다(출처: 딥리그오브레전드)

16) 게임아이에서 제공하는 빅데이터, 인공지능 기반 리그오브레전드 전적 검색 서비스(출처: 딥리그오브레전드).

딥롤의 운영 방법

딥롤이 타 사이트와 다른 점은 여러 AI가 시스템들이 적용되어 있다는 점입니다. 축구 경기가 끝나면 손흥민 선수의 평점이 7.5 나오는 것과 같이 AI 석·박사분들이 연구해서 여러 자동 시스템과 정확한 평가 시스템을 구축했습니다. 현재도 학원, 프로팀 아카데미처럼 솔랭을 관리해야 하는 곳에서는 딥롤에서 볼 수 있는 더 개인화된 자료를 활용해서 솔랭하는 선수들을 모니터링하고 있어요.

그래서, 간단하게도 확인해 볼 수 있지만 개인이 원한다면 자세한 자료도 확인하여 게임 생활을 더 윤택하게 할 수 있게 개발하였습니다. 그리고 유저들이 AI기술에 익숙해질 수 있도록 한 단계 한 단계씩 밟아나가고 있다고 생각합니다. 아직도 만들어야 할 기능과 다듬을 것이 많이 있지만, 몇 가지 독보적인 기능들과 유저가 꾸준히 증가하고 있습니다.

e스포츠와 교육의 만남

제가 교육전문가는 아니지만 제 주관적인 시선은 있어야 한다고 생각합니다. 물론 e스포츠 분야에서 계속 활동하겠지만, e스포츠의 미래를 위해서는 밑바닥에서 시작하는 학생들, 심지어 유치원 아이들에게까지, 어디까지 갈지는 알 수 없지만 중요하다고 생각합니다. 풀뿌리 수준의 e스포츠가 매우 중요하다고 생각했기 때문에 '작게나마 기여하고 지속해서 모니터링하자'라는 생각하고 있었습니다.

이후 우연히 아현산업정보학교의 방승호 교장선생님과 통화하게 된 후 학생들과 면담한 후 선생님들이 필요한 정보를 전달해 드리고 e스포츠 과정을 만들었습니다.

> "당시, 신촌에 연습실이 있을 때 근처 아현역에 직업학교인 아현산업정보학교의 방승호 교장선생님[17]과 우연히 통화를 하게 되었습니다. e스포츠과를 만드는데 도움이 필요하다고 하셔서 제가 가진 경험을 전달했더니 방승호 교장선생님께서 '그럼 선생님이 옆에서 같이 조언을 해주시면 할 수 있을 것 같아요'라고 하셨습니다. 이후 교장선생님이 교육자로서 단어 선택을 잘하셔서 '게임 중독 및 게임 재능 계발'과 같은 교육 프로그램을 개발하셨습니다. '중독'이라는 용어가 너무 부정적으로 느껴질 수 있어서, '과몰입'이라는 용어를 처음 사용해 봤을 때 정말 놀랐습니다."

---

17) 아현산업정보학교의 교장. 학생들에게 친근감을 주는 놀이와 같은 상담으로 유명하다(출처: 월간조선).

[그림 1-6] 아현산업정보학교 게임 과몰입 치유 및 재능개발 프로그램

자료: PPT

게임 학교를 운영하다

게임 학교를 주말에 운영했는데, 초등학생부터 고등학교 3학년까지 참여했었습니다. 처음에 생각했던 수업 방향이 있었는데, 학생들의 나이대가 너무 다양해서 이것저것 시도했었습니다. 그런데 제가 생각하는 e스포츠 교육은 학생들한테 당연히 주입식 교육하는 것은 말도 안 된다고 공감하고 있었기 때문에 게임으로 학생들이 영감(Inspiration)받았으면 좋겠다고 생각했습니다.

그래서 저는 '영감'이라는 것을 중요시하기 때문에 당시에도 영감을 얻을 수 있는 수업을 하기 위해 각 캐릭터마다 서사, 역사, 과학기술 등 리그오브레전드에 나오는 역사적 배경 혹은 인문학과 연결 지어 설명해주었습니다.

> "리그오브레전드에서 '아지르'라는 챔피언[18]의 경우에는 '라'의 아들인 왕자의 이름은 '호루스'인 것과 같이 이집트 캐릭터들이 나와서 레넥톤 캐릭터가 세트이면서 이집트 신. 그러면 호루스랑 세트가 어떠한 스토리가 있을까?
>
> '나서스'는 개처럼 생겼지만 개가 아니라 자칼이고, 사막 지역에 사는 개와 비슷한 동물이다. 그런데 나서스는 왜 죽음의 신이 되었을까?
>
> 게임 내에서 '내셔 남작' 캐릭터를 바론이라고 부르는데 바론은 직책, 이름은 내셔이다. 왜 바론으로 불리는지 영국의 기사 계급 등을 살펴보자."

---

18) 리그오브레전드에서 각 플레이어가 조작할 수 있는 캐릭터(출처: 나무위키).

[그림 1-7] 리그오브레전드 챔피언과 이집트 신

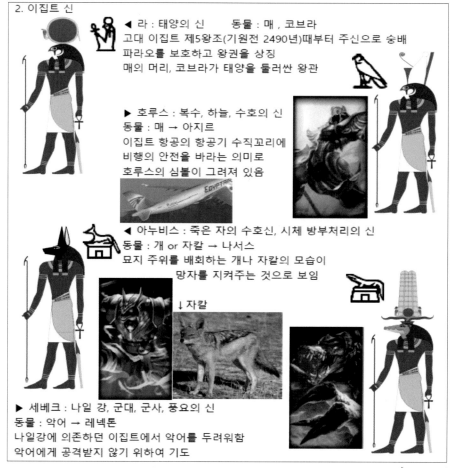

자료: PPT

이외에도 영어 선생님은 리그오브레전드에 나오는 여러 가지 상황을 가정해서 아이들끼리 계속 영어로 대화할 수 있게 하셨고, 과학 선생님은 과학 내 공식(ex. 피타고라스 정리)을 리그오브레전드 맵에 대입해서 수업을 진행하셨습니다.

개인적으로 인문학적 시각에서 아이들의 눈높이에 맞게 허들도 높지 않고, 재미있고, 이야기도 술술 흘려주는 것이 효과가 가장 좋다고 생각합니다. 실제로 아이들도 재미있어했습니다.

분량 조절도 10분, 30분, 40분 이렇게 많이 해보았는데, 아무래도 아이들이 집중시간이 길지 않기 때문에 15분 정도만 위 사례와 같이 설명하고 나머지 시간에는 팀워크, 여러 가지 개인기를 업그레이드할 수 있는 팁을 알려줬습니다.

게임을 통해서 인생을 배운다.

리그오브레전드가 인기 있는 이유 중 하나는 짧은 경기 시간 내에서 성장-상호 작용-성취로 이어지는 희로애락을 느낄 수 있는 것이 크다고 생각합니다. '월드 오브 워크래프트(WOW)[19]', MMORPG[20] 등의 게임들은 긴 호흡을 가지고 하는 게임이라면, 리그오브레전드는 30분 동안 같이 태어나서, 같이 성장하다가 성장이 벌어지고, 승부가 갈라지고, 그 안에서 내 편도 적이고, 적 편도 적이고. 여러 상황을 겪어보면 인생이 전부 다 담겨 있다고 생각합니다.

타 연구를 하신 분들이 e스포츠 지식이나, 인간관계에서 겪는 여러 가지를 리그 오브레전드에 대입해서 아이들에게 이야기해 주면 정말 재미있어합니다. 그러면 정답을 아는 것이죠.

> "예를 들어 팀원 다섯 명 중, 한 명의 실력이 많이 떨어진다면, 네 명이 한 명을 어떻게 끌고 가야 할지 고민해야 합니다. 실력이 부족한 한 명을 어떻게 끌고 가서 이 팀(조직)을 탄탄하게 만들어야 할까?, 2명이 못 할 때 너희는 어떻게 할래?, 너 는 잘하고 있는데 너를 제외한 나머지 네 명이 다 실력이 떨어지면 어떻게 할래?, 이때 여러 상황에서 남의 탓을 하면 해결이 되는지에 대해 고민하게끔 합니다."

그래서 처음에는 팀 밸런스 잘 짜려고 노력했었는데, 나중에는 간단하게 조를 짜서 아이들끼리 게임을 하게끔 했습니다. 당연히 밸런스가 안 맞지만, 밸런스가 안 맞더라도 그 상황에서 안 싸우고 게임을 할 수 있는지, 팀원을 어떻게 바꿔야 서로 공평할지 스스로 고민하게끔 생각하는 힘을 길러주는 겁니다.

제가 생각하는 가장 중요한 포인트는 두 가지입니다. 다양한 상황들을 게임에 대입해서 실제로 직접 게임하면서 교육하게 되면 '이것이 아이들에게 좋은 교육이 다'인 것이고, 게임을 직접 하면서 인문학적 시각, 사람 관계 등에 대해 배우기 때 문에 '게임을 통해서 인생을 배운다'라는 것입니다.

해외에서의 경험

제가 일본의 도쿄, 중국의 상하이, 미국의 LA에서 근무했을 때 빠르게 타지에서 적응하고 일찍 협업하면서 넓게 경험을 쌓을 수 있었던 것은 서로의 차이를 인정 했기 때문입니다.

---

19) 블리자드 엔터테인먼트에서 2004년에 출시한 MMORPG. 다른 게임 시리즈 '워크래프트'의 세계관을 바 탕으로 하는 온라인 RPG 게임으로 7개의 확장팩이 출시되었다(출처: 위키피디아).

20) 대규모 다중 사용자 온라인 리그오브레전드플레잉 게임(Massively Multiplayer Online Role-Playing Game). MMORPG는 한 명 이상의 플레이어가 인터넷을 통해 모두 같은 가상 공간에서 즐길 수 있는 리그오브레전드플레잉 게임(RPG)의 일종이다(출처: 위키피디아).

서로 틀리다가 아닌 다르다고 서로 이해하는 부분들을 아이들이 교육에서도 잘 배웠으면 좋겠습니다.

[그림 1-7] 2015년 미국 Dignitas 팀 시절

자료: 윤덕진 대표 자료제공

토론

e스포츠의 생태계

김영선 교수 윤덕진 대표님께서는 e스포츠 산업 분야로 선각자의 입장으로 e스포츠 산업의 여러 일들을 해오셨다고 말씀 주셨습니다. 앞서 설명하실 때 e스포츠 생태계 안에, 문제나 어떠한 파생되는 그런 것들이 있다고 말씀하셨는데. 어떠한 문제들이 있었을까요? 공식 해설자로 활동하시면서, e스포츠 생태계 안에서 어떠한 문제들이 체감되셨는지 설명을 부탁을 드리겠습니다.

윤덕진 대표 네. 일단 스타크래프트21) 시대부터 리그오브레전드 이전 시대에 있으면서 느꼈었던 것은, 수익이 괜찮은 좋은 회사가 잘 없다는 거에 산업 기반이 너무 취약하다는 것이 느껴졌습니다. 스타크래프트 시절에는 직업의 다양성 등 규모

---

21) 블리자드 엔터테인먼트에서 1998년에 출시한 실시간 전략 게임. 1998년부터 1999년까지 전 세계에서 150만 장 이상 판매되어 그 해에서 가장 많이 팔린 게임이 되었고, 2009년까지 1100만 장 이상이 팔린 것으로 집계되었다(출처: 위키피디아).

가 커 보였지만, 현재 보기에는 상대적으로 매우 작은 규모인 겁니다. 그래서 저도 'e스포츠에 올인을 못 하겠다'라는 생각과 '계속 해야 하나, 말아야 하나?' 고민했을 때 리그오브레전드가 나오면서 방송, 리그 해설 등 하게 된 것이죠. 그런데도 많은 사람과 토론해 보았을 때는 'e스포츠는 진짜로 돈을 버는 회사가 잘 없다'라는 것이 큰 문제였습니다.

다양한 노력을 많이 했지만, 미국이나 유럽의 손익분기점을 비교했을 때는 한국이 능력의 문제인 건지, 시장 상황이 어려운 것인지 모르겠습니다. 그래도 한국이 e스포츠 종주국이라는 이미지가 있어서 한국 사람들이 게임에 대한 선진문물을 가지고 있습니다. 그래서 관계자도 잘할 것이라는 인식이 있어서 T1[22]마크를 달고 있으면, 훈장 같은 역할을 하게 됩니다. T1이 역사와 함께 이미지를 잘 쌓은 거기 때문이죠.

이렇게 한국 이미지가 좋을 때, 인재들이 해외에 나가서 다양한 활동을 했으면 좋겠습니다. 해외에서 달러를 벌어와야 한다는 것이 제 주장인 겁니다. 예로 최근에는 중동에서 e스포츠에 관심이 많아서 '사우디 오일머니[23]'라고 이슈입니다. 젊은 친구들이 날씨가 더워서 나가기가 싫으니, 게임을 한다고 합니다. 최근에는 아랍 리그도 생겼고 사우디나 카타르 같은 곳에서 미래 먹거리를 만들기 위해서 스포츠에도 막대한 투자를 하고 있습니다.

T1은 미국 지분이 있고, Gen.G[24]는 미국 회사인 것처럼 해외에서 돈을 벌어와야 한다는 것입니다. 이 중 많은 광고 이익을 얻고 있는 OP.GG[25]가 유일하게 잘하고 있는 회사라고 생각합니다.

김영선 교수 7~8년 전에도 e스포츠 산업 생태계에 대한 고민이 현재까지도 이어지고 있는 것 같습니다.

윤덕진 대표 네, 해결되지 않았습니다. T1이나 Gen.G와 같은 팀들이 외국자본을 끌고 와서 인플레이션[26]도 있었습니다. 'PGR21[27]'이라는 사이트에는 e스포츠 경

---

22) T1은 대한민국의 종합 프로 게임단으로 리그오브레전드, 배틀그라운드, 포트나이트 등의 종목을 운영하고 있다. 과거 스타크래프트 시절 임요환이 소속되어 있던 팀으로 유명하며, 현재는 페이커가 소속된 팀으로 유명하다(출처: 위키피디아).
23) 오일 머니(Oil Money)는 중동 국가들이 석유를 팔아서 번 돈, 혹은 석유 산업을 통해 얻은 부를 뜻한다(출처: 나무위키).
24) Gen.G는 2017년에 창단한 대한민국의 종합 프로 게임단으로 오버워치 리그의 프랜차이즈 서울 다이너스티를 시작으로 총 6가지 종목의 팀을 운영하고 있다. 현재 오버워치, 배틀그라운드, 리그오브레전드, 포트나이트, 카운터 스트라이크: 글로벌 오펜시브, NBA 2K 등 6개 종목의 팀을 운영하고 있다(출처: 위키피디아).
25) 2013년에 리그오브레전드 전적 검색 사이트로 서비스를 시작한 게임데이터 플랫폼 기업. 현재는 e스포츠 전문 방송국인 OGN을 인수하며 확장세를 넓히고 있다(출처: 나무위키).

기를 본 사람들이 글을 작성하는데, 댓글만 살펴보아도 e스포츠가 얼마나 위태롭게 성장을 해왔는지 알 수 있을 겁니다.

> "T1과 Gen.G 중 선수들이 갑작스레 바뀌면 e스포츠 규모는 엄청나게 줄어드는데, 맨 위에서 전체 제일 탑 급, 어느 분야에서 해당 분야가 얼마나 크냐고 했을 평균을 보면, 가장 많이 벌고 있는 선수가 얼마나 있느냐도 중요하잖아요. 앞에서 페이커 선수와 T1팀이 앞에서 끌어주니까, Gen.G, 한화까지 끌어주면서 임금이 높아졌습니다. 여기서 저는 선수들의 임금 부분에서 문제가 있다고 생각합니다. T1의 경우 재무제표를 보면 수익이 많으나 그만큼 그 이상으로 지출이 많습니다."

그리고 e스포츠 여러 문제점 중 하나는 마케팅입니다. 스폰서는 페이커 선수의 지분이 가장 큰데, 최근 차세대 스타를 뽑으려고 쵸비선수를 띄워주고 있습니다. 그런데 페이커의 선수와 쵸비선수의 지분에 대한 %가 사람마다 생각이 다르다는 겁니다. 현재 페이커 선수에 대한 의존도가 높은데, 언젠가는 페이커 선수도 선수 생활이 끝날 텐데 페이커 선수가 없는 상태에서 어떻게 마케팅을 만들 것인지 우려됩니다.

선수양성 문제

김영선 교수 프로선수 쪽으로 방향을 돌려서 선수양성 문제에 대해 좀 더 설명을 들었으면 좋겠습니다. 그리고 지금 외국에서 선수들이 와서 전지훈련을 하고 있다고 했는데, 그 부분에서 훈련에 대한 스케줄이나 어떠한 내용이 들어가고 있는지 좀 더 설명해 주시면 어떨까요?

윤덕진 대표 네. 여러 해외 팀이 한국에 와서 전지훈련을 하고 있습니다. 선수들은 입장에서는 미국에서는 물리적인 거리가 멀어서 반응속도가 느리니까 타 국가와 스크림하기 어려운데, 한국 오면 한국 외에도 중국팀과도 스크림[28]할 수 있으니까 좋아합니다. 한국과 중국 모두 스크림할 수 있으니까 많이 선호하는 것 같습니다.

한국 서버는 전세계에서 개인 연습하기 가장 좋은 환경입니다. 중국 선수들도 굉장히 실력이 좋은데, 중국의 경우에는 한국 서버와 조금 다릅니다. 한국 서버는

---

26) 인플레이션(Inflation). 한 국가의 재화와 용역 가격 등의 전반적인 물가가 지속해서 상승하는 경제 상태를 말한다(출처: 위키피디아).
27) 2000년에 오픈한 대한민국의 e스포츠 커뮤니티로 초창기에는 스타크래프트 프로게이머들의 랭킹을 보여주는 사이트였지만, 현재는 여러 종목의 e스포츠 커뮤니티로 사용되고 있다(출처: 나무위키).
28) 팀 게임의 약속된 연습경기 (출처: 나무위키)

한국 서버 메인 하나로 되어있고, 중국의 경우에는 수십 개의 일반 서버가 운영되고 있습니다. 중국 서버에는 상위티어인 선수들만 모여 있는 소위 천룡인 서버라고 하는 메인 서버가 있습니다.

하지만 일반적인 정석 연습 차원에서는 한국 서버가 좀 더 좋다고 하는데, 실제로 선수들도 많이 선호합니다. 전지훈련에서는 한국이 가장 매력적인 것이죠.

두 번째로는 중국의 경우에는 한 챔프만 잘하는 장인들이 많이 있어서 프로선수보다 잘하는 사람도 있긴 합니다. 말도 안 되는 무공 쓰는 것과 같은 플레이를 많이 합니다. 리그오브레전드에는 160개 챔프29)에서 여러 가지 전략을 구사해야 하는데, 한국 서버의 경우에는 솔랭에서 대회처럼 합니다. 한국 사람들은 본인이 잘하는 것을 하기 보단 팀이 이기는 것에 좀 더 초점을 맞추기 때문에 현재 가장 좋은 것을 최적화하는 부분에 있어서는 매우 뛰어납니다.

> "외국인들은 한국에서 게임하면 '아니 어떻게 골드도 이렇게 다이브30)를 쳐'라고 놀랍니다. 팀플레이에 필요한 영역을 이렇게 잘할 수가 있을까 싶을 정도로 개개인의 능력은 떨어지는데도 가능하다는 것입니다."

윤덕진 대표 이전에는 외국 선수들이 우리나라 훈련 과정을 공유해 주길 바랐습니다. 예전에는 팀 코치들이 휴식기일 때 어드바이징해주는 경우가 많았는데, 최근에는 이런 경우가 많이 사라졌습니다.

작년에 일본의 소프트 뱅크31)가 한국에 프로팀 숙소에서 훈련하는 등 소수의 사례만 남았는데, 한국 시스템이 어떤지에 대해서 많이 알려져서 코칭 지원을 받지 않은 분위기입니다.

두 번째는, 한국팀이랑 서양팀은 훈련 과정이 기상 시간부터 다릅니다.

> "서양 팀의 경우 특이한 부분이 피지컬이 좋아야 정신력도 나온다고 생각하는 사람이 많아서 몸이 건강해야 오래 앉아 있고, 안 좋을 때 버틸 수 있다고 생각합니다. 그래서 한국도 이런 부분을 강조하면서 실제로 운동을 해봤지만, 쉽사리 잘 안됐습니다. 기상 시간 같은 경우에는 우리나라는 기상이 11시~12시이고 1시에 집합하는 편이고, 미국, 유럽팀은 보통 9시에 기상합니다. 그리고 일주일에 세 번 정도는 헬스트레이닝, 팀워크를 위한 놀이(방승호교수님)를 진행합니다."

---

29) 챔피언(Champion)의 약자.
30) 억지로 상대적으로 안전한 플레이 지역에 있는 상대 팀을, 인원수를 기반으로 죽이러 오는 것
31) 일본 최대 IT 기업이자 세계적인 투자회사. 일본 3대 이동통신사 중 하나인 소프트뱅크 주식회사의 모기업이며, 도쿄증권거래소 시가총액 3위 안에 들며, 창립자이자 대표이사 회장, CEO, 최대 주주는 한국계 일본인 손 마사요시이다(출처: 위키피디아).

참가 학생 안녕하세요. 작년부터 라이엇게임즈에서 리그오브레전드보다 발로란트 투자를 추가하고 싶어 하는 분위기가 있는 것 같습니다. 시드권32) LCS로 한 장, LCK 4장, 아예 발로란트33) 경우에는 네 개로 분류해서 하고 있더라고요. 라이엇은 리그오브레전드를 테스트베드로 사용하고, 잘못되었던 것을 발로란트에 적용해 보는 것 같은데 어떻게 생각하시나요?

윤덕진 대표 음. 일단 말씀 주신 내용으로 고민할 수 있다는 게 e스포츠에서는 너무나 행복한 겁니다. 왜냐하면 라이엇의 리그오브레전드, 발로란트, 배틀그라운드 그34), 오버워치35) 등 이런 상위 티어 게임들을 제외하면 게임사들은 생존을 고민하는 반면, 라이엇게임즈는 더 잘 되기 위해서 고민한다는 게 차이가 있습니다.

> "리그오브레전드 같은 경우에는 신규 게임이 MOBA 장르에 침범 못 하잖아요. 리그오브레전드가 1등, 도타가 2등. 나머지는 거의 없다고 봐도 무방해요. 중국도 마찬가지고요."

이건 보는 스포츠로서 자리를 잡아가는 단계라고 봅니다. 리그오브레전드가 상금은 많지 않지만, 선수연봉이 받쳐주기 때문에 라이엇게임즈가 지원금을 팀에게 주는 운영 방식이 성공한 사례로 봅니다.

> "미국 게임 회사 라이엇이 잘하는 것 하나가 1부 리그, 2부 리그 그리고 아마추어 리그 3부 리그가 있는데 그게 대학리그 거거든요. 그라운드 제로라고 이름을 붙였더라고요. 라이엇게임즈가 혼자 운영하는 게 아니고, 외국 데이터 사이트 등과 협업해서 대학 선수들의 정보, 데이터들을 꽤 자세하게 시스템을 갖추고 있는 걸 봤어요. 그런데 이게 꼭 라이엇게임즈라고 그런 것이 아니라 이미 미국 스포츠에는 그런 전통이 있고, 로우 데이터가 있으니까 편하게 잘 만들어 놓은 거죠."

---

32) 스포츠에서 사용되는 용어로 토너먼트 경기의 대진표를 만들거나 조별리그 경기에서 조를 편성할 때, 대진 처음부터 우승권에 있는 팀 혹은 선수들끼리 사전에 맞붙는 것을 피하려고 특정 팀 혹은 선수에게 부여하는 우선권을 말한다(출처: 나무위키).
33) 라이엇게임즈가 2020년에 개발하고 출시한 FPS 게임으로, 라이엇게임즈가 FPS 장르로는 최초로 개발한 게임이다. 5명으로 구성된 두 팀이 서로를 대적하여 플레이하며 플레이어는 독특한 능력을 지닌 요원의 역할을 맡는다(출처: 위키피디아).
34) PUBG(펍지) 코퍼레이션에서 개발하여 2017년 8월부터 정식 발매된 서바이벌 슈터 비디오 게임. 최대 100명의 플레이어가 배틀로얄 형태로 싸우는 PVP 슈팅 게임으로, 마지막까지 생존한 1인이나 팀이 되면 승리하게 된다(출처: 위키피디아).
35) 블리자드 엔터테인먼트에서 2016년에 개발하고 출시한 FPS 게임으로, 출시 첫 주에만 700만 명 이상이 플레이하는 등 큰 인기를 끌었다. 현재는 서비스를 종료하고 오버워치2를 서비스하고 있다(출처: 위키피디아).

라이엇게임즈가 리그오브레전드를 소홀히 한다고 보기보다는 리그오브레전드의 나라별 격차를 줄이려고 노력하고 있다고 봅니다.

> "특히 남미 지역, 특히 브라질은 e스포츠 팬들이 생각보다 많습니다. 인구도 2억이 넘고, PC 게임 중 가장 인기 있는 e스포츠는 리그오브레전드입니다. 브라질 리그 결승전의 오프닝 무대 규모를 보고 놀랐습니다. 미국의 e스포츠 기업들도 브라질의 투자에 관심이 있습니다. 브라질에서는 리그오브레전드에 관한 관심이 상당히 높아 보입니다. 아까 말씀드린 대로, 겉에서 보는 것과 안에서 보는 것은 다르게 느껴질 수 있습니다. 발로란트가 한국에서는 별로지만, 오버워치나 서든어택은 더 그랬는데, 이것은 얼마나 잘했느냐보다, 라이엇게임즈가 관여하는 것만으로도 한국에서 긍정적으로 여겨질 수 있다는 것을 의미합니다. 게임사에 대한 신뢰도가 매우 큰 것으로 보입니다. 게임사가 e스포츠 리그를 운영할 때 실제로 성공하느냐의 여부는 그것이 라이엇이라면 절대적으로 성공할 것으로 기대되기 때문입니다. 그래서 외부에서는 많은 얘기가 나오지만, 그것은 행복한 고민이라고 생각합니다. 그러나 사업계에서 보는 시선은 항상 달라질 수 있습니다. 이 업계에서는 여러 변화가 있고, 결과는 예측하기 어려운 것이 현실입니다. 저는 항상 FPS 게임에 재능이 있는 것 같습니다. 발로란트는 좀 뜨고 있지 않으나, 어떤 경우에는 발로란트가 더 유리하다고 생각했습니다."

이상호 교수 기업 입장에서는 LCK 선수들의 고액 연봉이 성적과 관계없이 이뤄지고 있다는데, 어떻게 해야 구단이 지속해서 유지할 수 있을까요?

윤덕진 대표 아프리카와 한화는 토종 한국기업으로, 제가 마케팅 전문가는 아니라 숫자로 자세히 언급하기 어려우나, 전문가들이 언급한 대로 투자 대비 수익을 창출하기 어려운 상황일 수 있습니다. 더불어, T1이나 젠지와 같이 서양식 e스포츠를 도입하기 위해 더 많은 자금이 필요하고, 이에 따라 더 많은 자금을 투자해야 하는 상황에서 이 팀들이 과연 팀 운영을 유지할 수 있는 결단력을 가질 수 있는지, 그리고 그에 따라 팀 구성원들이 이를 위한 용기와 대안을 가졌는지가 중요합니다. 우리나라의 프로 스포츠팀들은 수익을 창출하기 어렵다는 점이 널리 알려져 있습니다.
밸런스가 좋지는 않을 수도 있지만, 힘의 균형이 맞춰져 있는 것일 수도 있습니다. 어찌 됐든 대기업이나 중견기업의 입장에서는 이것이 진정으로 가치 있는 것인지 판단하기 어려울 것입니다. KT36)나 한화와 같은 큰 기업 안에서 어떤 역할을

---

36) KT 리그오브레전드스타는 대한민국의 리그오브레전드 및 와일드 리프트 프로 게임단으로 과거에는 피파와 카운터 스트라이크, 스타크래프트 등의 종목을 운영하기도 했다. T1과는 스타크래프트 시절부터 현재까지도 이동통신사 라이벌 관계로 유명하다(출처: 위키피디아).

하는 중요한 인물이 있는지 알 수는 없지만, 적어도 숫자로 충분히 충족되지는 않았습니다. 따라서 이러한 중요한 역할을 하는 사람들이 회사 차원에서 이 산업을 키우는 가치가 있는지 고려해 보아야 합니다. 현재로서 4대 메이저 프로 스포츠와 같은 위치에 있는 것이 사실입니다. 이 문제를 어떻게 해결할 수 있는지에 대해 고민할 때, 대형 게임 기업이 전문가를 양성하는 아카데미를 구축하는 것은 한 가지 방법이 될 수 있겠지만, 이것도 쉽게 달성할 수 있는 것은 아닐 것입니다. 삼성과 같은 기업에서는 반도체 분야로의 취업을 100% 보장하고 있기도 합니다.

이상호 교수 지금 말씀하시는 것은 프로선수들의 경우인 것 같은데, 그럼, 생활 e스포츠, 즉 일상적으로 즐기는 e스포츠를 어떻게 발전시킬 수 있는지 궁금합니다.

윤덕진 대표 협회에서 생활 스포츠로서 가족 e스포츠 캠프나 지역별 e스포츠 페스티벌을 진행하고 있는데 이는 필요한 일을 하고 있다고 봅니다. 그리고 생활 e스포츠 발전의 핵심 중 하나는 교육이라고 생각합니다. 그래서 교육자분들이 주도해서 다양한 프로그램이나 수업 방법을 찾아내고 연구·개발해야 한다고 생각합니다. 하지만 이 일을 할 수 있는 교육자분들한테 권한이 너무 없는 것 같아서 교육자분들께서 주도적으로 이 분야를 개척할 수 있는 환경이 만들어져야 한다고 생각합니다.

이상호 교수 검도의 경우, 이기지도 않고, 비기게 되는 경우가 있는데 리그오브레전드의 경우 다섯 명이 전체 에이스로 구성되어 있어도, 능력에 따라 결과는 달라질 수 있다는 사실입니다. 현실적으로는 이러한 경험을 할 기회가 없는데 e스포츠는 항상 새로운 무언가 경험을 주는 것 같다고 생각합니다.

윤덕진 대표 네 맞습니다. e스포츠를 통해 학생들이 경험하고 실생활에서도 적용할 수 있다면, 협력의 스포츠로서 좋은 거 같습니다.

김재훈 교수 MZ세대[37])들에게 e스포츠는 태어나서 익숙한 시장이지만 타 연령대는 진입장벽이 스포츠에 비해 어려운 것 같습니다. 그렇다면, 닌텐도[38]) 광고를 예로 말씀드려 보겠습니다. 닌텐도 광고에는 가족끼리 여행을 가면서 수영 등 즐겁게 놀자고 이야기했는데 펜션에 도착했더니 비가 내려서 아이들이 실망합니다. 이

---

37) 밀레니얼 세대와 Z세대를 통틀어 지칭하는 신조어로 대략 1981년부터 2010년대 초반까지 출생한 사람을 MZ세대라고 부른다(출처: 위키피디아).
38) 일본의 다국적 비디오 게임 기업으로 비디오 게임기와 비디오 게임을 개발, 제작 및 출시하고 있다. 자사의 이름을 딴 닌텐도 비디오 게임기가 유명하며, 마리오, 동키콩, 동물의 숲 등 대형 비디오 게임 프랜차이즈들을 전개했다(출처: 위키피디아).

때 아빠가 닌텐도를 꺼내서 아이들과 테니스합니다.

e스포츠케이션에 관련해서 문화를 얘기하고 싶은데 e스포츠는 완전 프로 쪽에, 게임은 문화로 이야기하고 있는데 혹시 e스포츠가 PC 기반보다는 콘솔 시장이 더 커지지 않을까 싶습니다. 이 부분에 대해서 어떻게 생각하시는지 궁금합니다.

윤덕진 대표 e스포츠의 영역에서 콘솔에 관한 이야기하는 사람보다는 모바일에 관해 이야기하는 사람이 많습니다. 한국은 PC 보급률이 국제적으로 어느 나라보다 뛰어나며, 심지어 일본과 비교해도 PC 보급률이 상당히 높습니다.

동남아권, 남미, 브라질도 모바일이 PC보다 압도적으로 높습니다. 인도네시아, 중국 사례만 보아도 모바일 게임은 분명히 가능성이 있습니다.

처음에 모바일 게임인 왕자영요가 나오기 전에 PC게임은 전략 등 깊게 플레이할 수 있어서 프로에 대한 희귀성이 높지만, 모바일 게임은 조작을 어렵지 않게 간편하게 만들어야 해서 PC게임에 비해 깊이가 없어서 인기가 떨어질 거로 생각했습니다. 중국만 하더라도 모바일 게임인 왕자영요[39) 선수의 연봉이 가장 높다고도 하고. 페이커만 빼면 오히려 왕자영요가 유저수 자체는 많아서 모바일 게임시장을 더 지켜봐야 합니다.

모바일 게임임에도 e스포츠들이 계속해서 나오고 있어서 우리나라 사람들이 모바일 게임시장의 전망에 대해 한 번 더 생각할 필요가 있어 보입니다.

김재훈 교수 마지막으로, 저희가 가장 많이 하는 판타지게임인 리얼스포츠에서, 축구를 예로 들어보면 마라도나와 메시 같은 레전드 선수들이 경기한다면 어떻게 될지 등 이런 주제로 부모 세대와 자녀 세대 사이에서 토론이 일어나곤 합니다.

만약 리그오브레전드와 같은 게임에서 과거 스타 선수들인 임요환과 홍진호 선수를 다시 활약시켜 미디어에 나오게 하는 방법이 있다면 말입니다. 각 나라에서 가장 인기 있는 스포츠와 같은 방식으로 유럽에서는 축구와 연결될 때, 우리는 대중에게 알리고 미디어에 나오는 것이 스폰서와 연계될 수 있다면, 이러한 아이디어에 대한 어떤 생각이 있으신가요?

윤덕진 대표 유튜브 구독자 700만명안 사회학자 유튜버는 페이커를 세계 메시와 비교하는 것이 영상이 있습니다. 메시 선수의 경우 축구를 모르는 사람도 알지만, 페이커 선수의 경우에는 모르는 사람이 많습니다. 물론 주관적이긴 하지만 옛날 선수들을 연결하여 마케팅하게 된다면, 잘 아는 사람들은 좋아할 수 있지만 그 외

---

39) 티미 스튜디오에서 2015년에 개발한 모바일 MOBA 게임. 해외에는 펜타스톰이라는 이름으로 출시되었다(출처: 위키피디아).

사람들에겐 통하지 않을 것 같습니다. 반면 축구의 경우엔 100년의 서사가 있어서 가능한데, 임요환40) 선수의 경우 시간이 지나면 모르는 사람이 더 많아질 것 습니다. 다만 리그오브레전드가 30, 40년 후에는 페이커 선수에 대해 많은 사람이 알게 될 것 같습니다.

김재훈 교수 그러면 리그오브레전드가 2, 30년 후에도 지속되리라 생각하십니까?

윤덕진 대표 네. 15년은 충분히 지속될 것으로 보입니다. 예를 들어, 종로의 롤파크41)가 15년 계약을 체결한 적이 있습니다. 리그오브레전드가 처음 출시될 때도 '리그오브레전드는 얼마나 오래 지속될까?'라는 의문에 모두 5년 정도 가질 것으로 예상되었지만 현재까지도 전 세계 사람들이 즐겨하는 게임입니다. MOBA 장르에서 다른 게임으로 쉽게 대체되기 어렵다고 판단하며, 리그오브레전드가 단기간에 사라지는 가능성은 거의 없을 것으로 생각합니다.

데이터 사업을 하려면 로우 데이터(Raw Data)42)가 있어야 하는데, 타 게임사는 라이엇게임즈보다 이런 부분이 다소 약했던 것 같습니다. FPS 게이머는 리그오브레전드 유저에 비해 전적 사이트43)를 사용하는 문화가 활발하지 않습니다.

이상호 교수 해설가 활동을 많이 하셨는데, 아까 페이커 선수에 관해 이야기해 주셨는데, 선수의 타고난 능력이 뛰어난 건지 혹은 노력의 문제인지 궁금합니다. 제 생각에는 타고났다고 생각하는데 대표님이 보실 때는 능력이 중요한 건지 혹은 재능을 의미하는 건지 궁금합니다.

윤덕진 대표 재능이 99%라고 생각해요. 그다음으로는 환경, 주변 사람으로 채워지는 것 같습니다.

> "제가 수능을 보았을 때는 수능 인구가 60만 명이었는데, 리그오브레전드의 계정이 500만 명, 솔랭은 40만 명입니다(물론 한 사람이 중복 계정을 만든 것도 있지만). 500만 명 중 챌린저만 300명인데, 국내 프로는 300명이 안 되죠. 수능으로 따지면 50만 명이 수능을 봤을 때 챌린저 300명이면 서울대로 치면 최상위권인 거죠. 그 정도의 재능이면 과연 노력인 걸까요? 요새 학부모들이 학교나 학원에서 상담하는 게 '우리 자식이 재능이 있습니까?'입니다. 있으면 투자하겠다는 거예요. 스포츠에서는 남들 10년 하는데 e스포츠는 2년 만에 해낼 수 있기 때문이

---

40) 대한민국 전직 스타크래프트, 스타크래프트2 프로게이머. 테란 황제라는 별명으로 불리며, e스포츠의 개척자이자 선구자라고 평가받는다(출처: 위키피디아).
41) 대한민국 서울특별시에 있는 LoL e스포츠 전용 경기장(출처: 나무위키).
42) 정보로 처리되기 전, 미가공 상태의 자료(출처: 위키피디아).
43) 기본 클라이언트가 제공하는 게임 정보 및 그래프, 타임라인 등을 보여준다(출처: 나무위키).

죠"

김영선 교수 예전의 얘기를 하자면, 김연아 선수, 손흥민 선수들은 제도권 안에서 선수 생활을 한 경우인데 e스포츠 선수들은 학교에 다니면 오히려 방해되니 학교 밖으로 나오곤 합니다. 제도권 밖에서 선수 실력을 기르면서 페이커, 데프트 선수도 나왔습니다. 이제 이 탑의 선수들은 어마어마한 연봉을 받는 선수들이지만, 2군 선수와 연습생들도 존재합니다. 체육 분야에서는 선수들의 학습권에 관한 논란이 종종 있었는데, 탑의 선수가 아닌 다른 선수들, 특히 청소년들은 동시에 교육받아야 하는 제도적인 부분에서 부족함을 겪을 수 있습니다. 시대가 변하면서 어디서든 책이나 수업을 온라인으로 받을 수 있는 환경이 더 풍부해졌기 때문에 이러한 부분이 일부 경감되었을지도 모릅니다. 그러나 예전에 만났던 프로게이머 지망생들의 경우, 학교를 중도 포기하고 일주일에 두 번 아카데미에 참석하여 연습하는 동안 가족과 부모님은 학습권에 대해 우려하고 있었던 기억이 있습니다. 이 친구들이 결손난 학습권은 어떻게 할 것인가에 대한 문제들을 가지고 있었어요. 준비하는 선수들은 나중에 다른 일을 하고자 할 때 선택의 폭이 좁아지는 것에 대해서 문제가 된다면 어떻게 개선되어야 할까요?

윤덕진 대표 이 부분은 끊임없이 얘기하고 있는 부분입니다. 좋은 사례도 있지만 안 좋은 사례의 경우에는 프로게이머를 준비하다가 진입장벽이 높다라면 e스포츠 관련 대학교로 진학합니다. 하지만 아직 대학들의 e스포츠 과가 나온 지 얼마 안 되었다보니 역할을 하기에 아직은 부족한 부분이 있다고 봅니다.

> "첫 번째 사례는, 기인 선수가 아마추어인 고3 당시에 건대역 근처 고등학교에 다녔었습니다. 재능이 있는 학생이었지만 부모님은 학교를 졸업하기를 원하셨습니다. 그래서 오후 10시에 공식 연습 끝난 후 개인 연습하고 새벽 4시에 잠들면 숙소에서 자고 아침 일찍 학교에 출석하여 졸업하게 되었어요.
> 두 번째 사례는, 이전에도 여러 프로팀에서 유망주들의 부모님들이 졸업은 시켜야 할 것 같다 해서 A고등학교에 문의가 많이 왔습니다. 연습생 20명 있다면 한두 명 살아남다 보니 게임에 올인해도 선수가 될지 안 될지 고민스러워서 보통 자퇴하는 경우가 많다고 합니다. 그렇다고 팀에서도 자퇴하는 걸 말릴 수도, 책임질 수도 없죠."

김영선 교수 지금, 청소년들의 e스포츠와 일반 스포츠 문제로 볼 수 있는데, 미국의 경우 중학교, 고등학교, 대학교에서 장학금 제도가 있어 부모들은 이를 활용하며 제도 내에서 e스포츠를 촉진하고 있는 시스템으로 진화하고 있습니다. 한국이 이러한 시스템을 채택해야 한다고 생각하며, 일본은 이미 이러한 시스템을 도입하고 있습니다. 그런데 한국은 아쉽게도 이러한 시스템을 받아들이고, 교육 체계 내에서 e스포츠 양성화를 위해 큰 노력을 기울여야 한다고 생각합니다.

윤덕진 대표 그 부분은 반드시 가야 할 길이라고 생각합니다. 실제로 해외에서는 미국에 있는 수백 개 대학교와 기존의 스포츠 리그가 e스포츠를 비슷하게 운영하여 선수들을 지원해 주고 있습니다.

> "제 에이전트 선수 중에 토론토 대학에 다닌 선수가 있었는데, 북미 지역에서 리그오브레전드가 1등 게임은 아니지만 미국에 있는 수백 개 대학교, 기존의 스포츠 리그와 비슷하게 운영해서 전폭적으로 지원해 주고 있다고 했습니다. 그리고 게임사에서도 신경을 많이 쓰고 있고요. 그중에서 나온 선수인데, 한국에서 고등학교 초반까지 다니다가, 캐나다 토론토대학교에 갔는데, 공부도 잘하는 편이고, 리그오브레전드를 좀 하니까 e스포츠 리그오브레전드 팀에 있었어요. 그 팀이 미국대학 리그 1등하고, 세계 대학리그에 나가서 우승을 차지했어요. 그렇게 하고 나서 미국의 플라이 퀘스트[44] 2군에 들어가고, 1군까지 들어가는 성장하는 케이스가 있었는데 북미 지역에서의 이런 케이스들은 상당히 좋아 보였어요.
>
> 한국에서는 학교 공부도 충실히 하고 게임도 잘하면 이슈이지만 해외에서는 특별하지 않습니다. 꼭 선수로 대성하지 못해도 학생들이 전공이 있으면서 대회에 참가하면서 아까 말씀하신 것처럼 학생들이 자기 전공이 있으면서 e스포츠 대회를 통해서 팀, 협력, 마인드십을 길러서 자기 분야로 가곤합니다.
>
> 우리나라에서 공대에 가면 성공한다는 것처럼 미국에서는 e스포츠팀에서 학교에서 장학금 받으면서 대회에도 나가고, 프로팀에서 발 담가보면 어떤 분야에서도 끝까지 해내는 것이 구느냐고 인정을 받는 거죠. 이후에 이 친구는 남미 팀으로 들어가고, 이제 은퇴했거든요. 근데 이 친구는 미래에 대한 걱정은 없는 거예요. 더 빨리 은퇴할까, 더 빨리 코치할까 아니면 전공으로 갈까 낙담할 필요는 없죠. 지금 한국 아카데미 팀들은 나이가 많을수록 안 뽑거든요."

김영선 교수 짧은 시간 안에 유망한 선수를 키워야 해서 그렇겠네요.

윤덕진 대표 그렇죠. 그런 친구들이 T1의 메인 선수 중 페이커 선수를 제외하면 육성팀에 있던 선수들이었습니다. 재능 있는 어린 친구들을 최대한 확보하여 양성

---

44) 플라이퀘스트(FlyQuest). 미국의 프로 게임단으로, 현재 리그오브레전드와 카운터 스트라이크, 발로란트, 대전 격투 게임 프로 게임단을 운영하고 있다(출처: 나무위키).

하는 것이 중요하다고 생각합니다. 예로 J 대학교에서도 유명 프로게이머들을 입학시켰던 프로그램이 있었습니다. e스포츠 선수들을 지원해 주는 미국 모델이 필요할 것 같습니다. 만약 프로게이머가 되지 못해서 다른 길을 갈 수 있게 시스템을 만들어줘야 한다고 생각합니다.

김영선 교수 2019년 대학스포츠협의회45)에서 e스포츠 종목을 진행해 보았는데, 각 대학 총장님의 생각에 따라 일회성으로 끝나는 경우가 있었습니다. 모든 대회의 타이틀을 살펴보면 간헐적으로, 연도로 대회명을 쓰는 것을 보니 지속성을 바라볼 수 없습니다. 기업, 게임 회사, 대학, 구청 등 마찬가지로 지속성이 없었습니다. 대회 정기 리그 시스템을 정비해서 지속성을 가지게 되면 문화로 정착할 수 있는 분위기가 형성되는데, 그런 시도가 아주 중요한 거 같습니다.

윤덕진 대표 모든 스포츠가 가지고 있는 숙제인 것 같습니다.

이학준 교수 저의 관심은 e스포츠를 학문화하려고 하는, 학회를 결성하고 학회지를 정기적으로 발행하고 있습니다. 혹시 현장에서 학문으로서 e스포츠 하는 것에 대한 본인의 생각과 또 어떤 것을 해주었으면 하는 생각에 대해 말씀 부탁드립니다. 그리고 H 대학교에서 강의하셨다고 들었는데, 대학에서 e스포츠과를 설립해서 과연 어떤 지도자를 양성하는 것이 중요한 것인가, 현재 상황은 어떤지 본인이 경험하신 것을 듣고 싶고요. 그리고 우리나라를 e스포츠 종주국이라 불리며, 페이커 선수 등 많은 선수를 제외하고 지도자들이 세계에서 어느 정도의 활약을 하고 있는지, 어느 정도의 분포가 있는지 궁금합니다. 우리나라가 종주국이라면 전세계에 지도자들을 양성하여 달러를 벌어들이는 그것뿐만 아니라 e스포츠의 수준을 향상하는 데 이바지할 수 있지 않겠습니까? 우리나라 양궁, 태권도의 경우에는 200여 국의 많은 지도자를 세계적으로 진출시키고 있는데, 우리나라는 e스포츠 종주국으로서 세계의 e스포츠 문화에 어느 정도 영향을 미치고 있는지에 대한 현장에서의 경험 얘기를 듣고 싶습니다.

윤덕진 대표 지도자에 대해 이야기를 드리자면, 과거에는 스타크래프트 출신인 분들이 리그오브레전드 감독을 했었는데 현재는 거의 리그오브레전드 출신들로 채워져 있습니다.

---

45) 2010년에 결성된 사단법인으로, 대학스포츠 종합 관리, 감독, 선진형 대학스포츠 문화 조성, 침체된 대학스포츠의 부활 및 재정자립 유도를 도모하기 위해 설립되었다. 2019년 기준으로 104개의 대학이 가입되어 있다(출처: 위키피디아).

"한때 인플레이션 문제가 있던 시기에 많은 선수가 중국으로 이동했고 당시 중국은 14개 팀을 운영하고 있었는데 이 중 7개 팀은 한국인 감독입니다. 미국 팀들에 대한 정보는 직접 경험하면서 알게 되었는데, 유럽은 자체 팀을 만들기 위해서 미국의 좋은 것들이 있다면 빨리 습득해 오고 벤치마킹하곤 합니다.

미국과 유럽 선수들을 모두 살펴보면, 미국에서는 영어를 잘하면 살아남을 가능성이 높지만, 유럽에서 동일하게 잘하는 선수가 있으면 보통 미국으로 이동합니다. 현재 유럽에는 한국 선수가 거의 없으며, 한국 출신 지도자도 거의 없습니다. 이력이 한국 출신이어도 사실상 한국에서 활동하지 않고, 고등학교와 대학을 프랑스에서 완료한 예도 있습니다."

한국인 선수들은 전문가로서 굉장히 우수한 물리적인 능력을 갖추고 있다는 얘기가 있는 반면에 전략 및 전술 부문에서는 서양 팀과 한국 팀 사이에 차이가 있는 것 같습니다. 이 부분에서 서양 팀이 한국 팀보다 세부 전술을 더 잘 따라갑니다.

"미국에서 한국 선수가 오버워치의 경우 잘했죠. 오버워치에서 한국 팀이 선수들을 압도하며 성과를 거뒀습니다. 하지만 발로란트의 경우에는 한국팀이 아직 최고 수준에 이르지 못했습니다."

선수들뿐만 아니라 지도자들도 지역에 따라 다른 경향을 보이는 것 같습니다. 이러한 현상은 한국이 전 세계적으로 e스포츠 분야에서 꾸준한 영향력을 유지하고 있기 때문입니다. 한국에서 한국산으로 만들어진 콘텐츠나 전문가들은 여전히 귀중한 가치를 가지고 있습니다. 앞으로 시장이 어떻게 변할지는 아직 알 수 없지만, 현재로서는 한국의 이미지가 여전히 강력하게 유지되고 있습니다. 아직 한국에서 e스포츠 선수로 활동한 이력이 있다면, 전문가로서의 기회가 여전히 크다는 것을 의미합니다.

"남미, 스페인, 그리고 브라질 같은 지역에서는 외국인 코치진을 선호하지 않고, 현지 선수들과 지도자들을 중심으로 팀을 구성하는 경향이 있습니다. 한국에서는 일본에 있는 e스포츠 시장에 관한 관심이 높아졌고, 일본 팀 중에는 한국인 선수들을 중요하게 생각하는 팀이 많이 있습니다. 그래서 한국인 선수들은 일본 팀에서 활약하는 경우가 많아졌습니다."

이학준 교수 저희가 한국 e스포츠 학회를 만들었는데, 현장에서는 어느 쪽에 학문을 체계화하고 깊이 연구하길 원하십니까?

윤덕진 대표 e스포츠는 끊임없이 변화하고 진화하고, 바뀌는 특성이 있어서 학문적인 접근이 상당히 어려운 것 같습니다. 어떻게 e스포츠를 학문으로 정립하느냐에 대한 도전이 있는 것 같습니다. 이 분야를 무시하는 사람들도 있지만, 우리는 게임을 학문화하고 학문적으로 접근해야 한다고 생각합니다. 그리고 게임의 변화에 맞춰서 이를 항상 업데이트하고 발전시키고 게임의 역사와 데이터를 기록하고 연구하여, 게임의 다양한 측면을 살펴보고 분석해야 합니다.

예를 들어, 게임의 종목이나 장르가 바뀌더라도, 시간에 따라 다시 연구하고 적용해야 합니다. 이것이 게임의 학문화와 도제식 게임에 대한 접근의 차이입니다. 이러한 과정을 통해 우리는 게임을 진정한 학문으로 발전시켜야 합니다.

> "첫 번째 예시는 게임 종목이 다르더라도 게임에서 탁월한 물리적 능력을 갖춘 선수와 머리 좋은 선수가 어떻게 하면 다를지, 어떤 성격의 선수들이 특정 종목에서 더 뛰어난지 연구할 수 있습니다. 또한, 팀 게임에서 어떤 성격의 선수가 어떤 역할을 수행하는지, 그리고 팀의 조합이 어떻게 게임의 결과에 영향을 미치는지 등을 연구할 수 있습니다.
>
> 두 번째 예시는 축구의 경우 실제로 A팀이 최근에 우승했는데, 선수들의 기량이나 체력적 상태가 과거에 비해 민첩하고 빨랐음에도 이긴 이유에 대해 접근이 필요한 것 같습니다. 과거 선수들의 기량이 더 낮았겠으나 뛰어난 팀워크와 전략으로 승리를 이끌어 낸 예시를 통해 연구하고 설명할 수 있습니다.
>
> 이외에도 인터뷰를 통해 팀의 성격, 선수, 감독 등의 자료 수집이 비교적 쉬울 것이라 봐요."

이렇게 복합적인 업데이트된 학문적 연구로 우리는 게임의 다양한 측면을 이해하고 기록할 필요가 있다고 생각합니다. 이런 학문을 정리하고 정립하면, 게임이 변경될 때마다 새로운 연구를 수행하고 게임의 핵심적인 측면을 탐구할 수 있을 것이고 이러한 노력을 통해 e스포츠를 학문적인 분야로 만들 수 있을 거라 생각됩니다.

이학준 교수 그렇다면, e스포츠학과에서 어떠한 전문가를 양성하는 것이 바람직할지, 현재 e스포츠 학과 현실에 대해서 어떻게 생각하시는지 궁금합니다.

윤덕진 대표 현재로서 e스포츠는 학문적으로 정립된 분야가 아니며, 소규모 집단에서 각자 자기 경험과 지식을 기반으로 만들어진 책 등이 주로 자료로 활용되고 있습니다. 그런데, 이러한 노력을 모아서 보다 체계적이고 학문적인 분야로 정립할 필요가 있다고 생각합니다. 현재 대학의 e스포츠 학과에서는 학문적으로 다루는 내용이 제한적이며, 전문적인 교육환경이 부족합니다. 이러한 환경에서 학생들의 요구와 기대에 부응하기 어렵기 때문에, 교수들의 경험과 지식을 기반으로 수업이 이루어지고 있습니다.

그러나 이러한 수업이 학생들에게 충분한 교육을 제공하기 어렵기 때문에, 더 정리된 학문적인 내용을 제공하는 수업이 필요합니다. 이를 위해서는 e스포츠의 다양한 측면을 학문적으로 연구하고, 연구 결과를 학생들과 교수들이 함께 공유해야 합니다. 이를 통해 학생들은 전문적인 지식과 더 많은 경험을 쌓을 수 있을 것이며, 미래에 e스포츠 관련 분야에서 일할 준비를 할 수 있다고 생각됩니다.

또한, 대학생들이 e스포츠 분야에서의 경력을 쌓기 어렵다는 문제가 있습니다. 졸업 후 취업 시에 e스포츠와 관련된 경험이 있어도, 대부분 기존의 인맥과 경험을 토대로 취업하는 경우가 많습니다. 그래서 대학에서 e스포츠 교육과정을 제공하고, 학생들에게 더 많은 기회를 제공해야 합니다. 이렇게 하면 e스포츠 분야에서 일하고 싶어 하는 학생들에게 더 많은 기회와 지원을 제공할 수 있을 것입니다.

대학 수업에서 e스포츠를 다루는 경우, 게임의 근본적인 원리와 전략을 가르침으로써 학생들이 게임을 다르게 바라보고 생각하는 방법을 습관화할 수 있게 도울 필요가 있다고 생각합니다.

"예를 들어, 리그오브레전드 전략 수업에서는 단순히 게임을 플레이하는 방법을 알려주는 것이 아니라, 주어진 상황을 분석하고 문제 해결에 필요한 전략을 개발하는 방법을 가르쳐주는 겁니다. 게임에서 승리를 이루기 위한 논리적인 사고 과정을 강조하고, 학생들이 게임을 더 나은 방식으로 접근하도록 돕는 것이 주요 목표입니다."

물론, 현실적으로 대학에서 4년 과정으로 e스포츠를 학문적으로 교육하기에는 한계가 있을 수 있습니다. 그러나 이러한 노력을 통해 학문적인 밑거름을 만들고, 학생들이 e스포츠 분야에서의 경력을 쌓을 수 있는 환경을 조성하는 것이 중요합니다. 대학 수업에서 e스포츠를 다루는 것은 단순히 게임을 플레이하는 것을 넘어, 게임을 이해하고 분석하는 학문적인 접근 방식을 배우는 데 도움을 줄 필요가 있습니다.

이상호 교수 e스포츠를 가르칠 수 있는 전문가가 부족한 상황입니다. 예전에는 전문대학에서 e스포츠 관련 교육을 제공하는 예도 있었지만, 현재는 LCK 구단들이 대부분의 인재를 확보한 상황으로, 전문대학에서 e스포츠 교육의 방향성이 모호합니다. 또한, e스포츠 관련 전문 교수진이 부족하며, 취업 기회가 제한적이어서 학생들에게는 뚜렷한 목표와 방향성이 부족한 상황입니다. 그래서 개인적으로 정부나 국가 차원에서 e스포츠에 대한 지원과 정책을 마련할 필요가 있다고 생각합니다.

> "현재 e스포츠 분야에서 활동 중인 사람들도 취업에 대해 고민하고 있어서 정부나 국가 차원의 지원 정책이 필요한 것 같아요. 만약 지원이 이뤄진다면 e스포츠 관련 직업을 추구하려는 학생들에게 더 많은 기회와 지원을 제공할 수 있을 것입니다. 현재는 취업이 어려운 상황이지만, 정부와 국가 차원에서 e스포츠 산업을 육성하고 지원하는 정책을 마련한다면, 이 분야에서의 직업 기회를 확대할 수 있을 것입니다."

윤덕진 대표 현역으로 활동 중인 e스포츠 선수나 관련 직종에 종사하는 분들은 그들의 현장 업무로 인해 고민에 시간을 할애하기 어려운 것으로 판단됩니다.

이학준 교수 그러면 e스포츠 교육과 e스포츠를 통한 교육으로 살펴보면, e스포츠 교육은 e스포츠를 잘할 수 있는 전략에 초점이, e스포츠를 통한 교육은 e스포츠를 통해서 영감으로 주거나 살아가는데 생각하는 방법을 가르칠 수 있겠지요. 그렇다면, 이러한 관점에 대해서 어떻게 생각하고 계시는지 궁금합니다.

윤덕진 대표 e스포츠 전문가나 마케팅 전문가들을 보면, 대회 운영을 제외하고는 e스포츠 전공에서 다른 학과에서 가르치지 않는 내용을 가르칠 가능성을 검토할 때, 대회 운영은 스포츠와 달라서 수업 형식이 아닌 프로젝트 기반의 학습 방식일 것으로 예상됩니다. 또한, 3학점의 가치를 지닌 수업이기 때문에 학문적 내용과 전문적인 스킬 획득을 강조할 것입니다. 특히 e스포츠는 실전 경험과 실무 능력이 중요하게 간주하므로 학생들은 프로젝트를 수행하고 결과를 발표함으로써 학습 경험을 쌓을 수 있을 것입니다. 그러나 e스포츠 전공에서 다른 전공 수업을 학습하는 것은 쉽지 않으리라고 예상됩니다.

이학준 교수 우리나라에서는 현재 'e스포츠가 황금알을 낳는다'라고 하여 집중적으로 경기장을 짓는데, 어떻게 보면 많은 학생이 e스포츠에 너무나 집중해서 에너지를 낭비하고 있는 것은 아닐까, 걱정됩니다. 예를 들면, 미국에서 아프리카계 미국인에게 농구, 야구에 환상을 심어줘서 일부 성공한 사람들을 보여주면서 헛된 꿈을 심어주는 것이 아닐까 염려되는 것처럼요. 현재 e스포츠에 집중하는 것 같은데 이 부분은 어떻게 생각하시나요?

윤덕진 대표 e스포츠와 메타버스 같은 분야는 현재 높은 관심을 받고 있지만, 이 것이 무조건 황금알을 낳는다고 보는 것은 조금 과장된 표현일 수 있습니다. 이러 한 분야가 주목받고 중요성이 있는 것은 사실입니다. 예를 들어, 청와대 연하장에 e스포츠가 언급되는 등 그 위상이 높아졌지만, 그렇다고 모든 측면에서 완벽하게 정립된 것은 아닙니다. e스포츠와 메타버스는 물론 수많은 가능성을 내포하고 있 지만, 이러한 분야에 대한 철학적인 바탕과 인문학적인 지식이 탄탄하지 않아, 교 육이나 지도를 통한 발전이 중요하다고 생각합니다. 예를 들어, 게임 건전 교육은 중독이 아닌 과몰입의 관점에서 접근하고, 학문화를 통해 e스포츠를 다루는 방법, 그리고 다른 분야에 어떻게 적용할 수 있는지 고민해야 합니다.

참여자1 전문적인 상담사와 코칭 영역이 얼마나 영향을 미치는지, 그리고 상담사 가 선수의 특성에 따라서 하는 기술이 있다고 들었는데, 동양과 서양의 경우에는 어떤 차이점이 있을지 자세히 설명해 주실 수 있을까요?

윤덕진 대표 미국과 한국의 차이를 설명하면, 미국에서는 스포츠에서 일반적으로 볼 수 있는 전문적인 상담사가 일주일에 한 번씩 팀과 협력합니다. 이에 비해 한 국에서는 게임과 e스포츠에서 코치의 역할 중 일부는 전략적인 면을 다루며, 다른 부분은 선수들의 멘탈과 팀 내 협업을 지원합니다. 물론, 각 팀과 감독, 코치들의 스타일과 영향력에 따라 다를 수 있지만, 게임과 스포츠의 문제를 해결하는 데 주 로 집중하고 있습니다. 선수들에 대한 특별한 심리상담은 이루어지기도 하지만, 큰 효과를 보인다고 할 수 없는 것 같습니다. 최근에는 한국 팀들도 이러한 측면 을 강화하려고 노력하고 있습니다.

상담사가 게임 코딩 관련 업무 수행이 가능하고 청소년 상담 경험도 풍부하다고 하여도 게임을 직접 플레이하지는 않는다면, 아이들이 정신과 의사나 상담사와의 상호작용에 거부감을 느낄 수 있다고 설명하셨습니다. 특히 게임 상담의 경우, 젊 은 상담사들이 활약하고 있으며, 게임 상담 영역에서 열심히 노력하고 있다는 언 급도 하셨습니다. 그리고 나이대나 성별보다는 게임을 이해하고 공감할 수 있는즉 슨 게임 플레이에 경험이 있는 상담사가 아이들에게 있어서는 편안함을 갖고 친밀 한 관계를 할 수 있는 것 같습니다.

참여자2 대표님께서 e스포츠 산업에 신규 유저가 많지 않다고 판단하셨음에도 왜 데이터 관련 사업을 선택하셨는지가 궁금합니다. 유튜브에 리그오브레전드 PS나 OP.GG 같은 데이터 직군은 레드 오션46)이라고 생각하셨는데도 데이터 사업으로

---

46) 블루오션전략(Blue Ocean Strategy)에서 파생된 용어로, 많은 경쟁자가 비슷한 전략과 상품으로 경쟁하

선택하신 이유가 있으실까요?

윤덕진 대표 스폰서십 외에 수익을 창출하는 e스포츠 분야가 가장 좋다고 생각했고, 게임을 도제식으로 하면 발전이 없고, 시스템을 만드는 것이 미래로 나아가는데 매우 중요하다고 생각합니다. 레드 오션이라고 생각하실 수 있지만 1위 업체 점유율도 이전에 비해서 상당히 내려가고 신규 업체들이 많이 가져갔습니다.

　AI가 어느 정도까지 대체할 수 있나 라고 할 때 바둑을 참고 많이 했는데 AI 어시스턴트가 나오면 좋겠다고 생각해서 나중에는 자비스47)랑 유사한 게 나올 것 같습니다.

황옥철 소장 e스포츠 학제적 토대연구를 하는 분들은 오늘 좋은 말씀을 적용하고 잘 참고해서, 더 필요한 주제로 한 번 더 모실 기회가 있으면 좋겠습니다. 경성대학교 e스포츠 연구소하고 소통을 앞으로도 잘 진행하시면서 서로 도움이 되고 상생할 수 있는 도움이 될 수 있는 시간이 잘 유지되어서 e 스포츠산업, e스포츠 학문 발전에 이바지할 기회가 있었으면 좋겠다고 말씀드리고 싶습니다.

　　는 시장을 레드오션(Red Ocean)으로 규정한다(출처: 위키피디아).
47) 마블 시네마틱 유니버스에 등장하는 가상의 캐릭터로, 유능한 인공지능 비서이다(출처: 나무위키).

[그림 출처]

[그림 1-1] https://v.daum.net/v/M0OVYLTTSD
[그림 1-2] https://bj.afreecatv.com/hols7/vods/highlight?page=19&field=title%2C
  contents&keyword=%EC%A1%B0%EC%9D%B4%EB%9F%AD
[그림 1-3] https://www.leagueoflegends.com/ko-kr/
[그림 1-4] http://www.dailyesports.com/view.php?ud=2016011512205436108
[그림 1-5] https://www.deep리그오브레전드.gg/summoner/kr/Hide%20on%20bush
[그림 1-6] 경성대학교 e스포츠 연구소 1차 정기포럼 '한국사회와 e스포츠' PPT 중 발췌
[그림 1-7] 경성대학교 e스포츠 연구소 1차 정기포럼 '한국사회와 e스포츠' PPT 중 발췌
[그림 1-8] 경성대학교 e스포츠 연구소 1차 정기포럼 '한국사회와 e스포츠' PPT 중 발췌
[그림 1-9] https://nexus.leagueoflegends.com/en-us/2018/12/2018-events-by-th
  e-numbers/iety/schooling/779027.html

2023년 2월 9일(목) 13:30~15:30
경성대 중앙도서관(27호관) 507호

e스포츠 마케팅의
근본적인 전제들

이경혁 게임칼럼니스트 약력
<GAME GENERATION> 게임문화웹진 'GG' 편집장
<아웃스탠딩>, <IGN KOREA> 필진
<현질의 탄생> (2022, 이상북스), < 게임, 세상을 보는 또 하나의 창>(2016, 로고폴
리스)외 다수의 서적 집필
한양대학교(에리카 캠퍼스), 성균관대학교 대학원 강사

강사: 이경혁 (게임칼럼니스트, 평론가)

2023 경성대학교 e스포츠연구소 제2차 정기포럼

김재훈 교수 안녕하세요. 지금부터 제2회 e스포츠 연구소 정기포럼을 시작하겠습니다. 오늘은 게임 칼럼니스트이자 평론가로 활동하고 계시는 이경혁 선생님을 모시게 되었습니다. 먼저 강연을 듣고 토론 시간을 갖도록 하겠습니다.

나의 소개

이경혁 편집장 네, 반갑습니다. 이경혁입니다. 저는 공식 선수 출신도, e스포츠 현업, 실무자도 아닙니다. 어떻게 보면 개선자이죠. 미디어, 혹은 연구자 관점에서 e스포츠인 것에 접근하고 있으며, 현업 실무에 관련된 이야기보다는 e스포츠라는 것을 오랫동안 시청자이자 연구자로서 접근하면서 받았던 궁금증들인 게임과 e스포츠라는 구별 혹은 e스포츠와 공식 스포츠라는 구별 사이에 있는 여러 가지 전제와 질문들에 대해서 함께 이야기해 보는 그런 시간으로 준비를 해봤습니다.

저는 스포츠 게임을 굉장히 좋아해요. NBA 2K를 열심히 하고 있고요. 제 얼굴을 스캔해서 LA에서 센터로 뛰고 있고(게임 내 캐릭터). 주로 활동하고 있고 크래프톤과 같이 하고 있는 '게임 제너레이션'이라는 게임 문화 웹진의 편집장으로 일하고 있습니다. 어떻게 보면 지금은 미디어 종사자에 가까운 형태고요. 현재는 연세대학교 '게임과 사람 연구센터'라는 곳이 있고 이것이 게임문화재단의 게임 과학연구원이라는 연합으로 하여서 3년짜리 연구를 하고 있어요. 첫해가 노년 게임을 했고, 올해 하는 게 중년 게임을 했고, 내년에는 아직 저희가 특정하지 않았는데, 아마도 장애인 소수자 쪽 게이머 연구를 해야 하지 않을까 싶어서 그 연구를 진행하고 있습니다.

[그림 1-8] 문화연대 학술 세미나에서 토론 중인 이경혁 편집장

자료: 게임 인사이트

e스포츠란?

첫 번째로 제가 나누고자 하는 이야기는 'e스포츠는 어떤 존재로 우리가 딛고 성립될 수 있을 것인가?'에 대한 고민입니다. 'e스포츠' 정의는 지금도 애매모호한 상태이고, e스포츠를 구성하는 요소를 굉장히 여러 사람이 이야기하는데, 그 중 제가 어느 곳에 가서 설명할 때 쓰는 첫 번째 전제로는 '게임물 자체가 있지 않으면 성립할 수 없는 요소다'라고 이야기를 많이 합니다.

오락실에서

저는 e스포츠의 기원을 누가 이야기를 하라고 한다면, 옛날 오락실 시절을 이야기합니다. 온라인이 없고, 싱글 플레이 위주로 돌아가는 오락실에서도, 고수들의 플레이라는 것은 굉장한 구경의 대상이었어요.

> "예를 들어 싱글플레이라고 하더라도, 누군가가 '끝판을 갔다'라고 하면 자기가 도달할 수 없는 어떠한 지점이었다는 것이죠. 그런데 그것을 나는 못 가는데 누군가가 끝판을 갔다고 하면 동네 아이들이 다 모여듭니다. '갤러리'가 형성되는 어떠한 순간들이 있었죠."

[그림 2-1] 스트리트파이터1 인게임 플레이

자료: 게임톡

   그리고 '스트리트파이터2[1]'가 90년대에 들어오면서 오락실에 대전형 멀티플레이가 등장하는 순간, 오락실 환경이 크게 바뀌는 순간이 있었죠.
오락실 연구를 진행하면서 전국적으로 오락실 구조가 변화한 이유 중 하나는, 오락실 기계 중 약 50%가 스트리트 파이터 게임으로 인해 수요가 급증하여 회전율이 상승했기 때문이었더군요. 기존에는 50원, 저는 한 판에 50원이었던 시절이었는데, 동전 하나를 놓고 플레이하면, 잘하는 아이들은 하루 종일 있어요. 그래서 나중에 오락실 아저씨가 돈을 주며 가라고 쫓아내곤 했죠.
   그것이 일종의 어떠한 영광스러운 순간이었다는 것이죠. 그 이야기 즉슨, 오락실 주인과 동전을 넣었던 '플레이어와 상업적인 긴장이 서로 경쟁하고 있던 순간'이 있었다는 것이죠. 그리고 고수의 주변에는 항상 관중이 몰려있고, 무협지와 같이 도장 깨러 다니는 사람과, 이게 소문이 나면 메인이벤트 데이가 됩니다.

   "그런데 '스트리트파이터2'의 흥행이 게임 자체도 재미있었지만, 이 게임은 잘하는 것과 오락실의 회전율이 일치하지 않는다는 것이 저는 좋아요. 왜냐면 고수의 시간을 빼앗는다는 것과 똑같다고 볼 수 있으니까요. 경쟁은 계속 바뀌어야 하고, 오락실 업계 쪽 입장에서도 완전히 녹아나는 상황이 나오게 됩니다.
   그래서 오락실에 배치하는 스트리트 파이터 게임기가 어디에 위치하느냐면, 메인스페이스, 가장 한복판 혹은 입구에 들어와서 가장 먼저 눈에 띄는 공간에 놓일 수밖에 없었고, 그 가장 눈에 잘 띄는 곳에 놓인 두 개의 기계에서 서로 붙은 고수의 주변은 언제나 관중이 구름같이 몰렸다는 것이죠. 어떻게 보면 오락실의 메인 이벤트였던 것이죠. 이것이 중요한 것이, 기존 오락실의 메인 이벤트는 게임 텍스트였죠. 아까 이야기한 것처럼 '이 게임의 끝판왕은 무엇이었을까?', '도대체 얘를 깨고 나면 무엇이 나올까?'라고 생각하게 되는 것이죠. 소위 말하는 텍스트의 안쪽에 있던 오락실의 메인 이벤트가 대전형 멀티 플레가 나오게 되면서 플레이어 대 플레이어라는, 게임 텍스트가 아닌, 말 그대로 은둔형 고수 A와 은둔형 고수 B의 대결드라마로 넘어오게 된다는 것이죠. 갤러리들이 보는 것은 스트리트파이터 구도로 넘어온다는 것은 켄과 류의 대결이 아니었습니다. 방산동의 김 씨와 마포의 최 씨가 서로 고수 대 고수의 구조로 격돌이 붙는다. 이것을 저는 약간의 일종 무협지 같은 상황이라고 생각합니다. 실제로 막 도장깨기하러 다니고도 하고 그런다는 것이죠.
   그것이 소문이 나면, 그날은 메인이벤트 데이가 된다는 것이죠. 오늘은 영등포의 누군가가 와서 한판 붙는다. 그런 구경거리가 생기다보니까, 앞서 이야기한 대로 오락실의 그런 것도, 게임 텍스트의 끝판을 본다. 신기한 기술을 본다. 라

---

[1] 캡콤에서 1991년 아케이드로 출시한 대전 격투 게임. 1987년에 발매했던 스트리트 파이터의 후속작으로, 커맨드를 통한 특수 기술과 콤보, 2인 대전 등을 도입했다(출처: 위키피디아).

고 해서 고수와 고수의 대결, 그 숙련도가 극한까지 달한 EXPERT플레이어의
슈퍼플레이를 보는 형태로 바뀌게 됩니다. 그런데 이 두 사람이, 게임이 아니라
주먹다짐한다면 그것이 스포츠가 될 수 없었다는 전제가 되는 것이죠. 게임이 제
공하는 일련의 규칙, 그리고 세계 안에서 두 사람이 서로 자신의 숙련도로 대결
하는 시작을 하는 갈등 구조가 시작을 하는 것이 이 시점부터이고요."

e스포츠의 전제들

오늘날의 e스포츠까지 이루어지는 이 흐름의 중심에는 '게임 규칙이라는 공통의
전제를 하고 싸우자는 것이 이루어지는 전제가 기본적으로 있다'라고 이야기하는
것입니다. 게임 자체라고 이야기했지만 사실 모든 게임이 e스포츠가 될 수 있는
것이 아니죠.

e스포츠에 포함되는 게임은 전략적이고 짧은 플레이타임을 갖는 멀티플레이 게임
이며, 경기마다 누적된 영향을 받지 않아야 합니다. 일부 게임은 랭킹이나 고수의 인
정을 받기가 어려워 e스포츠로 포함되기 어렵죠. 이런 특징을 가진 게임 중에서 스
트리트 파이터, 스타크래프트, 리그오브레전드 등이 e스포츠로 인정받고 있어요.

    "기준이 굉장히 여러 가지가 있고, 뒤에 조금 더 설명하겠지만 그중에서도 사
실상 오늘날 우리가 e스포츠라고 불릴 수 있는 게임의 가능성은 철권2), 스타크
래프트, 리그오브레전드 같은 특정 게임에 한정이 되고 있는데, 이것은 기본적으
로 싱글 혹은 오프라인 베이스의 게임은 인터넷에서 스트리밍할 수 있지만 이것
을 e스포츠의 영역으로 끌고 오지는 않습니다. 여기는 보통 개인 스트리머들이
자기 방송, 스트리밍하는 형태로 콘텐츠화 되어져 있고. 또 멀티플레이라고 하더
라도, 이것의 플레이 타이밍이 굉장히 긴 경우는 이것을 e스포츠화하기가 굉장
히 어려워요. 예를 들어 여기에 보면 월드 오브 워크래프트(WOW)의 경우에는
대전, PVP3)가 있기는 한데 이게 e스포츠로 넘어오진 않았죠. 왜냐하면 어떤 차
이가 있냐면, 월드 오브 워크래프트의 PVP는 소위 말하는 장비빨이나 레벨빨이
라는 것의 영향을 받거든요.

    다시 말해, 내가 지금 이 전장에서 1위를 할 수 있다는 것은 그동안 플레이
해온 경험의 누적들이 아이템 혹은 레벨로 서버에 쌓이고 그 쌓인 결과를 두고
싸우는 것이기 때문에, 실질적인 플레이타임은 굉장히 길 수밖에 없습니다. 몇
개월 치의 경험과 명예를 누적해야 그 아이템이 나오는 것이기 때문이니까요. 그
리고 문명 같은 경우에도 멀티플레이가 있긴 한데, 이 게임도 한판을 하려면 최
소한 3일 정도는 쓰거든요. 세이브를 하면서 하게 되다 보니까. 이러한 것도 대
전형 e스포츠를 만드는데 굉장히 어려운 게임들이 될 수밖에 없죠. 우리가 보통
스펙타클한 이야기를 하다 보면 엘든링4)이나 젤다 야생의 숨결5) 같은 경우도 e
스포츠에 포함할 수 있는 것이 아니냐고 이야기하지만, 기본적으로 엘든링은, 싱

글플레이 베이스이고, 기본적으로 익명화가 되어있고, 그런 것들은 랭킹을 매기거나 엘든링의 고수니까 세계에서 어느 정도 되는 플레이어라는 이런 것들이 공식화되기 어려운 상황이다 보니, e스포츠에 포함되기는 어렵다는 생각이 듭니다. 기본적으로 e스포츠는 플레이타임이 짧고 멀티 온라인이 되면서도 방송으로 했을 때 대전으로서의 성격, 경기마다 1일 플레이타임이 짧다고, 한판의 플레이가 기존의 플레이로부터 누적된 영향력을 받지 않아야 합니다. 장기바둑 이야기 많이 하잖아요. e스포츠 비유할 때. 그것은 무엇이냐면, 내가 전판에 둔 장기의 결과가 이번 판에 영향을 주지 않는다는 것이에요. 매 판이 리셋된다는 점이에요. 그런 성격들을 갖고 있는 게임들에 한정해서 e스포츠화가 가능한 게임 콘텐츠라고 이야기해 볼 수 있을 것이라고 이야기해요."

[그림 2-2] e스포츠와 게임

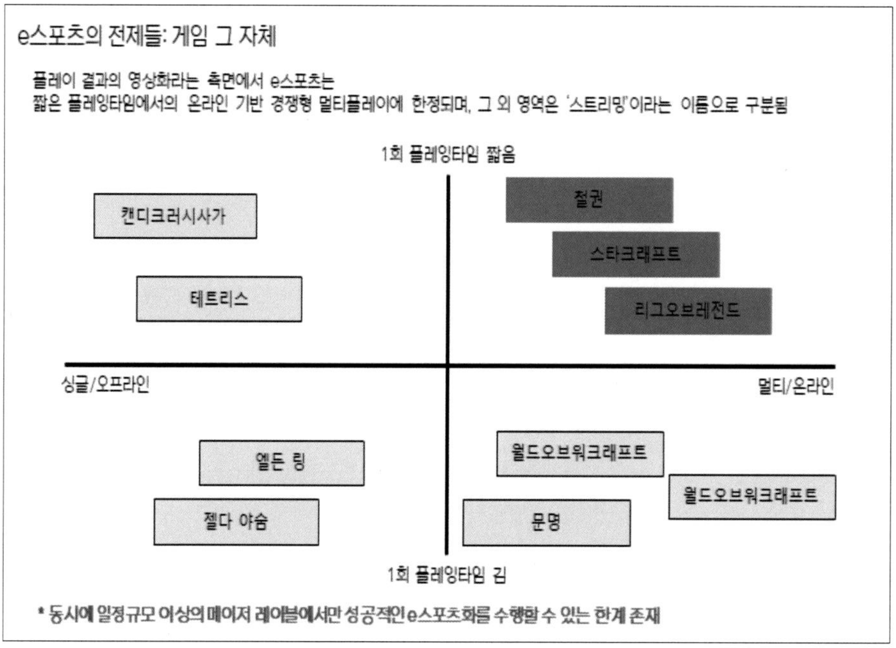

자료: PPT

---

2) 남코에서 출시한 대전 격투 게임 시리즈. 1994년에 처음으로 출시되어 현재까지도 시리즈로 출시되고 있다. 초기에는 아케이드 게임이나, 현재는 플레이스테이션, 게임보이 등 여러 시스템으로 제작된다(출처: 위키피디아).
3) Player Versus Player의 약자로 둘 이상의 플레이어끼리 이루어지는 비디오 게임의 전투 유형으로, 컴퓨터 환경과 대결하는 PvE(Player Versus Environment)의 반대 개념이다(출처: 위키피디아).
4) 프롬소프트웨어가 개발하고 반다이 남코 엔터테인먼트가 2022년에 배급 및 출시한 3인칭 시점 오픈 월드 액션 리그오브레전드플레잉 게임. 판타지 소설가 조지 R. R. 마틴이 게임 내의 세계관 설정을 제공하였으며 메타크리틱에서 높은 평점을 받았다(출처: 위키피디아).
5) 닌텐도에서 2017년에 개발 및 배급한 오픈 월드 액션 어드벤처 비디오 게임. 젤다의 전설 시리즈의 19번째 비디오 게임으로, 완성도 높은 오픈 월드를 채택하여 높은 평가를 받았다(출처: 위키피디아).

e스포츠 속성 브로드캐스팅 엔터테인먼트

게임 자체에서 e스포츠가 나올 수 있는 속성에 대해 말씀하는데 저는 두 번째로 중요한 속성은 브로드캐스팅 엔터테인먼트라고 속성이라고 보아요. 애초에 우리가 e스포츠라고 부르지만, 사실은 단어 하나가 누락되어 있다는 이야기를 많이 받는데, 바로 '프로'라는 개념입니다.

> "우리가 스포츠라는 저는 체육 쪽의 스포츠 전공자가 아니지만, 우리가 보통 일상에서 스포츠라고 보았을 때 사실 두 개념이 섞여 있다고 많이들 이야기합니다. 스포츠와 레슬링식으로 섞여있죠. 스포츠 학원이라고 하는 그 사람들은 프로 스포츠는 아니잖아요. 동네에서 하는 것이죠."

e스포츠에서 프로페셔널한 개념이 추가되어야 한다는 생각을 한 이유는 어떻게 보면 프로스포츠라고 불렀을 때 오늘날 프로스포츠는 브로드캐스트 미디어와 굉장히 밀접하게 연결이 되어있기 때문이 아닌가 싶습니다. 오늘날의 스포츠는 방송 콘텐츠이고 프로스포츠라고 인식하기 때문에 디지털 게임 같은 일련의 경쟁, 리그화를 e스포츠라고 부를 수 있다고 이야기할 수 있을 것 같습니다.

> "프로야구라고 하면서 방송과 떼어놓고 생각할 수 있는 것이 아니죠. 축구도 마찬가지지만, 최초의 영국에서 리그는 경기장에서 시작이 되었지만, 지금의 프리미어리그를 돌릴 수 있는 것은 전 세계 단위로 방송하면서 추가적인 시장이 열리고, 거기서부터 들어오는 자금을 통해서 훌륭한 선수를 영입하고, 또 이런 선수들을 이용해서 마케팅 프로모션을 다시 잡는 것이 바로 방송콘텐츠라는 것이죠."

[그림 2-3] e스포츠와 브로드캐스팅, 엔터테인먼트

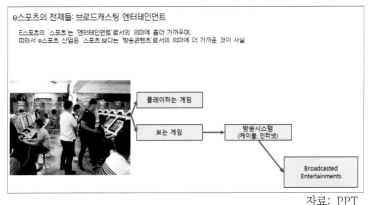

자료: PPT

일반 방송으로 진행되는 프로스포츠라는 것이 같은 것이죠. 결과가 정해지지 않은 채 공식 라이브로 진행이 되어야 하고, 실제 내가 플레이하는 것 이상으로 관전을 통해 그 이상을 제시 할 수 있어야 하는 것이죠. 그리고 아까도 이야기했던, 온라인 게임에서도 숙련도가 서버가 아닌 개별 플레이어에게 누적되어야 한다는 점이 있고. 이러한 것들을 통해서 결국은 방송과 게임이 엮이는 어떠한 지점으로서 e스포츠는 의미가 있을 것이다. 그래서 이야기를 다시 뒤집어 말하면, 방송이 없으면 e스포츠가 없다라는 개념에 도달할 수 있을 겁니다.

"저는 대학을 97년에 갔는데, 97년 말에 IMF를 맞고 98년에 스타크래프트가 처음 등장하는 시기를 겪었는데, 그때는 소위 말하는 e스포츠 리그라는 것이 없었잖아요. 저는 동네에서 스타를 조금 하는 편이었는데, 어떤 상황이 벌어지냐면, 고향이 부천인데 거기에 피시방 대회가 있었습니다. 피시방이 스폰서하는 선수들이 있었거든요. 저도 부천에서 1군 선수였는데, 부천지역 대회가 한 달에 한 번씩 열리면, 우리 피시방의 이름으로 싸우는 것이에요. 프로씬은 없었지만, 자생하는 리그는 있었던 것이에요. 그리고 거기에서 이런 것도 있었어요. 새벽까지 연습하는 경우가 있었거든요. 그러면 밤에 새벽 2시쯤 찾아와요. '저희는 중구에 어느 피시방 대표인데요. 한번 대전을 청합니다'. 서로 막 무림 고수 같은 그런 시간을 겪었어요. 이 이야기를 왜 해드리느냐면, 방송 콘텐츠와 e스포츠의 연관성을 이야기했지만, 제가 겪었던 그 시절은 e스포츠라고 불리긴 어렵지만, 대전과 리그가 있었단 말이에요. 그런데 오늘날 우리가 그것을 e스포츠라고 부르지 않는 이유는 그 갤러리는 숫자가 매우 적었기 때문이죠. 왜냐면 제가 그 친구와 붙는 것은 많이 해봐야 10명, 많아야 50명 정도가 올 수밖에 없었어요. 그런데 제가 아직도 기억하는데, KIGL6)라고 e스포츠가 공식적으로 생기기 전에 90년에서 2000년 사이에 열리는 대회에 나가본 적이 있어요. 거기서 64강 갔다가 떨어졌던 것으로 기억하는데, 이쯤 되면 경기화면을 관전으로 띄워서 밖에다 쏴주는 시장이 형성되었죠. 그리고서 거기에 출전자 120명이 그 경기를 보게 되었어요. 그리고 그것이 국내가 아니다 보니까 ITV에서 방송으로 나오곤 했어요. 투니버스 나오고. 아 이것이 방송화가 될 수 있다고 그때 처음 알았고, 방송하면서 비로소 대중으로서의 갤러리가 형성된 어떤 시점을 겪었었습니다."

---

6) Korea Internet Game League, 대한민국의 인터넷 게임 랭킹 사이트였던 배틀탑이 2000년부터 2001년까지 개최했던 종합 게임 리그이다(출처: 나무위키).

[그림 2-4] 콘텐츠화와 게임 콘텐츠

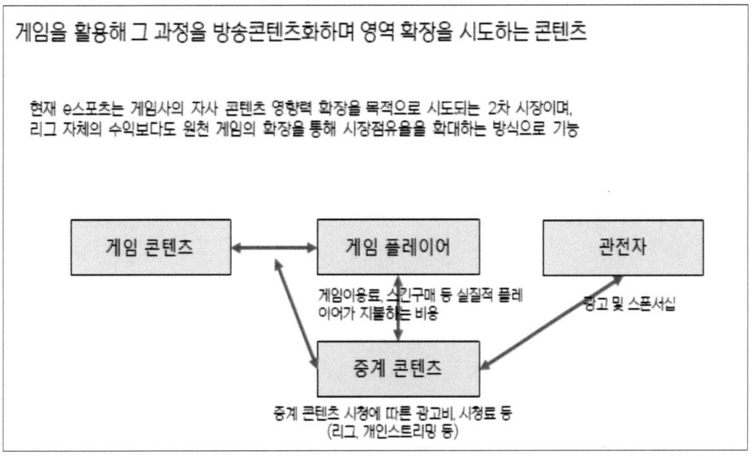

자료: PPT

그래서 저는 개인적인 경험도 그렇고, 실제 사례도 그렇고, 오늘날 e스포츠에서 방송을 구분할 수 없다고 생각합니다.

e스포츠의 발전은 인터넷 브로드캐스팅을 통해 관전 가능성이 확장되었고, 게임 콘텐츠의 재미를 보는 즐거움으로 이끈 것입니다. 이에 따라 팬덤과 경기 분석 커뮤니티가 형성되며, 게임 커뮤니티는 e스포츠의 성장에 큰 역할을 한다고 생각합니다.

"물론 그 방송이 예전에는 지상파가 했다면 지금은 조금 더 넓어졌죠. 인터넷 브로드캐스팅이 열리면서, 그런 가능성을 우리가 e스포츠라고 이야기하는 기본 전제에 넣어놓아야 하지 않나 라고 생각을 합니다. 게임 콘텐츠가 만들어 내는 재미라는 것이 이제는 플레이하는 게임보다 앞서는데, 보는 게임의 가능성이라는 것이 이제는 퍼블릭한 부분보다는 아케이드 오락실이라는 문화에서 아 이것이 존재하는구나라고, 조금 더 거슬러 올라가면 논밭 정자에서 바둑 두며 훈수 두는 상황까지 가겠지만, 디지털 게임으로서는 오락실이라는 공동 공간에서 고수의 플레이를 보는 재미라는 것이 존재했었고, 거기에 방송 시스템이라는 것을 통해 이 관전이 대중화, 목표화할 수 있다는 가능성이 나타나면서, 비로소 우리는 e스포츠라는 브로드 캐스팅되는 엔터테인먼트를 만나게 되었다고 정의를 해볼 수 있을 것입니다.

그렇게 나온 콘텐츠는 결국 유의미한 시장을 만들었었고. 팬덤? 이런 생각을 해요. 아까 잠깐 제 어린 시절을 이야기했었지만, 게임 콘텐츠가 재미있으니까 이 사람이 그냥 게임만 하는 것이 아니라, 스스로 대회를 조직하고 '과연 이 동네 최고는 누구인가'라는 평가하기 시작했죠. 그리고 마찬가지로 TV에 나오는 선수들을 보면서 그 선수의 팬덤이 생기고, 선수의 경기를 분석하고, 다시 말해서 이러한 두 가지 측면을 같이 놓고 보아야 한다는 것이, 처음에 투니버스에서 방송을 시작하고, 온게임넷에서 e스포츠 리그 조직을 하는 와중에 함께 봤던 것이, 게임 커뮤니티라고 저는 생각을 합니다. PC통신 시절에 하이텔, 온라인 게임 동호회 저는 나우누리 소속이었는데 여기에서 한국 초창기 스타크래프트 게이머들이 전략 연구를 하기 시작했거든요. 저는 부천에서 플레이할 때 사석에서 들었던 것인데, 거기에서 나온 최신 전략들을 가져다가 동네에서 최고를 먹었어요."

e스포츠의 등장과 나의 역할

e스포츠와 팬덤

저는 어떻게 보면 리그가 집중도를 만들고, 선수의 질적 향상을 도모하고, 동시에 그 선수의 플레이를 분석하고, 선수의 어떠한 개인적인 관심들 같은 것을 계속 올려내면서 두터운 팬덤이 나올 수 있는 기반을 형성하는 것이 오늘날 e스포츠라고 부르는 문화, 엔터테인먼트 산업의 기초라고 생각합니다.

"그래서 보면 e스포츠를 배우는 분들도 과하게 십만이라는 숫자를 이야기하는 것이 10만이 진짜인지 가짜인지를 떠나서 그만큼 팬덤이 있으니까, 이것을 우리가 주목하는 것이라는 점은 충분히 유의미하다. 그리고 그 과정, 특히 저는, 플레이XP[7]나 포커스 이런 쪽에 소위 말하는 e스포츠 쪽 팬덤 커뮤니티, 요즘 저는 PGR에서 많이 활동을 했었는데, 많이 바뀌었죠. 전에는 스타크래프트 커뮤니티였는데, 지금은 리그오브레전드 커뮤니티로 많이 넘어가고 있는데, 그런 팬덤 커뮤니티의 성장도 오늘날 e스포츠를 구현하는 데 굉장히 중요했다. 뭐 이것은 북미도 마찬가지이죠. 북미에 리그오브레전드 리그가 성사될 수 있었던 중요한 배경에는 레딧[8]의 영향이 적지 않았다고 생각하거든요."

---

7) 운영자 개인의 홈페이지에서 출발하여 워크래프트3의 팬사이트를 시작으로 블리자드 엔터테인먼트 게임들의 팬 사이트를 중심으로 활동한 게임 커뮤니티 사이트. (출처: 네이버 블로그)
8) 레딧(Reddit)은 미국의 소셜 뉴스 집계, 콘텐츠 등급 및 토론 웹 사이트다. 이 웹 사이트는 다방면의 콘텐츠를 생성할 수 있게 하는 공개적인 특성과 다양한 사용자가 이용하는 커뮤니티로 유명하다(출처: 위키피디아).

[그림 2-5] 플레이XP 홈페이지

자료: 플레이XP 홈페이지

그래서 게임 자체가 가지고 있는 발전의 가능성, 그것이 방송 시스템이라는 것을 통해 대중화되는 과정, 그리고 그 대중화된 과정의 결과로써 이 콘텐츠를 수용하고 함께 즐거워하는 함께 하나가 되어 팬덤이 형성되는 것이죠. 즉 콘텐츠, 플레이어, 관전자 이 세 가지가 우리가 e스포츠라고 하는 것을 가능케 하는 가장 기본적인 전제라고 생각하고 있습니다.

e스포츠 팬 중에는 게임을 하지 않고 게임만 관전하는 관전자들도 있으며, 관전 팬 중에서는 여성 팬들의 참여가 늘어나는 흥미로운 현상이 나타나곤 합니다. 과거 스타크래프트와 리그오브레전드 리그의 팬 구성은 남성 위주였지만, 시대가 변화하면서 여성 팬들이 활발하게 참여하고 있으며, 이러한 변화를 계속 주시해야 할 것 같아요.

> "관전자의 경우 e스포츠 팬분들이 다 게임을 하는 것이 아니잖아요. 그냥 게임만 보는 사람들이 있고, 특히 이제 하나의 일정 성숙기에 이르고, 나쁘게 말하면 소위 말하는 '얼빠'-잘생긴 게이머의 얼굴만 보고 좋아하는-이러한 팬 분들도 있는데. 이게 아직 우리가 사례가 많지 않잖아요. 한국에서 메이저하게 인기가 있었던 e스포츠 리그라면, 스타크래프트 시절과 리그오브레전드 시절, 두 개의 경우를 생각하는데, 제가 굉장히 흥미롭게 보는 점은 스타도 그렇고 리그오브레전드 때도

그랬는데, 리그가 일정 중흥기를 넘어가면 팬들의 함성이 남성 위주에서 여성 위주로 넘어가는 순간이 있습니다. 하나 둘 셋 하면, 홍진호 파이팅(응원 구호) 이러한 것이. 00년도 01년도를 거치면서 여성 목소리가 훨씬 크게 머무는 순간이 있어요. 저는 이것이 그 대중화의 포인트라고 생각하는데, 리그오브레전드도 그것을 겪었거든요. 몇 년 전부터. 예전에는 정말 남성 게이머들 실제 게임하는 사람들이 와서 환호했던 순간이, 이제는 딱 들어오면 확 느낍니다. 여성이 훨씬 커요. 이것이 언제 어떻게 변하였는가도 지켜보면 좋겠다고 생각했습니다."

e스포츠 산업의 수익모델

앞서 이야기한 콘텐츠, 플레이어, 관전자 세 가지 전제로 e스포츠 이야기를 했는데. 결국 이것이 산업으로 이해되려면 수익모델도 굉장히 중요하다고 생각합니다.

실질적으로 e스포츠에 접근하는 게임사들의 입장은 요즘으로 치면 라이엇게임즈가 대표적이겠지만. 실제 매출로 이어지는 부분은 얼마 안 돼서 대회의 프로모션에서 콜라보레이션 등과 같이해서 자사의 영향력을 보여주는 것 같습니다.

"라이엇 같은 경우에는 제일 큰 수익이 PC방에서 시간당 250원 정도 B2B 요금이 지금 나오고 있죠. 그 요금인데, 어느 정도 간접적인 영향을 미치게 되면서 이것이 흥행이나 실질적인 어떤 수익이 이루어지지 않는다고 라이엇코리아 스스로도 판단하는 것 같고. 반면에 대회적인 프로모션 쪽에서 약간 콜라보레이션이라던가, 자사의 영향력을 보여주는 거시적인 활용을 하는 것 같습니다."

다만 이러한 지점 때문에, 어떻게 보면 중소형 게임사들이 자신이 e스포츠를 만들고 운영하는 것은 큰 장애가 있다고 판단하고 있고, 어지간한 규모가 아니면 그러한 마케팅을 할 이유가 없으므로 OGN[9]이 막판 혹은 실패나 난항을 겪었던 이유가 이러한 것이 아닌가 싶습니다.

---

9) 2000년에 개국한 e스포츠 및 비디오 게임 전문 TV 채널. 2015년까지는 온게임넷이었지만, 2015년부터 OGN으로 리브랜딩하였다(출처: 위키피디아).

[그림 2-6] e스포츠 산업 생태계 구성

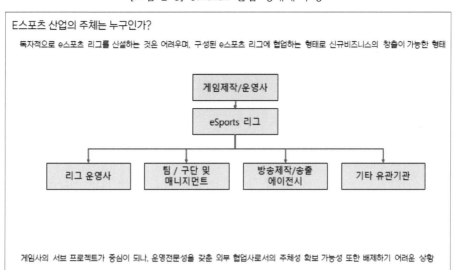

자료: PPT

e스포츠는 어떻게 산업화해야 할까?

e스포츠 산업의 주체에 대한 의견이 다양한데, 가장 많이 논의되고 현업에서 싸워보는 주제 중 하나는 산업화와 관련된 것입니다.

2000년대까지 한국에서는 e스포츠를 주로 방송사가 주최하는 것으로 생각했지만, 스타크래프트2의 등장으로 OGN이 아닌 방송사가 주관하는 경우가 나타나기 시작했어요. 이와 관련해, 스타크래프트의 성공은 패키지 방식으로 판매되었고, PC방에서 사용하기 위해 CD Key 및 라이선스를 구입해야 했기 때문에 블리자드가 큰 수익을 창출했으며, 이후 온라인 게임의 매출 구조가 변화하면서 패키지 방식에서 재화의 용역으로의 전환이 이루어졌습니다.

> "한국에서는 2000년대까지만 하더라도 e스포츠를 방송사의 것이라고 생각을 했었죠. OGN이 다 가지고 있었고, 그런데 결과적으로 스타크래프트2가 등장을 하면서, OGN것이라고 생각했었던 스타는 사실은 방송국의 것이 아니었다는 것이 드러나게 된 것이죠. 당시 곰TV가 가져가려고도 했고. 이 변화에서 되게 재미있었던 것은 스타크래프트라는 게임이 어떻게 유통되었고 수익이 났는가도 되게 중요하다고 말합니다. 일단 그때에는 패키지 방식으로 판매를 많이 하다보니까, PC방에서 스타크래프트를 50개를 운용하려면 50개의 CD Key, 라이선스를 구매해야만 했어요. 더 이상 유지 보수하는 운용비용이 들진 않았죠. 그래서 스

타리그가 잘되고 스타크래프트 붐이 일어났지만, 그 붐만큼 블리자드가 돈을 벌
었으리라는 것을, 지금 생각하면 배가 아픈 것이 있죠. 그런데 그 시점 기준으로
해서 온라인 게임의 매출 구조가 변경되기 시작하는데 예전에는 풀프라이스로
패키지 방식으로 콘텐츠를 판매하는 방식으로 유통됐던 게임이 이후부터는 일종
의 재화 용역으로의 변경을 거치게 되죠."

　한국에서 e스포츠가 일반적으로 방송사에 의해 운영되었으나 스타크래프트2의
경우, 게임사 블리자드가 주체가 아닌 방송사에 의해 운영되었고, 이에 따라 게임
사가 큰 수익을 놓친 사례가 있었어요.
　리그오브레전드는 현재 정액구매 방식이 아니며, PC방에서는 시간당 250원을
라이엇과 계약한 요금을 차감하는 형태로 운영되는데 이에 따라 게임의 주체가 누
가 될 것인지에 대한 확실한 경향이 나타나고 있으며, 스타크래프트와 스타크래프
트 2의 경우 리그의 저작권이 블리자드에 있음에도 불구하고 OGN과 게임사 간
에 저작권 문제로 분쟁이 있었죠. EVO와 같은 대전 격투 게임 대회는 이벤트성으
로 진행되며 주 수입원은 게임사와 광고주의 스폰서십을 통한 상금이며, 이러한
형태로 진행되는 대회가 전통적인 e스포츠로 간주하지 않을 수 있어요. 결국 e스
포츠 산업에서 게임사가 주체가 되는 한계와 더불어, 다양한 주최자와 대회 형태
가 다양해질 수 있다는 관점을 제시하고 있습니다.

　　"그래서 지금 리그오브레전드도 아까 말씀드린 대로 정액구매가 아니죠. PC방
에서 한 시간을 하면, PC방에서 라이엇과 계약한 요금을 차감하는, 서드 파티 형
태로 시간당 250원이 나가는 것이 현재 매출의 핵심이고. 이용 베이스로 요금이
나가는 재화에서 용역으로 변경 단계를 거치게 되고, 이 과정에서 e스포츠의 주
가 되는 것이 누가 될 것인가는 확정이 되는 경향이 있다고 봐요. 스타크래프트
가 다음 버전을 내면서 마찬가지로 패키지 방식으로 팔았지만, 그 이야기는 처음
하죠. 이 게임, 이 리그의 저작권은 블리자드에 있다고 이야기하니까, OGN이 그
때 싸웠죠. 무슨 소리야 리그를 우리가 만들었는데. 그 트러블 속에 블리자드가
상징적인 일을 했죠. 곰TV10)와 공식 리그를 계약하겠다고 하면서, 저작권료를 1
달러로만 계약을 했다고 하죠. 그래서 저작권을 보여주겠다는 것이었고, 결국 그
것이 결별이 되면서, 스타2 리그는 흐지부지가 되었지만, 라이엇 같은 경우는 애
초에 리그오브레전드를 개발할 때, 그 안에 과정 모두를 집어넣었죠. e스포츠 산
업이라고 우리가 하지만, 그 주체는 명백하게 게임사 라이엇이라는 것을 우리도
뒤늦게 알게 된 것이죠. 스타리그 때만 하더라도, 그 생각 못 했던 것이에요. 왜
냐면 게임의 매출구조도 달랐고, 저작권이란 것이 그렇게 중요한 시기가 아니었
었던 것이에요. 하지만 스타를 끝내고 리그오브레전드 리그로 넘어온 시점에서

이것이 명확해진 상황에서, 산업에 관해서 이야기했었을 때, 별도의 e스포츠에서 주체라는 것이 가능한 것이냐는 의문을 추가로 갖게 됩니다. 저는 안그런 케이스가 있나 하고 계속 찾아보고 있어요. 그래서 그중 대표적인 것이 EVO 같은 경우이죠. 아시는 분은 아시겠지만, 대전격투 게임 중심으로 벌어지는 e스포츠인데, 여기는 기본적으로 리그제는 아니죠. 1년에 한 번 열리는 베이직 토너먼트 베이스 대회이고, 여기는 독립단체이지만 대회를 운영하는 주 수입원은 게임사와 광고주의 스폰서십을 통해서 상금 베이스를 운영하고 있습니다. 이야기를 들어보면 자금 문제로 죽는소리하는데, 그런데 여기는 e스포츠라고 이야기하기 어려운 점은 상설 리그는 아니라는, 이벤트성으로 진행하는 1년에 한 번 열리는 대회를 우리가 보통 e스포츠라고 부르지 않는다는 말이죠. 오히려 이것의 어원은 1980년대에 있었던, 미국 같은 경우에는 닌텐도, 아타리 같은 콘솔기기 같은 경우에도 어린이날 같은 경우에 테트리스 최강자 대회, 마리오 최강자 대회 이런 대회를 쿼드에서 진행한 적 있습니다. 차라리 EVO[11] 같은 경우에는 그쪽의 계보를 타는 것이지 우리가 생각하는 온라인 베이스의 하부리그로서 플레이어가 참여하고 고수들이 상부 리그에서 방송 콘텐츠로 나가는, 이런 형태의 리그로 보기에는 어렵다. 그리고 여기도 사실은 사업을 주체가 누구냐 라고 하면 별도의 주체가 있긴 하지만 여전히. 예를 들어, '빠지겠어요 우리?'라고 했었을 때(가정) 그것을 막을 순 없다는 것이죠. 그래서 리그제이든 토너먼트제이든 e스포츠 산업에서 결국 그 주관은 게임사에게 있을 수밖에 없지 않은가라는 한편으로는 한계가 될 수밖에 없는 지점이 있다라고 꼭 이야기해 보아야 한다고 생각을 해봅니다."

그래서 'e스포츠를 가지고 새로운 먹거리를 만든 다음에 무엇이 될까?'라고 고민하는 것이죠. 결국 새로운 게임을 만들 수는 없기 때문에, e스포츠 리그를 돌릴 수 있는 문화로서 혹은 그 리그에 참여하는 팀 혹은 선수를 유지, 운영해 주는 구단 혹은 매니지먼트. 내지는 그 리그를 방송화해서 운영할 수 있는 방송제작, 송출 쪽 에이전시라든지 기타 유관기관 정도를 생각하게 됩니다. 묶어서 하나의 에이전시로 구현을 할 수 있고. 그런데 재미있는 것은 주관이 게임사라는 점이에요.

게임사가 자사의 게임이 'e스포츠화가 되기 어렵다' 혹은 '우리는 이것을 e스포츠화해서 얻을 것이 없다'라고 했을 때, 결국 이 에이전시 사업이 무너질 수밖에 없다라는 것을 시사해요. e스포츠를 메인 산업으로 가져가는 기업이 가능할 것인가라는 의문은 우리가 한 번 가져봐야 한다는 것이죠.

---

10) 곰앤컴퍼니에서 2006년부터 제공하는 인터넷 방송으로, 여러 e스포츠 대회를 주관, 운영, 후원하기도 했다. 2015년까지 e스포츠 콘텐츠를 취급했지만, 현재는 아프리카TV로 이관 후 사실상 e스포츠 부문 사업을 종료했다(출처: 위키피디아).

11) Evolution Championship Series, 매년 7월 토너먼트 방식으로 미국에서 열리는 대전격투 게임 대회. 1996년부터 개최되고 있는 유서 깊은 대회로 초창기 이름은 Battle By The Bay(B3)였다가, 2002년부터 현재의 이름으로 변경되었다(출처: 나무위키).

OGN은 현재 많은 자본을 보유하고 있으나, 자본만으로도 충분한 메리트를 얻기 어렵습니다. OGN은 케이블 편성 송출에서도 LG를 제외하고는 중요한 지위를 상실하고, 제작 스텝 역시 대부분이 떠나서 생산 인력이 부족한 상태입니다. 이에 대비해 ASL과 같이 다른 콘텐츠를 제작하거나, 아예 자발적인 그룹에서 활동하는 경우도 있으며, OGN이 e스포츠 리그를 운영할 때 어떠한 경쟁 우위가 있는지에 대한 고민이 있습니다. e스포츠 리그는 장기적인 모험을 필요로 하며, 스타크래프트 리그가 12년간 진행된 반면, 리그오브레전드는 더 긴 기간을 필요로 하며 이에 대한 의문이 제기되고 있습니다. 이러한 이유로 OGN은 지속적인 고민과 대응이 필요하며, e스포츠 리그의 미래에 대한 논의가 진행 중입니다.

"그 생각을 하다보니까 OGN, ASL[12] 같은 실제 존재했던 사례들이 생각이 나고요. 그리고 개인적인 경우를 말씀드리면, OGN이 막판에 최종 후보자 같은 경우가, 소위 말하면 스타리그가 없어지고 리그오브레전드리그가 빠져나간다고 했을 때 이 양반들이 생각했었던 모델이 그런 모델이었어요. 작은 게임들이 있는데 얘네들이 e스포츠를 시도한다. 그런데 그 시도할 수 있는 것에도 외부 에이전시가 필요할 것으로 보고 사람을 모으고 방송을 송출하는. OGN이 그 역할을 하고 대신 그중에 아주 메이저가 될 수 있는 e스포츠가 하나 형성된다면 그땐 너희가 가져가라. '우리는 e스포츠의 인큐베이터가 되는 역할을 하겠다'라는 컨셉으로 접근을 하셨었죠. 그리고 꼭 그것이 실패했다 성공했다를 떠나서 결국 OGN은 잠시 문을 닫았었고요. 그리고 지금도 OGN은 다시 또 열렸죠. 'OP.GG'가 인수를 하면서 1월에 남윤승 대표님과 만나서 이야기를 해보았는데, 사실 여전히 답답해 하십니다. 그런 이야기를 하시더라고요 'OP.GG가 데이터 회사이니까 데이터 가공 방송 같은 것을 하면 좋지 않을까?'라고 하는데 인력도 없고, 사실은 아이템이 별로 없으세요. 그래서 얼마 전에 제 이야기로 특집으로 프로그램을 같이 하였는데, 자녀의 게임에 대하여 이야기하는 프로그램이 나왔더라고요. 사실은 출연했습니다만 제가 양대표님한테서도 '이게 OGN의 정체성이 아니지 않습니까? 원래도 게임을 하던 사람들이 보던 채널이었고'라고 부모님의 행동과는 안 맞지 않나요 했었더니 답하기를 '우리도 고민이다.' 막막한 것이죠. 자본은 꽤 돼요 OP.GG가. 그 자본을 가지고 지금 같은 상황에 어떻게 보면 OGN이 지금 가지고 있는 것은 사람들이 언뜻 느끼기엔 케이블 편성 송출 건이죠. 그런데 그것도 지금 반이 준 것이, 인터넷 케이블의 경우에는 LG로만 송출이 됩니다. SK나 KT 채널에서 빠졌어요. 그런 상황에서 그것이 메리트가 되는 것이 아니고 제작인원은 OGN에 없어요. 다 빠져나갔거든요. 그래서 지난번 파일럿도 어떻게 찍었냐면 예전 OGN 직원들을 프리랜서로 외주를 고용해서 바로 찍는거에요. 완전히 공중분해 된 상태인 것이고. 이런 상황에서 OGN같은 경우에 제작만 한다 쳤을 때도 다른 유튜브에서 ASL같은 경우가 대표적이죠. 아프리카 스타리그 같은 경우에는 정말 자발적으로 이루어지잖아요. 여기에도 옛날 OGN 스텝들이 있는데. 그런 아예 생판 비교했을 때 OGN이 e스포츠리그를 만든다면 어드벤티지를 가지고 있는가라는 고민들을 하고 계신거죠. e스포츠리그라는 것은 한편으론 장기적인 모험을 한다는 생각을 하는 경향이 있는데, 기껏해야 스타리그 12년 정도 했고요. 리그오브 레전드는 12년 넘어서기 시작했죠. 리그오브레전드는 그러면 얼마나 갈까. 사실 라이엇 게임즈 방송 제작진 내부에서 그 이야기가 나오기 시작했고, 발로란트에 푸시를 하는 이유도 거기에 있었거두요. 작년 결승이 그랬잖아요. '중꺾마13)'가 나온 이 순간이, 저희도 사무실에서 같이 보고 있었는데. 리그오브레전드 리그의 절정이다. 앞으로는 내려갈 일이 더 큰 것 아니냐. 다 그 이야기가 나오는 것이에요. 딱 그 순간에요."

[그림 2-7] 새로운 모기업을 만난 OGN

자료: 연합뉴스

e스포츠 산업에서 독자적인 리그 운영 에이전시로서 장기적인 존속이 어려울 수 있다는 의견이 있습니다. 게임 회사들은 게임을 e스포츠로 확장하려는 이유로 '게임 대중화'를 언급하나, 이미 대중적인 게임을 e스포츠로 만드는 것은 비용이 많이 들고 어려운 작업입니다. 그래서 이런 상황에서 게임 출시 초기에 이미 대중성을 갖춘 게임들이 더 쉽게 e스포츠로 발전합니다. 따라서 대다수 게임사는 자체

---

12) AfreecaTV Starcraft League, 2016년부터 아프리카TV와 콩두컴퍼니에서 공동으로 진행하는 스타크래프트 1 리그. (출처: 위키피디아)

13) 중요한 것은 꺾이지 않는 마음으로, 리그오브레전드 2022년 월드 챔피언십에 참가한 프로게임단 DRX 소속 프로게이머 김혁규(Deft) 선수의 인터뷰를 담은 영상의 제목에서 유래된 유행어로, 2022년 말 대한민국에서 가장 많이 쓰인 유행어로 평가된다(출처: 나무위키).

리그를 만들고 싶어하며, 이로 인해 e스포츠 에이전시의 역할은 제한적일 가능성이 높습니다. 이러한 업계 동향은 e스포츠와 게임의 관계에서 20년 동안 이루어진 짧은 역사를 통해 나타나는 것이라고 이야기하고 있습니다.

> "결국은 e스포츠라는 것이 리그로 베이스로 하는 것을 많이 이야기가 되어있다면, 지금 현재 디지털 게임의 매출구조는 되게 엮일 수 밖에 없다고 생각을 해요. 많은 회사들이 쉽게 이야기하죠. e스포츠화를 하고 싶은 이유가 무엇이냐면 '우리의 게임을 굉장히 대중적인 게임으로 만들고 싶다'인데. 사실 e스포츠가 될 수 있는 게임은 이미 대중적인 게임입니다. e스포츠를 통해서 자기네 게임을 대중화한다는 말은 어떻게 보면 시작부터 어그러지는 말일 수 있죠. 왜냐면 인지도가 굉장히 낮은 게임인데, '그것을 e스포츠화 하고 싶다'라는 것은 만만치 않은 투자가 들어가거든요. 그리고 그 투자를 견딜 수 있는 회사들도 사실은 많지 않습니다. 오히려 게임 출시 초반에 인지도가 높았을 때가 더 e스포츠하기가 더 쉽다는 것을 다들 알고 계시고, 막상 그렇게 되었을 경우에는 그러한 리그를 띄웠을 때, 결국 그 게임사는 외주 리그화보다 자체 리그화로 하고 싶어 할 수밖에 없는게 우리가 리그오브레전드를 보면서 실제로 겪은 사례들인 것이죠. 따라서 제가 드리고 싶은 말의 핵심은 그것입니다. e스포츠 산업만으로 독자적으로 존재할 수 있겠죠. 하지만 그것을 매우 제한적이라는 것입니다. 시간적으로도 그렇고, 공간적으로도 그렇고, 외주적인 측면에서도 그렇습니다. 조금 더 거칠게 이야기하자면, '에이전시정도만 가능하다'라는 것이 지금까지 게임과 e스포츠의 관계를 보았을 때, 인류 역사에서 20년도 안 겪어 보았잖아요. 그 동안에 우리에게 그 짧은 역사가 우리에게 말해주는 이야기는 거기까지라는 것이죠."

e스포츠와 레거시 스포츠

저는 그리고 여기에 계시는 분들은 스포츠 쪽으로 저보다도 전문가이시기 때문에 저보다 잘 아시겠지만, 사실 레거시 스포츠와 e스포츠가 얼마나 같고 다른가에 대해서는 이미 한국에서도 이야기가 많이 나왔죠.

e스포츠와 레거시 스포츠의 문화적 차이에 대해 논의하며, e스포츠는 아직 교육체계와의 연관성이 낮아 대중화를 위해 노력해야 한다는 관점에 대해 이야기하고 싶습니다. 이에 따라 아마추어 스포츠 이벤트와의 결합, 올림픽 및 아시안게임 참가 여부에 대한 질문을 제기하고, 그 결정이 사회 및 문화적 차원에서 다른 영향을 미칠 것이며 공식 스폰십 편입이 큰 영향을 미치지 않을 가능성을 지적합니다.

"오늘날에 스포츠라고 하는 소위 말해서 예체능 교육은 국가상의 교육이랑 밀접하게 붙어있거든요. 체육교과목이 정규적으로 편성이 되어있고, 국가와 사회, 요즘은 가정에서도 체육교육이 장려화 되어있습니다. 그런데 e스포츠를 스포츠와 같이 놓고자 그렇게 이야기하시는 분들이 계시는데, 냉정하게 말해서 과연 'e스포츠 학원을 다녀'라고 말할 수 있는 사회적 분위기는 아니라는 것이에요. 그 점에서 레거시 스포츠와 딱 부러지는 문화적 차이가 우리에게 주어졌다고 생각을 하거든요. 어떻게 보면 우린 아직 e스포츠라는 서브 컬쳐 영역에 있다는 것이죠. 그런데 국가 이데올로기로서 자라나는 청소년에게 이것을 가르쳐야 한다고 e스포츠가 접근할 수 있는가. 소위 말하는 e스포츠와 교육을 엮으려는 시도들은 과연 효과적일 것인가. 이런 질문을 해볼 수 있겠죠. 그리고 저는 그런 연장선상에서 올림픽이나 아시안게임 같은 소위 말하는 아마추어 정신을 중심으로 하는 스포츠 이벤트에 e스포츠가 들어갈 수 있는가의 문제를 다시 생각해 볼 필요가 있다고 생각합니다. 이것은 또 업계 분들과 저의 생각이 많이 달라요. 업계 분들은 그런게 있으시죠. 올림픽, 아시안게임에 우리가 정식종목으로 들어가야 한다. 그리고 그것이 굉장히 큰 효과를 가져올 것이다. 그런데 그것에 대해서 저는 입장이 다른 것이, 오히려 들어오기를 원하는 것은 게임사보다 아시안게임 혹은 올림픽 주최자들이라고 생각을 해요. 왜냐면 그들의 시청률이 너무 떨어지고 특히 젊은 층이 안보기 시작합니다. 그런데 그런 와중에 자꾸 들어가려고 하고 있잖아요. 아시안게임이 대표적이고요. 아시안게임은 자기들도 장사를 해야 하니까. 오히려 소위 말하는 갑의 위치를 정한다면 게임과 e스포츠 쪽이라고 저는 생각을 해요. 그런데 그것은 너무 옛날식이죠. 그곳에 들어가서 우리의 위상을 올리자라고 접근을 했었기 때문에 결국 앞에 이야기했던 e스포츠가 기존 스포츠와 사회 문화적 차원에서 매우 다른 디멘션을 가지고 있다는 점에서 부딪히게 될 것입니다. 아시안게임에 나와서 정식 종목이 되었다라고 하면 사람들이 아이들이 e스포츠라는 것을 가르쳐서 훌륭한 e스포츠 선수로 키우려는 마음을 갖게 될 것인가. 결국에는 그 지점이 다르기 때문에 저는 공식 스폰십으로서의 편입이 생각보다 오히려 크지 않을 수 있다. 그런 생각이 드는 것이죠."

디지털 게임의 규칙이 특정 회사에 소속되어 있어서 스포츠 이벤트에 표면적으로 포함되는 것에 대한 근본적인 의문을 제기하려고 합니다. 또한 디지털 게임의 규칙이 지속해서 변하기 때문에 다른 스포츠와 다른 측면이 있음을 언급하며, 이러한 차이로 인해 디지털 게임이 스포츠 협회와 국제 규칙을 적용하기 어렵다는 것이죠.

49

"그리고 또 다른 지점이 표면적으로나마 아마추어 정신을 이야기하는 행사들 속에 기본적으로 규칙의 저작권이 특정 회사에 귀속된 게임이 들어가는 것이 맞느냐. 이러한 근본적인 지적은 아직 안 풀렸다고 생각을 합니다. 그래서 어떤 분들은 조금 더 거시적으로 보자. 디지털 게임이 되자는 것이지. 그 게임의 규칙 자체는 매번 바뀔 수 있다고 하지만 어떻게 보면 그 규칙을 바꾸는 것이 다른 스포츠는 그렇지 않으니까. 세계의 필드가 있죠. 협회가 거기에 있고 거기서 국제규칙을 전파하게 되는데 그것이 특정 회사에 넘어가 있는 상황에서 이것을 공식 스폰서라고 부르기에는 사실 쉽지 않다'라는 입장이 있다고 말씀드리고 싶었습니다."

국가가 주도하는 e스포츠 산업 진흥은 목표와 방향성이 명확하지 않다고 언급하며, 어떤 측면을 진흥할 것인지에 대한 뚜렷한 비전이 부족한 것 같습니다. 게임사를 진흥하는 것인지, 아니면 e스포츠 에이전시를 활성화하는 것인지에 대한 혼란이 있으며, 국가가 e스포츠를 지원할 경우 어떤 이익을 얻게 될지 명확한 이유나 방향성이 부족하다는 것이죠. 또한 국가의 투자가 국감에서 질문을 받을 때, 그 투자의 이유나 결과에 대해 충분한 설명이 필요하고 e스포츠 산업의 진흥에 대한 목표와 방향성을 명확히 하는 것이 중요하다고 제시합니다.

"그리고 이런 이야기를 쭉 하면서 이 이야기를 굉장히 하고 싶었는데, 국가가 주도하는 e스포츠 산업 진흥이라는 것을 보면, 이런 e스포츠의 전제 질문들을 보았을 때 도대체 무엇을 진흥하겠다는 것인가가 애매하다고 생각해요 개인적으로. 게임사를 진흥하는 것인지, 아니면 e스포츠 에이전시를 활성화하는 것인지. 그런데 e스포츠 에이전시가 굉장히 장기적이고 고정적인 수익을 낼 수 있는 사업으로서 애매한 부분이 있다고 하였을 때 우리는 '게임 e스포츠를 국가가 진흥해 주었을 때 실제로 우리가 얻을 수 있는 무엇인가에 대한 고민이 의외로 없지 않나'라는 생각이 들거든요. e스포츠 경기장이 많이 지어져요. 그리고 e스포츠 팀들을 육성할 수 있는 자본이, 지원금이 들어온다. 그리고 게임사의 얼마만큼의 지원금으로 e스포츠가 커졌을 때 누가 이익을 얻는가, 국고가 들어갔을 때 우리가 얻을 수 있는 이익은 무엇이지. 이것이 단순히 이윤의 문제가 아니라, 제가 이 이야기를 드리는 이유는, 굉장히 중요한 선택의 포인트라는 것이죠. 예를 들어 이런 상상을 해봤죠. e스포츠 산업에 한 400억을 썼어요. 그런데 이것이 국감에 올라갑니다. 국감에서 어느 비례의원이 이것을 해요. 그래요 e스포츠 산업으로 잘되었다 쳤을 때, e스포츠가 진흥되면 우리에게 무엇이 좋은데 라는 물음에 생각보다 누군가가 꼬치꼬치 캐묻는다면 별로 할 말이 없을 수 있다는 우려가 있다는 것이죠. 그래서 나쁘다는 것이 아니라, 이 일을 풀어야 한다고 생각을 하는 것이에요. '누군가가 e스포츠 산업의 진흥에 대한 이유가 무엇이냐고 물어

보았을 때 우리는 생각보다 일종의 비전, 슬로건이 될 수 있는 그 한마디가 없다'라는 것이 너무 강한 것이에요. 사람들이 쉽게 솔깃할 수 있는 것이 있긴 있는데 잘 모르는, 게임 잘 모르는 국회의원이 왜 진흥해야 하는지 물음이 왔을 때, '알기 쉽게 이야기할 수 있는 무엇인가가 없다'라는 것이 저는 크게 느껴진다는 것이죠. 그래서 e스포츠 진흥이라는 말이 바꿔 이야기하면 적재 점이 있죠. '이러한 부분에 대해서 고민해야 하는 시기가 아닌가'라고 생각을 해봅니다. 사실 그 이야기가 사실 굉장히 하고 싶었던 것이고요."

향후 e스포츠의 전망

간단하게 제가 생각하는 향후에 대해서 정리를 하고 마무리하려고 합니다. 우리는 메이저 e스포츠라는 중심에 두고 논하고 있을 수밖에 없습니다. 다양한 리그가 있는데, 많은 사람들이 국내에서 e스포츠 이야기를 할 때 굉장히 상반된 두 가지가 있습니다. 첫 번째는 리그오브레전드 말고는 타 리그는 수익을 내기가 어려우며 상대적으로 안 된다'라는 것, 두 번째는 '메이저리그조차도 일정 정도 수명주기가 어느 정도 보이기 시작했다'라는 것이죠.

"아까 이야기한 대로, 리그오브레전드 같은 경우에는 이제 슬슬 그 분위기가 오기 시작할 것이고, 정점이라는 것이 왔을 때 '과연 다음 강자는 누가 차지할 것인가'를 이야기하는 것이, e스포츠 관련자들은 다음 강자가 누가 될 것인가에 대해서 '영향력을 미칠 수 없다'라는 소리도 굉장히 흥미롭습니다. 'e스포츠의 중심은 결국 게임에 있다'는 것이죠. 그러면 이제 리그오브레전드를 대체할 다음은 누구인가. 이 이야기가 슬슬 나오기 시작을 하는 때이고. 라이엇이 발로란트 카드를 들고 있는 것 같고. 뭐가 될지는 정말 아무도 모르죠, 오히려 스타 때는 리그오브레전드가 다음일 것이라고 생각을 못했던 것처럼. 무엇인가 다음 게임이 나올 텐데 그것이 어떻게 될지 슬슬 이것은 뭐 공식적이라기보다 술자리에서 하고 싶은 이야기인데, 그런 이야기를 말할 시기가 온다 개인적으로 생각하고 있습니다. 그러면 메이저 리그를 이야기 했는데, 메이저 리그만이 가능한 것인가. 소규모 리그들도 많이 서브컬쳐로서의 e스포츠는 아예 불가능한 것인가라고 생각을 할 때 저는 브로드캐스팅 미디어라는 것이, 과거의 지상파 중심에서 인터넷으로 확실히 넘어왔잖아요. 소규모 리그들이 소규모 자본으로 아주 서브 컬처스럽게 돌릴 수 있는 리그들은 충분히 가능하지 않겠는가라고 가능성을 생각해 볼 필요는 있을 것 같습니다."

게임, 방송시스템, 팬덤 전제 세 가지를 말씀드렸는데, 과장해서 이야기하면, 인류 사회에서 처음으로 e스포츠라는 장르가 태동하는 순간의 주체는 팬덤이었거든요. e스포츠의 주요 성장 요소인 팬덤은 작은 게임들이 필요한 요소 중에서 방송시스템과 리그를 운영할 수 있는 도구를 제공하면 e스포츠 리그를 창설할 수 있다는 겁니다. 또한 게임사와 e스포츠사의 주종관계보다는 리그에서 수익을 창출하거나 e스포츠 전문 기업 설립의 어려움에 대해 논의해야 해요.

　　"같은 규모가 아닐지라도 자생할 수 있는 작은 게임들이 실제로 존재할 수 있을까요? 저는 거기에 나머지 요소. 게임 콘텐츠와 팬덤이 있을 때 나머지 한 요소인 방송시스템과 리그를 운영할 수 있는 누군가가 e스포츠 리그를 직접 창설한다는 것이 아닌 것이죠. 계속 강조하는 것은 게임사가 e스포츠 사의 일종의 명백한 주종관계는 우리가 고민해야 될 이슈가 아닌가라고 생각하고. 리그 자체에서 수익 창출이 쉽지 않은 지금 같은 상황 안에서 e스포츠 전문 기업이라는 것이 소유 불가라고 썼지만 저는 가능성을 생각을 하면 얼마나 창립하고 운영하기가 어려운 일인가를 다들 이야기하면 좋겠습니다."

에이전시, 팀 매니지먼트 또는 구단의 문제 또한 연속적으로 이야기하기는 사실 어려운 부분이기 때문에 이런 한계에 대해 생각해보고 있습니다. 그리고 이외에 중요하게 생각해 볼 점은 e스포츠 리그와 스트리밍을 어떻게 구분할 것인가에요.

　　"왜냐하면 어느 순간부터 리그오브레전드도 그렇지만 개인 스트리밍이라는 것이 팀 소속 선수의 계약조건에 대하여 강하게 걸어 놓았죠. 연봉은 얼마고 대신 우리가 '개인 스트리밍으로서 나오는 수익은 어떻게 배분해야 한다'가 굉장히 중요한 조건으로 들어가고 있다면, 앞으로 e스포츠 리그와 스트리밍은 적어도 매출 안에서는 같은 카테고리에 놓일 확률이 굉장히 높을 것입니다."

그렇게 우리는 e스포츠라는 산업의 가능성과 '스트리밍이라는 것을 어떻게 엮을 것인가'라는 것은 컨셉을 어떻게 짜 놓았다는 것에 따라 굉장히 달라지겠죠. 그런데 앞으로 이것에 대한 고민이 점점 벽이 두꺼워질 것이라는 생각을 하고 있어요. 지금도 현업에서는 계약단가에서 이야기가 많이 나오는데. 이후에 이것이 팀 단위로 들어갈 것인지, 혹은 리그에서 조정해야 하는 문제인지도 '조금 더 큰 이슈화가 되지 않을까'라고 생각하고 있고요. 아까 이야기했던 소규모 리그가 형성이 된다면 이것의 사업성은 어떻게 획득할 수 있는지 고민입니다.

"특히 저는 해외 사례를 많이 보면 좋을 것 같아요. 스매시브라더스14) 등을 보면 아직까지는 게임사 스폰에 많이 영향을 받고 있는데. 한 가지 제가 본격적으로 연구한 것은 아니지만, 해외의 경우에는 정말 상금 베이스로 많이 해요. 아까 이야기했던 북미의 콘솔 시절부터 내려오는 상금베이스 전통이라는 것이 있는데, 한국은 그것과는 또 다르죠."

[그림 2-8] ASL 중계 화면

출처: https://www.inven.co.kr/webzine/news/?news=257987

OGN과 관련된 주제에 초점을 맞추며, 연봉과 상금을 통한 소형 리그 운영에 대해 생각해 보셔야 합니다. 지상파 방송의 접근성 향상과 저렴한 방송 제작 기술이 가능해지면서 이러한 기술 혁신이 e스포츠 활성화에 어떻게 영향을 미칠 수 있는지에 대한 가능성을 볼 필요가 있습니다. 또한 오프라인 대상이 아닌 디지털 환경에서의 생산과 방송을 고려하여 e스포츠 리그의 수익성을 향상하는 가능성이 클 것이라 생각합니다.

"여기는 OGN과 그 팀에서 시작된 것이죠. 연봉 베이스가 들어가는 게 있는데. 어떻게 보면 소형리그를 돌리는데 쓰고 상금베이스가 굉장히 의미 있는 것이 아닌가 하는 생각이 살짝 드는데, 깊이 생각해 볼 부분은 아닙니다. 그리고 최근에 지상파가 올라가고 방송의 제작 송출이 쉬워진다는 것이죠. 요즘은 정말 싸게 만듭니다. 카메라 DSLR 세대 놓고, 이런 것 하나만으로 방송을 만들 수 있는 상황인데. 이것이 줄 수 있는 e스포츠의 가능성은 또 어떨까라는 생각도 듭니다. 요즘 실제로

---

14) HAL 연구소에서 개발하고 닌텐도에서 배급하는 크로스오버 대전 액션 게임 시리즈. 1999년 대난투 스매시브라더스를 시작으로, 가장 최근에는 2018년에 슈퍼 스매시브라더스 얼티밋이 출시되었다. 닌텐도가 출시했던 비디오 게임 시리즈의 인기 캐릭터들을 한자리에 모은 것이 특징이다(출처: 위키피디아).

ASL이랄까 정말 싸게 만들죠. 그리고 그게 가능하다면 특히 e스포츠 같은 경우에 중계 대상이 오프라인 대상이 아니잖아요. 디지털화면 안쪽에 있는 것인데 그것이 가능한 상황이라면 제작부분이나 운영 경비를 조금 더 다운시키면서 '이 리그의 수익성을 볼 수 있는 가능성이 조금 더 클 것이다'라는 생각을 해보았습니다."

그리고 e스포츠의 활성화를 위해 정책 결정자, 연구자, 산업 전문가가 협력하고, 누구에게 어떠한 이득을 가져다 줄 것인지 명확히 정의하고 모델을 개발해야 한다는 중요한 메시지를 드리고 싶습니다.

"정책과 연구자, 산업 쪽 연구자들이 가장 함께 나아가는 이야기를 했으면 좋겠다고 이야기를 제일 많이 해요. e스포츠의 활성화라는 것이 '누구에게 어떠한 이득이 되는가', '우리는 여기에 아직 이렇다 할 답변을 못 내고 있을 것이 아닌가' 싶습니다.

e스포츠의 많은 요인들이 한편으로 의미 있으면서도, 한편으로는 뭔가 헛다리를 짚고 있는 것이 아닌가라는 전제가 항상 사실 이게 누구에게 어떤 이득인가라는 고민이 있는 것이 아닌가라고 개인적으로 많이 생각을 해요. e스포츠 산업 진흥을 하는 지금 상황에서, 한국에서 라이엇 코리아가 가장 큰 이득을 보겠죠. 그런데 우리가 라이엇에게 그러한 이득을 주면 우리는 어떤 이득을 받는 데라고 물어보았을 때 약간 이게 애매한 것이에요. 그러면 찾아야겠죠.

우리에게 어떠한 이득이 나올 것인가라는 마인드로 그 무대를 만들고 그것으로 게임사를 설득하고, 정부를 설득하고 유관기관을 만들면서. 이것이 진짜 이득이 될 수 있는 모델을 만들어 나가는 쪽의 적극적인 모델 개발이 필요한데 저는 그 모델 개발을 만들기 위해서 요즘 e스포츠 활성화는 누가 들고 있는가에 대해서 모두가 공감할 수 있는 답변이 될 수 있는 것이 지금 가장 시급한 문제가 아닌가 하고 생각합니다."

토론

김영선 교수 이경혁 편집장께서 게임 세대(스타크래프트. 리그오브레전드 등)의 진화적인 순서로 선형적인 틀을 주셔서 감사의 말씀을 드립니다.

저희가 어떤 현상을 바라볼 때, 그 현상을 세 가지 축인 '행위자 중심', '장소 중심', '활동 중심'으로 바라볼 수 있습니다. 어릴 때 리그오브레전드를 즐겼는데, 대학생 때 리그오브레전드 클럽을 만든다든지, 동아리를 만들어서 조금 더 조직화된 팀을 만든다든지 등 프로게이머가 아니더라도 일상적인 상황에서 그 게임을 즐기는 사람이 자연발생적으로 생애 주기 안에서 겪는 경험들이 있거든요.이 경험들과 이 시장에서의 부분들이 과연 마지막에 질문을 던지신 것처럼, e스포츠 활성화가 누구에게 이익이 되는가, 그 문제와 만약에 접합을 시킨다면, 저는 조금 다른 차원의 대답들이 나올 수 있지 않을까 싶었습니다.

그렇다면, 생애주기 상 다양한 세대 중 Z세대들이 게임을 가장 많이 하면서 성장한 세대들인데 과연 이 친구들은 리그오브레전드를 민속놀이라고 이야기할 수 있을까요? 그리고 e스포츠 정책이 아니라 예를 들어서 교육적인 측면이나 그런 연결할 때 e스포츠를 활성화해서 e스포츠를 즐겼던 사람들의 이익을 돌릴 가능성은 전혀 없다고 생각하시는지, 유저들 입장에서 이야기를 자세하고 듣고 싶습니다.

이경혁 편집장 중년이 크게 세 걸음을 하고 있다면, 첫 번째가 고래 게이머로 현질을 많이 사용하는 사람들, 두 번째는 완전 캐주얼 라이트 게이머로 돈을 쓰지 않는 사람들, 세 번째는 스타크래프트 하던 사람인데 지금 뭐하고 있을까요? 제가 20대 때 인생을 바쳐서 한 당사자이죠. 그 사람들은 현재 뭐하고 있는지가 이 연구의 핵심 주제라 생각이 듭니다.

그들도 더 이상 온라인에서 경쟁력을 잃었다고 생각하기 때문에 구경만 하고 있습니다. 옛날 스타크래프트 좋아했던 사람들은, 아프리카TV 스타리그에 별풍선을 던지면서 보고 있습니다.

> "그런데 얼마 전에 제가 놀라운 것이. 작년, 재작년 말이죠. 합정에서 옛날 스타크래프트 게이머들. 박정석 선수가 나왔었는데, 박정석의 원포인트 레슨 이런 행사가 있었어요. 프로게이머부터 스타크래프트를 배워보자. 그러면서 저는 친구를 알아서 가라고 보냈더니. 그래서 스타 좀 늘었어 라고 물었더니. 무슨 아저씨들 와서 스타이야기는 됐습니다라고 하면서 끌고 가서 술을 먹었다고 했답니다. 그러니까 제가 되게 웃긴 이야기이면서도 한편으론, 아까 말씀하셨던 세대의 게임이라

는 것이 우리가 민속놀이라고 부르지만 적정한 나이대가 있었다. 이것을 플레이할 수 있는 그리고 어느 순간 그로부터 멀어졌다고 생각했을 때 빠져나오는 것이에요. 그래서 옛날엔 그랬지라고 부를 때가."

민속놀이라는 단어가 붙을 때가 그 지점인 것 같고. 만약에 이것을 조금 더 확장을 해서 리그오브레전드를 보자 했을 때, 몇 가지 다른 차원들이 있죠. 첫째, 리그오브레전드는 피지컬적인 측면에서 더 어렵습니다.

"제가 2011년에 리그오브레전드 플레4를 찍었거든요. 그땐 플레5까지 있었던 시절이었는데. 자부심은 있어서, 작년에 보여주진 못하지만 손에 쥐가 나는 것이에요. 도저히 안되는구나. 그런데 저 같은 사람들이 40대에 굉장히 많은 것이죠. 그래서 리그오브레전드는 생각보다 40대가 플레이하기 어려운 게임이다. 30대도 붙잡고 이야기해보면 나는 노장이에요 잘 못해요라는 이야기를 하니까. 스타도 비슷한 것이에요. 얘도 어느 순간 있다 보면 떨어져 나가는 것이죠. 이런 사람들이 주로 콘솔게임을 하거나 싱글플레이를 하곤 하죠. "

자기들이 알아요. 나도 그냥 이러면서 놀아야겠다. 리그를 보는 정도고. 안착을 합니다. 그러니까 몇 가지 가능성이 있다고 보는 것은. 현역 플레이어가 아마추어인데도 일종의 은퇴를 거치고 경기를 관전하는 쪽으로 넘어가는 순간이 있는 것이에요. 그래서 저는 e스포츠의 활성화라고 하는 것은 만약에. 내가 정말 그 게임 유저였지만 이제는 못하는 것이라면, '나는 충분히 관전하면서 즐길 수 있는 것이다'라고 이야기를 만들 수 있다고 생각을 합니다. 그래서 가능성이 없다고 보는 것이 아니에요. 그렇다면 소위 말하는 엔터테인먼트의 즐거움. 조금 더 산업적으로 가자면 그런 시스템을 한국이 제일 처음 만들었고. 이것은 소위 말하는 선진화된 시스템이라는 것이 있잖습니다. 그런 시스템은 요즘 보통 북미에서 오잖아요.

북미에서 만들어진 그것이 쉽게 전파된 것이라고 한다면 우리가 그런 마케팅을 시도해 볼 수 있죠. 이 시스템을 가장 오래전에 가장 체계적으로 만든 것은 어디인가. 그렇다면 저는 e스포츠아카데미가 선수를 키우는 것이 아니라. 시스템과 인프라, 매니지먼트를 한국이 어떻게 해왔는가를 이야기할 수 있다면, 이런 것도 굉장히 큰 가능성이라는 것이에요. 그래서 보통은 그런 비전을 던져주는 것을 좋아하죠. 그러니까 전 세계에 e스포츠를 세팅하고 싶어 하는 사람들이, 한국에 가서 배워왔다는 것은, 소위 말해서 한국 문화화의 의미를 만들 수 있다면 이것이 하나의 가치가 되는 것이죠. 이것이 정답이야 라고 말씀드리는 것은 아니고, 이러한 방식으로도 충분히 메시지를 세울 수 있지 않을까라는 생각이 들고. 다시 본론으로 들어가서 스타크래프트, 리그오브레전드와 같은 둘의. 두 가지 이야기를 말씀을 드리면. 스타크래프트는 되게 재미있게도, 오프라인 베이스의 게임이었거든요. PC방에 가서 친구랑 2:2를 하고 3:3을 하는 형태로 엄청 분리화가 되었어요. 온라인 게임이었지만, 대체로 거의 대중문화였잖아요. 가장 대중화된 방식은 온라인에서 내가 점수에 기대고 상대와 치열하게 싸우는게 아니라, 동네 놀이였어요. 그러니까 누구누구 제일 잘하니까 둘이 양쪽에 서고, 너네가 3:3으로 팀을 짜봐. 이것이 숫자가 세 명일 때 온라인에 가서 '초보헌터3:3' 이것을 했던 것이죠. 리그오브레전드는 그것이 원천 차단한 느낌이 있습니다.

얘는 고정이 되어있어요. 5명을 무조건 채워야 한다고. 그 다섯 명이 되지 않으면 무조건 너는 온라인으로 와서 랜덤매칭을 해야 해라고 되어있어요. 어떻게 보면 이 두 게임을 같은 선상에 놓을 수 없다고 보는 거 에요. e스포츠라고 하지만, 하나는 완전히 로컬베이스의 엔터테인먼트였고, 하나는 온라인이 빠지면 정지하는 엔터테인먼트였고. 이 두 개가 정말 같은 시기의 상에 놓을 수 있을 것인가라는 고민이 되게 많아요. 그리고 어떻게 보면 민속놀이, '리그오브레전드가 못 들어가는 중요한 이유가 그 지점이 될 수 있겠다'라는 생각이 들거든요. 동네 설날에 모여서 친척끼리 2:2를 할 수 있는 것이 스타였다면. 여기는 모르는 사람 두 사람을 껴서 온라인 게임을 해야 하니까, 이것이 스타와 같은 민속놀이가 될 수 있을까 라는 의문이 있는 것이죠.

김영선 교수 그렇죠. e스포츠도 1세대~ 3세대처럼 구분이 될 수 있을 것 같아요. 제가 조금 더 설명해 드리고 싶었던 것은 e스포츠 경험에 관한 거였어요. e스포츠를 통해 어떤 경험을 하고 있는지 인터뷰하고 어떤 특징이 있는지 살펴보고 있는데 이러한 것들이 충분히 디지털 리터러시적인 가치를 가지고 있는 것일 수 있다고 생각해요. 진로에 있어서 게임도 충분히 많은 영향을 주기 때문에 교육적인 가치가 있다고 봅니다. 그래서 마지막에 말씀하신 e스포츠 활성화라는 부분과 누구에게 도움을 줄 것인가라는 부분 하고 연결을 시키면 어떠할까요?

이경혁 편집장 미디어 리터러시 쪽으로...

김영선 교수 우리는 디지털 사회로 넘어왔고 저 같은 경우에는 남의 동네에서 사는 느낌. 아날로그 세대이기 때문에 남의 동네에 와서 살고 있다는 느낌이지만, 핸드폰 없이는 못 살거든요. 그래서 어떠한 부분에서는 '디지털 리터러시하고 연결이 될 수 있지 않을까'라는 부분의 그 생각을 한 것을 말씀 드렸습니다.

이경혁 편집장 네, 원하는 부분에 도움이 될 이야기를 하고요. 그렇게 접근했을 때 조금 더 고민이 되는 지점이 있다면, 미디어 리터러시를 보았을 때는 e스포츠 가 온라인 게임하고 겹치는 부분이 생긴다는 것이죠. 이제 초등학교 교사 분들과 미디어 리터러시에 대한 이야기를 하면서 비슷한 고민을 했었던 지점이, 그때에도 'e스포츠 이야기를 챕터마다 써야 했는데, e스포츠에서 아이들은 어떠한 경험을 하게 될까'라고 하였을 때, 아이들은 안 좋은 이야기만 하는 거예요. 그런 것 있 죠. 욕을 많이 해요. 친구들이랑 싸웠어요 라는 이야기를 했어요.

그래서 '아니 얘들아 그런 것 말고 좋은 이야기는 좀 없니?'라고 했는데 결국에 는 하나도 없던 것이에요. 애들이 안 좋은 것만 기억하고 좋은 것은 다 까먹잖아 요. 그리고 좋은 이야기를 하는데, 정말 놀라웠던 것이, 전부 메이플스토리15) 이야 기를 하는 것입니다. 그래서 그 결과는 온라인 게임의 리터러시로 가는 것이에요. 그런데 예를 들어서 그때 미디어 리터러시 교사들이 교재가 나온 것이 어떤 식이 었냐면. 아이들이 처음부터 온라인에서 사람들과 거래를 하고 대화를 나눠보는 순 간으로서의 미디어 리터러시를 이야기하니까 e스포츠가 너무 쪼그라드는 것이에요. 그런데 e스포츠를 그러면 여기서 어떻게 온라인 게임과 구별을 해야 하는지가 굉 장히 난해했던 것이죠. 그래서 말씀하신 부분이 저는 굉장히 필요하다고 생각을 하 는데. 그러면 온라인과는 어떠한 차별 점을 가지는지 우리가 이 이야기를 많이 하 곤 했잖아요. 그런데 이것을 만드는데 생각보다 쉽지는 않았어요. 그래서 온라인 과 e스포츠를 또 어떻게 구별을 해야 하지 싶습니다.

김영선 교수 e스포츠라는 것에 대해서 뭐 정의가 너무 다양하지요. 문화의 정의만 해도 150개 이상이 되는 정의들이 있고. e스포츠의 정의도 많이 있지만 저희는 그것을 찾아가는 과정에 있다고 생각합니다. 저는 체육 전공자의 입장에서 바라보 았을 때, 이 스포츠라는 부분이 가장 큰 문제가 어떤 것이었냐면. 체육 시간에 '하 는 것만' 배웠다는 것이죠. 관전하거나 운영하는 것은 배우지 않았어요. 프로운동 선수들은 기록을 위한 종마로 키우는 것과 같았다고 봅니다. 금메달을 따고, 그런 데 e스포츠라는 영역에 이미 보는 것과 운영하는 것이 포함이 되는 교육과정을 밟 는다면, 굉장한 도움이 되고 리더십과 연결이 될 수 있다고 보거든요. 이런 생각 을 해서 그런지 제가 생각하는 그 e스포츠 안에는 말씀하셨듯이 e스포츠를 보는 (관전하는) 것 까지 말씀을 하셨는데, 거기에 저는 직접 리그나 운영을 해보는 것 자체도 들어가야 된다는 쪽의 생각을 하고 있기 때문에, 만약에 팀과 팀의 경기를

---

15) 위젯 스튜디오에서 제작하고 넥슨 코리아가 2003년부터 서비스하는 세계 최초의 2D 사이드 스크리그 오브레전드 방식의 온라인 MMORPG 게임. 전 세계 9개국 이상에서 서비스 되고 있으며, 약 13억 명 이상의 사용자가 가입되어 있다(출처: 위키피디아).

계획하고 운영하고 그것에 대해서 피드백을 다시 받아서 다음 대회를 준비하는 과정을 경험한다면 그것은 그 사람에게 리터러시 차원에서의 도움이 될 수 있다고 생각을 해서. 이 부분에 대해서 '어떻게 e스포츠 범위를 어디까지 부를래'라는 문제와 걸린다고 생각을 해서. 약간 말씀해 주신 강의 내용하고는 약간 열외의 주제라는 생각이 듭니다.

이경혁 편집장 저는 아마추어 리그 그리고 작은 리그들 같은 자생하는 리그를 볼 수밖에 없다라는 되게 중요한 전제라고 생각을 하고. 그런데 자생하는 리그 중에 말씀해 주신 자기들끼리 좋아서. 예를 들어 문화학교에서 '1반부터 10반까지 모아서 리그를 짜면 어떻게 구성해야 하지?' 조별리그를 돌릴 것인지, 릴레이로 할 것인지. 사실 이것도 저는 교육이 필요한 영역이라고 생각을 해요. 좀 더 사업적인 부분을 고려한다면 학교 앞에 문방구 스폰을 가져온다던가.

김영선 교수 스포츠에서도 좀 더 많은 사람이 참여하기 위해서 분명히 경기 운영 방식이 그렇게 생긴 것이거든요. 그렇기 때문에 제가 생각하기에는 물론 이것이 시장성하고 연결이 되어서 e스포츠 산업과 맞물려서 지금 어떤 산업적인 성장에 있어서, 어떤 이윤 창출로 가는 방향에 있기 때문에 하지만, 이 부분을 학교 안으로 끌어들이면 굉장한 교육적인 큰 의미가 있다고 생각을 합니다.

이경혁 편집장 음, 문득 들은 것인데, 제가 예전에 리그를 편성해 주는 홈페이지를 본 적이 있습니다. 이것은 e스포츠에 국한된 것이 아니고, 어떤 경기든 참여 선수들과 매칭을 입력해 주는 기본적으로 토너먼트는 토너먼트끼리 리그는 리그끼리 쫙 그 대진표 일정을 딱딱 말해주는 일종의 파이널까지의 일정표를 짜주는 사이트가 있더라고요.

이상호 교수 그건 부산에도 있어요. 근데 뭐냐면, 지금 말씀하시는 것의 e스포츠 산업 관점에서 보신다면 말씀하신 것이 맞아요. 결국 이벤트 창출을 어떻게 할 것이냐. e스포츠를 뭐 어떻게 유지할 것인가도 중요하지만 저희들의 연구가 필요한 부분이 있다는 것이 제 입장입니다. 발표자께서 e스포츠라는 것이 보는 스포츠고 하는 스포츠라고 했잖아요. 실질적으로 e스포츠를 구성하는 가장 중요한 요소가 경험을 가질 수 있다는 것이라고 생각을 해요. 디지털 요소와 경험과의 만남이라고 해야 하나. 그렇다보니까 e스포츠 활성화에 대한 답을 찾는 것도 중요하지만, 저는 개인적인 측면에서 축소시켜본다면, 젊은 친구들은 보는 하는 것이고, 이것을 바탕으로 e스포스산업이 발달하는 것이라 생각합니다. 그러나 현재의 많은 사람은 e스포츠의 근본적인 설명보다는 대부분이 전부 다 프로 e스포츠와 관련된 내용에 초점을 맞추고 있습니다.

한마디로 이야기하면 e스포츠를 프로 e스포츠라고 하면 할 말이 없는데, e스포츠에는 프로e스포츠만 있는 것이 아니라, 거기에 게임을 갖고 있는, 뭐 제가 개념을 정했지만, e게임도 있고 e플레이도 있고, 프로 e스포츠도 있고 통틀어서 e스포츠라고 개념을 규정한다고 하면, '각각의 e스포츠를 하는 상황에서 e스포츠 개념을 어떻게 설정할 것인지 대단히 중요하다' 생각을 해요. 그리고 우리나라는 너무 대외적인 것. 이쪽만 관심이 있다 보니까, 한길을 왔거든요. 아까 말씀드렸지만 우리 애들도 대학생인데 '이제 리그오브레전드 경기 안 합니다'. 다른 게임을 또 찾아가는 것이죠. 그래서 e스포츠도 새로운 관점에서 이제 바뀌어야 될 시점이 아닐까 하고 개인적으로 생각을 합니다.

이경혁 편집장 항상 보면 그 시도가 매번 있었던 것 같아요. PC방 리그, 일종의 조기축구회처럼. 조기축구랑은 되게 관계에선 많은 생각을 해봐야 할 것 같은데, PC방에서 동네를 중심으로 선수들을 짜고 리그를 짜고 이런 것이 아니고. 라이엇 게임즈에서는 심지어, 2017년~2018년 즈음에 동네리그에 대한 검토가 한 번 있었거든요. 이것을 약간 PC방들을 거점으로 삼아서, 지역리그 인프라를 약간. 라이엇의 계획은 그것이었어요. 뭐라해야 하나, 결국 이 리그의 구조가 상부 하부가 있다. 그런데 일반 레거시 스포츠와 굉장히 다른 점. 여기야말로 한 20분 전까지 이미 같은 서버에 있다는 것이죠.

> "여름 축구처럼 10분이라고 생각하지만 여기는 정말 풀뿌리부터 올라오는 것이거든요. 모든 프로게이머들이 지금 보면 결국 리그오브레전드게임 안에서 다이아 마스터[16] 이상을 찍고 그것을 인증해서 프로에 출전을 하는 그거니까. 사실은 이미 다 이 구조화로 있는 것인데, 그러나 이 씬을 키우는데 가장 필요한 것이 뭐? 이 밑에. 피라미드의 밑변을 넓히는 것이고, 그것을 넓히기 위해서는 지역인프라, PC방을 중심으로 해서 지역리그를 돌려야 한다는 검토를 한 적이 있어요. 그때 제가 회의에도 들어갔고, 지금 보니까 하지 않더라고요. 왜 안하지 궁금한 거예요. 약간 얘네가 계산기를 두드려 봤는데 아니라고 생각을 했겠죠. 그런데 그것이 아까 말씀하신 대로 이 상황을 라이엇에서 보면 그것을 안 해줄 수 있어요. 그런데 다른 주체로 본다면, '어 이거 괜찮을 거야'라고 볼 수 있을 가능성이 저는 있다고 보는 것이죠."

---

16) 리그오브레전드의 실력에 따라 분포되어 있는 티어(랭크)시스템. 언랭크, 아이언, 브론즈, 실버, 골드, 플래티넘, 에메랄드, 다이아몬드, 마스터, 그랜드마스터, 챌린저로 나뉘어지며 다이아몬드 티어는 상위 약 0.4%~3%, 마스터 티어는 상위 0.4% 이내의 사람들이 분포되어 있다(출처: 나무위키).

이상호 교수 그런데 아까 말씀하셨던 라이엇 같은 경우에도 가장 문제점은 아까 모든 e스포츠 회사의 근본적인 소유권의 문제입니다. 근데 중요한 것은 라이엇이 처음 한국에 들어올 때에도 일정 부분 공공재를 인정하려는 경향을 가지고 있었다는 사실입니다.

그런데 라이엇 한국 관계자들이 우리말로는 법 기술자가 이 부분을 라이엇 회사의 지적 재산권의 문제를 법적으로 보장하기 위해 법적으로 노력했다는 점입니다. 그 당시 우리는 법적인 문제를 충분히 이해하지 못해 공공재로 하지 못한 부분이 있었다는 사실입니다. 그러니까 그 당시 정부가 게임을 허가할 때, 일정 부분 공공재를 할 수 있는 기회가 있음에도 불구하고, 어쨌든 소유권이 넘어갔다는 이야기에요. 그렇다면 저희가 생각하기엔 그런 것이죠. 어찌 되었든 간에 리그오브레전드 경기 다음에 어떤 경기가 올지 모르겠지만, 법적인 문제를 생각해 보아야 한다는 것입니다. 그리고 우리나라 자체의 e스포츠 종목의 개발도 필요하다고 생각합니다. 그리고 소규모 게임 회사가 만든 e스포츠 종목을 운영하는 e스포츠 에이전트도 필요하다고 개인적으로 생각합니다. 그 게임이 어떻게 대박 날지 모른다는 말이죠. 예를 들어 여러분이 잘 모르는 아케이드 게임인 '틀린 그림 찾기'의 성공 사례를 들었습니다. 그 회사에서 출시한 게임은 다 실패했는데, 회사의 누군가 자신이 좋아해서 만든 게임입니다. 저 옆에 있는 누군가가 만들었어요. 그런데 만들어서 그게 대박이 났어요. 그래서 코스닥 상장까지 했거든요. '그렇게 따진다'라면, 자체적으로 e스포츠 종목이 만들어 질 수 있는 그런 기회를 기업이나 국가가 지원해야 한다고 생각해요. e스포츠 활성화라는 것도. 더욱 더 중요한 것은 e스포츠의 기본적인 내용이 무엇인지. 그러니까 말씀하신 것은 대외적이고, 대외적으로 드러난. 그래서 이제는 새로운 관점에서 좀 봐야하지 않겠나 하고 생각을 하는 것이죠. 게임의 연관성을 백날 이야기해보았자, e스포츠의 속성을 그 속에서 찾으려고 하니까 답이 없다는 것이죠. e스포츠도 마찬가지입니다. 지금 e스포츠에는 왜 관심이 증대되나 하면 아시안 게임의 정식 종목이 됨으로써 이게 돈이 될 것 같거든요. 그러면 e스포츠가 스포츠냐고 물었을 때 아니라는 것이죠. 그러면 e스포츠가 게임이냐고 했을 때도 아니라는 것이죠. 이렇게 되면 온라인게임하고 뭐가 차이냐고 물었을 때는 e스포츠만의 어떠한 특성이 무엇인지 대외적으로 제시하고 알릴 필요가 있지 않을까 싶습니다.

이경혁 편집장 협회 안에 있는 한에 안에서는, 저는 e스포츠의 가장 두드러진 속성은 방송으로서의 속성으로 그러니까 경기의 결과가 승패가 정해지지 않은 채로

라이브로, 그 경기에 참여하지 않는 사람이 모두가 볼 수 있는 어떤 순간이, 어떻게 보면 e스포츠가 게임과 구별되는 가장 두드러진 순간이 아닐까, 개인적으로 생각을 합니다. 그런데 메이저 리그들만 거론되는 것도 되게 한계에 있고, 그런데 한편으론 그 한계가 이해가 되는 부분도 있는 것이죠. 아까 이야기 했던 대로, OGN이 마지막에 트라이했던 방향이 딱 그것이었잖아요. 그러니까 소규모 리그들을 계속 트라이를 해서, 성공한 리그들을 키우고, 뭐 다크면 우리는 빠지겠다. 그런데 실패에 대한 여러 가지 이유가 있죠, 뭐, 자금의 문제도 있고 시간도 얼마 없었고, 하지만 약간 그때의 사례도 많이 복기해 볼 필요는 있다고 생각이 드는데. 아마 다음의 뭔가 e스포츠 전문회사를 생각하더라도, 그 모델을 배제하고 생각할 순 없다고 저는 생각하거든요. 아까 말씀하신 대로 GM이 활성화한다던가, 아주 소규모 게임을 e스포츠에서 가져온다던가, 이런 모든 이야기가 결국은 OGN이 그때 트라이했던 어떤 사례들부터 벤치마킹을 많이 해 와야 될 것이라고 기본적으로 봐요.

그리고 저는 오히려 선생님 말씀에서 가능성을 보는 것은 저것이에요. 그 자생하는 리그를 조금 더 봐야 한다고 개인적으로 생각을 해요. 어떻게 보면 이런 것이죠. 되게 똑같은 이야기일 순 있는데, 에이전시가 '자기의 이익을 만들자'라고 접근을 하는 것보다. 사람들이 '우리가 이런 리그를 만들 것인데'라고 뭔가 있을 때 거기에 우리가 서포터로 들어가는 형태인 거죠

김영선 교수 자발적인 리그를 도와주는 것이죠?

이경혁 편집장 네. 차이가 많이 없어서 이게 순서가 더 맞지 않나 싶습니다. 예전에 리그오브레전드랑 배틀그라운드. 배틀그라운드 때를 제가 잊지를 못합니다. 왜냐하면, '한국에서 FPS[17)]만들어?', '그런 게임이 나왔데'라는 이야기를 듣고 게임을 해보았는데 첫판에 그 낙하산을 띄워보고, '야 대박! 이것은 뭐가 나와도 나오겠다'하고 커뮤니티부터 해당 이야기를 하는 것이에요. 저는 북미 시절에 처음 시작했는데, '야 요즘에는 스타 대신에 이게 난리래'라고 해서 처음 시작해 보았습니다. 그런데 북미 서버가 렉이 심한데도 한판해보고 '대박, 이것은 스타 뒤를 이을 e스포츠 감이다'라는 생각을 딱 했는데, 저만 그렇게 느낀 것이 아니라 모든 사람이 똑같이 생각한 것이에요.

이상호 교수 저는 배틀그라운드 이야기가 나올 때마다 질문을 던지거든요. 이경혁

---

17) 1인칭 슈팅 게임(First Person Shooter), 게임상의 캐릭터의 시점을 통해 이루어지는 대전 비디오 게임. 현대의 FPS 장르는 1990년대 초기에 발생했다(출처: 위키피디아).

편집장님이 생각했을 때, 배틀그라운드의 성공한 이유가 무엇이라고 생각하십니까?

이경혁 편집장 배틀그라운드의 성공이유에 대해서는 여기저기 제가 떠들고 다녔는데요. 뭐냐면. 이게 사실은 리그오브레전드 시기랑 겹쳐서 가야 하는 부분이 있어요. 스타크래프트에서는 랭크 조절이 50%로 이루어져 있어 기대 승률이 항상 50%이지만, 리그오브레전드에서는 5:5 팀전이라 팀의 영향을 받아 개인 랭킹이 영향을 받습니다. 이에 따라 팀의 영향으로 랭크를 높이거나 낮출 수 있어 억울함을 느낄 수 있어요. 반면 배틀그라운드는 Last Man Standing 규칙으로 1%의 기대 승률을 가지며, 팀전에서도 4%의 기대 승률을 가지는데, 50%의 기대 승률과는 다른 느낌을 주며, 이길 때의 짜릿함이 크다는 것이죠. 50%의 기대 승률은 스트레스를 유발하는데 배틀그라운드의 경우 이런 역할을 수행하면서 즐거움 또한 준다는 것이죠.

> "우선 스타 시절에는 이런 것이 있어요, 온라인에서 대전하신다는 분들이 기대시는 분들은 항상 50%로, 랭크를 그렇게 맞추죠. 그런데, 리그오브레전드로 들어오면 똑같이 기대 승률이 50%인데 뭐가 다르냐면, 5:5 팀전이어서 그럽니다. 팀전인데 쉽게 말하면, 랭킹을 개인으로 읽히는 거예요. 그러니까 억울한 거예요.
> 맨날 하시는 사람들이 그렇죠. 팀 때문에 내가 랭크를 더 못 올리는 것도 있는데 그것은 까놓고 내가 진짜 잘했는데, 우리 팀 때문에 랭크가 떨어졌더라는 것이죠. 5:5 소위 말하는 기대 승률 50%에 굉장히 짜증이 났던 메이저한 환경이었는데, 그때 배틀그라운드가 가지고 온 룰이 Last Man Standing이죠. 그러니까 100명이 뛰어들면서 1명만 이기는 것이에요. 그러면 기대 승률이 1%로 바뀝니다. 기대 승률이 1%면, 50%대는 다음 판이 이길 것이라는 기대를 하는데, 기대 승률이 1%면 기대를 안해요. 배그에서, 중간에 죽잖아요. 화를 안 냅니다. 'OK 다음판 고고'. 이래 버리는 거예요. 그리고 팀전을 해도, 1, 2, 4잖아요 배그 팀도. '사람들이랑 해도 기대승률 4%에요' 이김에 대한 기대가 없고, 대신에 이겼을 때 짜릿한 것이죠. '와 웬일이야 내가 치킨을 먹었어'. 이게 저는 되게 컸다고 봐요 그러니까, 50 50이라는 기대승률 50%가 주는 짜릿함이 있는 반면에, 스트레스도 어마어마하거든요. 그런데 배그가 그 역을 파고든 것이죠."

이겼을 때 굉장히 재미있다는 것이죠. 배틀그라운드에서 처음 치킨 먹었을 때 사람들 인터뷰해 보면 기분이 확 좋아진다는 것이죠. 처음 치킨을 딱 먹는 순간에 깜짝 놀라는 것이에요. '와 이렇게 재미있는 게임이 있었나'. 그게 점점 한계에 다다르긴 하는데, 어떻게 보면 배그의 승률은 그게 굉장히 컸다고 봤거든요. 50:50을 기대하지 않았다. 어떻게 보면 똑같은 FPS 보면 카운터스트라이크나 서든어택도 기본적으로 50:50이 메인이었거든요. 그런데 그것을 뒤집어 버린 것이죠.

이상호 교수 맞아요. 그러니까 금방 말씀드렸던 저희들이 연구하는 입장에서 '게임을 본다'라면, 금방 말씀하셨듯이 이 1%에 대한 기대심리가 왜 이 게임이 재미있고, 열망하고, 그렇지만 또 조건에 따라서 아까 리그오브레전드 같은 경우가 또 다른데, 똑같은 구성을 따위나 객관적으로 성격인 따른 것이라면, 재미와 즐거움은 다르지만 그 주어진 그 상황에선 인간의 어떤, 인지 능력이라든지, 심리 능력이라든지, 사회 환경이라든지 분위기에 따라서 다 다를 수 있다는 것이죠. e스포츠의 활성화를 이야기했지만, 이 자체도, 하나, 하나, 하나의 연구의 어떤 그 축적된 성과를 본다면, 인간의 본질, 인간의 움직임에 대한 연구도 충분히, 제 개인적으로는 할 필요는 있다는 것이죠. 결국에는 어쨌든 간에 산업적 측면도 있지만, 대학이니까 아시겠지만, 학문적 영역을 활성화한다는 측면으로 보면, 그런 관점도 대단히 중요하다고 생각합니다.

> "예를 들어 저희가 핸드폰 나오기 전에는 삐삐 세대였습니다. 그 당시 삐삐가 대세인 줄 알았거든요. 그런데 삐삐는 가버렸잖아요. 한 단계 넘어가 버렸잖습니까. 그럼 바로 온라인인데, 저는 똑같다고 생각을 하는 것이죠. 그런데 다음 세대에, 디지털 세계가 어떻게 올지 잘 모르겠지만, 다시 옛날 같은 올드한 방법이 올 수도 있지 않을까 생각합니다."

e스포츠의 문제도 새롭게 봐야 하지 않을까 싶은데, 결국 e스포츠 연구가 부족하다는 것이죠. e스포츠는 그 게임의 영역에서 축소된 것이니까 훨씬 더 액기스 있게 어떤 개념을 설정할 수 있고, 설명할 수 있는 것입니다. e스포츠에는 디지털 요소, 인간의 움직임 요소, 기술적 요소가 있으니까 이를 어떻게 바라봐야 하냐는 것이죠. 자 그렇다면, 왜 아이들이 좋아하는지, 왜 아이들이 사랑하는지 알아봐야죠. 이를 이해하지 않고선, 이 시대의 상황이라든지. 문화라든지, 환경을 판단하기 힘들 거로 생각합니다. 최근 e스포츠는 산업적, 프로의 측면에만 관심이 많은지 보니 그런 것 같습니다.

이경혁 편집장 딱 말씀하신 내용을 가지고, 저는 이제 주 전공이 문화 연구이잖아요. e스포츠 주제로 e스포츠와 아이돌 팬덤을 같이 보는 연구 같은 것을 해보면 어떨까 다른 사람들이랑 의논하곤 합니다. 일본의 상업적인 아이돌이랑 자생 아이돌의 팬덤과 같이 스타크래프트도 유사하게 팬덤이 생긴 건 아닐까 싶습니다. 그리고 저는 해외 쪽 나가서 '현대 e스포츠는 한국에서 태동한 것이 사실은 맞고, 한국적인 배경들은 너희가 좀 알아야 돼'라고 이야기하고 싶습니다. 그래서 오락실 이야기, PC방과 IMF 이야기를 항상 하거든요.

> "유럽애들 반응을 보면, 굉장히 흥미로워하긴 하거든요. 걔네 입장에서는 오히
> 려 그런 것이에요 '너희는 왜 이런 이야기 영문판으로 안내냐?'. 자꾸 그런 이야기
> 나오고 그래가지고, 우리는 이 이야기를 연구차원에서 한다면 해외에서 많이 듣고
> 나가야죠 우리가."

이상호 교수 e스포츠가 글로벌할 시기와 2008년도 금융위기가 서로 연관이 있습니다. 왜냐하면 사실 우리가 게임하면서 느끼듯이, 2008년 금융위기 같은 경우에도, 게임하듯이, 모든 정보를 사고팔고 다 했거든요. 그 형태가 어찌 보면 e스포츠의 태동 확장의 영역에서도 영향을 줬다고 제가 본 적이 있거든요. 여태까지 본 것이고, 2008년부터 전 세계적인 e스포츠는 한국의 영역을 떠나서 새로운 어떠한 변종의 영역에서는 2008년도부터 2010년도까지는 새로운 영역으로서 발전할 수밖에 없다는 생각이 듭니다.

> "이 시기에, 리그오브레전드 같은 것이 비슷하게 나오거든요. e스포츠의 형태가
> 그 이전까지는 한국이지만, 이 시대부터는 한국의 영역을 넘어 외부의 영역으로
> 전 세계적으로 확장되는 시기로 전환됩니다. 그런 관점에서 또 e스포츠를 새롭게
> 보는 것도 재미가 있지 않을까 생각을 했습니다."

김재훈 교수 e스포츠 관련한 학회나 포럼의 경우에는 결국엔 HOW가 없어요. 물론 학문적인 초창기라서 그럴 수 있지만, 과거에는 게임에 대한 인식이 부정적이었지만, 정치, 경제, 문화에도 e스포츠는 결국 연결됩니다. e스포츠를 오락이라는 영역을 가지고 긍정적인 요소만 뽑아서 활용한다는 게 문제라는 것입니다. 그래서 제 생각에는 e스포츠 활성화 방법은 이것은 그냥 e스포츠는 어디에 치우치지 않고 그래도 e스포츠로 두는 것이죠. 학문적으로 이게 좋다, 저게 좋다가 아니고, 그냥 두면 약간 자생적으로 분명히 이것이 상업이 되는 물론 프로 나름대로 보기 시작할 것으로 생각하는 것이죠.

> "아이돌 보듯이, e스포츠 플레이어에 대한 하나의 그것을 놓고. 아이돌의 춤을 따라 하잖아요. 그 사람의 춤을 따라 하면서 그 가수를 너무 좋아해서 댄서가 되는 애들도 있고. 그런데, 어떤 친구는 즐기고 마는 친구도 있고. 그런데 저는 이런 게 엔터테이먼트가 되고, e스포츠케이션이라던지 문화가 되면 되는 것이지. 이것을 너무 학문적인 측면에서 이것이 되면 그게 독인거죠."

솔직히 저는 e스포츠가 너무 좋습니다. 사람들이 많이 찾아보게 되니까 광고, 스폰이 붙고, 최근에는 럭셔리 브랜드랑 콜라보해서 나오고 있죠. 이걸 하나의 흐름으로 보면 결국 전통 스포츠를 따라가는 것이라고 봅니다. 프로 야구도 FA이나 에이전트 등의 체계가 잡히기 까지 거의 20~30년 이상 걸렸었죠.

어떠한 틀 안에서만 e스포츠를 정의하려고 노력하다 보니깐 문제가 있지 않느냐고 생각합니다. 현실에서 못 하는 것을 게임에서 이루면서 대리만족을 느끼는 거죠. 예를 들어 사회에서는 직장생활 등으로 힘들지만 게임 속에서는 왕이니깐 말이죠.

> "예를 들면, 제가 원하는 대로 다 저만의 제국이 되는. 그런 심리적 요소로 보게 되면 훨씬 더 좋지 않을까. 예를 들어서 온라인 e스포츠도, 토토나 배팅해야 한다고 생각을 하거든요. 그대로 보고 훨씬 더 활성화가. 결국은 e스포츠가 활성화가 된다는 이야기는 많은 사람들이 그것을 즐겨야 하고 많은 관심이 있어야 하고. 결국은 이것을 나쁜 측면으로 봐서 토토는 안되고 배팅은 안 되고 해서는 아무런 활성화가 될 수 없고, 저는 어느 정도는 풀어야 한다. 그 정도의 판단은 될 수 있을 것 같다고 생각이 들고. 마지막으로 OGN에서 저번에는 긍정적 영향을 못 들었는데, 왜 임요한이나 홍진호 같은 그런. 왜냐하면 그분들은 이러한 풍기는 거의 지금으로 치면 페이커 급의 영향력을 가진 급이었는데. 요즘 그런 것 이야기 많이 하잖아요. 최강야구의 이야기가 있죠. 그분들을 가지고 예를 들어서, 지금의 프로는 안 되지만, 고등학교 리그오브레전드, 고등학교의 한 이벤트성 게임을 하는. 좀 그런 것을 하면 훨씬 더 많은 관심이 있고 좋지 않을까 싶습니다."

이경혁 편집장 지금 말씀하신 전체적인 주제가 다른 사람들과 이야기하기 어려운 주제라고 느낍니다. 특히 그레이의 영역이라 말씀을 주시는 부분 말이죠. 게임의 출신성분도 오락게임인 것이니까 관련 직종 사람들이 기본적으로 콤플렉스가 있습니다.

그래서 자꾸 우리에게 게임이 도움이 된다는 이야기를 지난 50년간 해왔다는 거죠. 그러다 보니, e스포츠 이야기할 때 비난 받는 것부터 걱정하게 됩니다.

출신성분이라는 이야기를 드린 두 번째 이유는 실제로 승부조작과 같이 문제가 있기 때문입니다. 승부조작이 실제로 계속 일어났고 앞으로도 계속 있을 것이라고 예상됩니다. 우리는 그러한 상황 속에서 시작한 사업이기 때문에 그레이로 둔다는 말에 굉장히 동의합니다. 하지만 한편으로는 이 산업을 대표하는 선수가 페이커이기 때문에 버티는 것도 있습니다.

> "예를 들어 그 자리에 임프가 있었으면 이 산업은 망했습니다. 페이커도 아니고 임프가. 페이커의 도덕적인 면이 보이잖아요 우리에게. 그런데 임프18)같은 경우에는 쌍욕을 하고, 아무렇게나 행동하고 그랬으면 이 상황이 여기까지 못 왔다고 저는 분명히 있다고 저는 보는 것이죠. 한 편으론 우리가 어둠에서 시작했지만, 한편으로는 우리가 지향하는 것이 그런 어둠에 대한 반사적인 이야기도 하지만, 그렇다고 해서 우리에게 완전히 손을 놓으면 또 우리는 어둠 그 자체로 출발할 수밖에 없는 운명을 한편으로 짊어지고 있다는 것이 참 웃기면서 씁쓸한 지점인 것 같아요."

이상호 교수 저 같은 경우에는 오락실의 게임을 공급한 경험이 있어서 그렇게까지 생각을 안했습니다. 그 당시만 해도 게임의 팩을 많이 파는 것이 목적이었기 때문이죠. 지금은 e스포츠를 어떻게 할 것이냐에 대해 신경 써야 합니다. 프로야구 같은 경우에는 신경을 쓰지 않아도 자동으로 잘 돌아갑니다. 사실 신경을 쓴다고 해서 잘 되고 안되고의 문제가 아니니깐 말이죠. 하지만 e스포츠는 다릅니다. 제대로 산업이 발전하지 않으면 e스포츠는 그냥 한때의 유행일 수밖에 없다고 생각합니다.

김재훈 교수 제가 초등학교 때까지만 해도 오락실은 지하에 있고 불이 다 꺼진 상태였어요. 그런데 중학교로 넘어가면서 오락실에 총, 자동차레이싱 게임이 생기면서 이미지가 되게 좋아졌죠. 이렇게 오락실에 대한 이미지가 많이 변한만큼 추가적인 환경변화, 인식변화도 필요하다고 생각합니다. 그렇게 된다면 e스포츠도 충분히 하나의 어떠한 문화로 받아들이게 될 것이에요. 그러면 자연스럽게 이야기하기가 편해지겠죠.

이경혁 편집장 아직까지는 PC방은 초등학교 주변에 유해 질서로 분류돼서 못 들어가잖아요. 저는 직업상 한 달에 한 번씩 초등학교 앞에 PC방에 갑니다. 그렇게 있다 보면 부모님이 찾아와서 학생들을 잡고 끌고 나가더라고요. 그런걸 보면 예전처럼 애들도 똑같고 부모도 똑같은 것 같아요. 근데 그 와중에 많은 것이 변했죠. 말씀하신 대로 공간 자체의 의미가 변한 것처럼 말이죠. 하지만 아직까지도 여성분들이 들어가기에는 힘든 공간인 것 같아요. 그 당시 10대, 20대 때 여성분

---

18) 구승빈(1995), 대한민국의 전직 리그오브레전드 프로게이머. 선수 시절 아이디는 Imp였으며 포지션은 AD 캐리였다(출처: 위키피디아).

들이 오락실에서 제일 많이 한 게임이 오락실 밖에 있는 두더지게임이었습니다. 안에 들어가기 힘드니깐 밖에 있는 두더지게임만 하는 것이지요. 그런데 지금은 많이 개선이 되었죠. DDR 형태의 게임이 들어오면서 젠더리스한 공간으로 바뀌게 되었습니다.

이상호 교수 e스포츠 전망이 어떻게 될지는 모릅니다. 또한 e스포츠 연구소에서 연구를 하다보면 관련 자료들이 워낙 없습니다. 그렇기에 e스포츠에 조금 더 많은 관심을 가졌으면 좋겠다는 생각입니다. 학문적으로도 말이죠.

김영선 교수 자기 관심의 주제 연구들을 있는 그대로 다양하게 하다 보면 그것이 서로 논쟁이 될 수 있고 합의를 볼 수 있으면서 점점 발전하는 것 같아요. 하지만 지속적인 연구보다는 어떠한 흐름에 따라 자신의 주제를 바꾸면서 정하는 경우에는 성과가 크지 않다고 봐요. 그리고 아까 자연발생적인 것도 말씀을 하셨지만, 제가 생각하기에 그 안에 역사적인 문화 맥락들이 다 들어가 있어요. 그렇기에 연구자는 그러한 사건 하나하나를 찾아다니면서 빈틈을 메꾸어 주는 역할이 더 필요하다는 생각이 듭니다.

[그림 출처]

[그림 2-1] https://www.gametoc.co.kr/news/articleView.html?idxno=48626

[그림 2-2] 경성대학교 e스포츠 연구소 2차 정기포럼 'e스포츠 마케팅의 근본적인 전제들'
PPT 중 발췌

[그림 2-3] 경성대학교 e스포츠 연구소 2차 정기포럼 'e스포츠 마케팅의 근본적인 전제들'
PPT 중 발췌

[그림 2-4] 경성대학교 e스포츠 연구소 2차 정기포럼 'e스포츠 마케팅의 근본적인 전제들'
PPT 중 발췌

[그림 2-5] https://www.playxp.com/

[그림 2-6] 경성대학교 e스포츠 연구소 2차 정기포럼 'e스포츠 마케팅의 근본적인 전제들'
PPT 중 발췌

[그림 2-7] https://www.yna.co.kr/view/AKR20220831154900017

[그림 2-8] https://www.inven.co.kr/webzine/news/?news=257987

[그림 2-9] http://www.gameinsight.co.kr/news/articleView.html?idxno=18709

2023 경성대학교 e스포츠연구소 제3차 e스포츠포럼

기술이 가져올
이스포츠의 변화

구마태 강사 약력
현) 빅피쳐 엔터테인먼트 실장, e스포츠칼럼니스트
전) 한국e스포츠협회 과장
e스포츠 아카이브(1.5천명 가입) 관리자
e스포츠산업의 발전과 이에 따른 e스포츠의 전문인력 양성에 관심

강사: 구마태 (빅피쳐 엔터테인먼트 실장)

장소: 2023년 3월 9일(목) 13:30~15:30
경성대 중앙도서관(27호관) 507호

나의 소개

저는 20대 후반에 게임 회사에서 신작 게임과 관련된 마케팅 업무를 했고 이후, 한국e스포츠협회로 이직해서 2017년 e스포츠 연구개발원이라는 회사를 설립했습니다. 같은 해, 문화체육관광부 e스포츠 명예의 전당 건립 사업에 총괄 PM(프로젝트 매니저)으로 합류를 해서 2년 동안 구축을 도왔습니다. 명예의 전당 구축 이후에는 현재 소속인 빅픽처 인터렉티브 e스포츠 스타트업에 합류하였습니다. 지금 이 회사에 다니면서, e스포츠 산업 전문 페이스북 e스포츠 아카이브19)를 운영하고 있습니다.

기술의 발달로 변화된 e스포츠

우리는 기술의 발달로 두 가지 변화를 알아보도록 하겠습니다. 하나는 인간 vs 인간의 대결이 가능한 게임 대회, 다음은 방송 콘텐츠로 e스포츠를 쉽게 볼 수 있다며 제작 허들이 아주 낮아졌다는 점입니다.

해외에서는 1980년대 국내에서는 1990년도에 가장 큰 특징이라고 한다면, 개인용 PC의 보급이었습니다. 그전까지는 PC가 아주 비쌌는데 기술의 발전이 PC 가격을 낮추게 되었습니다. 이때부터 사람들은 본격적으로 PC를 가지고, 게임을 하기 시작했습니다. 이에 따라 당시 국내는 피시방이 많이 생겨나면서 언제든지 피시방에 가면 저렴한 가격으로 게임을 할 수 있었어요.

오늘날 우리가 말하는 현대적인 형태의 e스포츠는 2000년을 전후로 출현했습니다. 특히 1998년 블리자드에서 스타크래프트의 발매되었고, 이를 주축으로 하는, e스포츠가 우리나라에서 발달했습니다. 이후 블리자드는 스타크래프트의 성공을 바탕으로 비슷한 장르인 워크래프트3를 2002년에 발매합니다. 그리고 이 게임은 국내 뿐 아니라, 중국에서도 선풍적인 인기를 끌게 되었습니다. 비슷한 시기인 1999년에 북미와 유럽은 카운터 스트라이크(CS:GO)20)라는 게임에 열광합니다.

최근까지도 인기를 구가하는 이 게임의 공통된 특징은 네트워크 지원입니다. 물론 당연히 이 세계에 게임만 있었던 것은 아닙니다. 이때가 이런 종류의 게임들을

---

19) https://www.facebook.com/groups/erdc.archive
20) 카운터 스트라이크: 글로벌 오펜시브(Counter Strike: Global Offensive). 밸브 코퍼레이션에서 2012년 개발한 1인칭 슈팅게임. 클래식 버전(카운터 스트라이크: 소스)의 모드와 맵, 캐릭터를 개조하여 만든 것이 특징적이다(출처: 위키피디아).

중심으로 e스포츠가 부흥하던 그런 시기였습니다. 그런 이야기를 하고 싶은 거죠. 아래의 이미지가 그 세 개의 게임입니다.

[그림 3-1] 네트워크 지원의 게임

자료: PPT

　e스포츠는 이렇게 시기적으로 한국이 약간 빨랐고 중국이 약간 느렸다고 생각합니다. 그렇지만 북미, 유럽은 '랜 파티'라는 이름의 게임 대회를 아주 오래전부터 하고 있었습니다. e스포츠가 아닌, e스포츠라는 문화의 차원에서 생각한다면 서로 시간적인 차이를 말하는 것은 사실 의미가 없는 수준입니다.
　전부 기술이 시기에 맞춰, 우리에게 가져다준 선물이라고 생각합니다. 아래 [그림 3-2]는 1999년도에 독일 뒤스부르크에서 열린 '게이머스 게더링'이라는 유럽 전역에서 1,600명의 게이머들이 모인 기록적인 행사의 사진입니다.

[그림 3-2] 2001년 월드 사이버 게임즈

자료: PPT

2001년 서울에서는 '월드 사이버 게임즈'라는 대회가 열립니다. 앞에서 본 게이머스 게더링이라는 행사의 영향을 받지 않았을까 추측을 해봅니다. 시간이 어느 정도 지난 후에 출시 된 게임들은 인터넷이 발달했기 때문에 전부 온라인 게임이라고 불리는 것들입니다. 인터넷이란 로컬 에어리어 네트워크[21]를 그냥 엄청나게 크게 확장시킨 것이라 봐도 되었고, 더 이상 DVD로 된 디스크를 구매할 필요가 없어졌죠. 인터넷만 된다면 어느 곳이든 게임을 다운받을 수 있게 되었습니다.

그런데 기술은 거기서도 머무르지 않았죠. 가장 최신 트렌드라면 역시, 클라우드 게이밍[22]이겠죠. 다운로드조차 할 필요가 없습니다. 인터넷은 게임 플레이를 하는 우리의 삶을 방식을 변화시킴과 동시에 게임을 보는 방법도 전환했습니다. e스포츠가 처음 등장했을 때는 케이블 TV[23] 전성기 시절이었습니다.

아래 [그림 3-3]을 살펴보시면, 저 케이블로 방송을 수신하는 것인데, 케이블로 수신하기 전에는 송신소에서 송신된 전파를 TV가 받아서, 높은 탑에서 전파를 팍 보내 면은 TV라는 게 전파를 받는 형식인데, 획기적인 것이 나왔는데 그게 케이블입니다. 케이블로 영상을 전달하게 된 거예요. 갑자기 안테나도 필요 없고 깔끔한 화면이 우리에게 전달이 된 것입니다.

[그림 3-3] 케이블과 방송

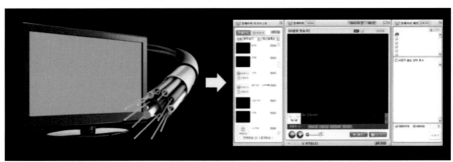

자료: PPT

---

21) 근거리통신망(Local Area Network).네트워크 매체를 이용하여 집, 사무실, 학교 등의 건물과 같은 가까운 지역을 한데 묶는 컴퓨터 네트워크이다(출처: 위키피디아).
22) 클라우드 게임이란 클라우드 서비스의 일종으로 게임을 서버에 저장한 채 게임 이용을 요구하는 단말기에 즉각적으로 스트리밍하는 서비스를 의미한다(출처: 위키피디아).
23) 케이블 텔레비전(cable television)은 텔레비전 안테나가 요구되는 전통적인 TV 수신 방식과는 다르게 광섬유를 통해서 동축 케이블에 전달된 무선 주파수 신호를 통해 텔레비전에 신호를 보내 전파를 수신하는 체계이다. 케이블 텔레비전은 〈CATV〉, 〈유선 방송〉으로도 불린다(출처: 위키피디아).

e스포츠와 VOD

이후 여러 과정을 거쳐서 지금의 모습을 지니게 되었습니다. 인터넷을 활용한 방송 기술을 스트리밍, 붙여서 인터넷 스트리밍이라고 부릅니다. 이때, 온디맨드[24] 개념이 등장해요. 온디맨드 서비스에 비디오가 결합이 되면 비디오 온디맨드라는 말이 완성되는데, 줄임말로는 VOD라고 합니다.

대표적인 VOD 서비스를 제공하는 것은 넷플릭스와 유튜브입니다. 그리고 우리는 그들이 제공하는 서비스가 있는 상소를, 그래서 넷플릭스나 유튜브 그런 서비스가 있는 장소를 플랫폼이라고 부릅니다. 인터넷, VOD, 스트리밍 서비스 플랫폼 등장은 우리 삶을 완전히 바꿔놓았습니다. 이전에는 방송 콘텐츠라는 것은 방송국이 만들었다면 이제는 누구나 만들 수 있게 되었습니다. 누구나 플랫폼에 내 콘텐츠를 올리고, 내 콘텐츠를 보는 사람들로 인해 광고 수익을 분배받을 수 있게 되었습니다.

> "플랫폼에 대해 기차로 예를 들어보겠습니다. 기차역을 플랫폼이라고 부르잖아요. 우리 같은 손님이 오면 '내가 부산으로 가겠다.' 1번 플랫폼에 있어야 부산 가는 기차를 콘텐츠로 표현하는데, 기차가 오면 1번 플랫폼에 서 있어야지 부산으로 가는 거잖아요. 뭐, 3번 플랫폼에 서 있으면 광주로 가게 됩니다. 거기서는 아무리 기다려도 내가 원하는 부산 가는 기차 콘텐츠가 안 오는 거죠. 그거를 똑같이 온라인으로 옮겨 놓은 것을 플랫폼이라고 하니까. 플랫폼이라는 단어가 도대체 무슨 뜻일까? 라고 생각하셨을 때는 기차역을 생각하는 게 가장 이해가 빠릅니다."

근데 이 기술은 여기서 한 단계 더 나아가 갑니다. 라이브 콘텐츠는 주문형 콘텐츠가 아니기 때문에 VOD를 뺀 인터넷 스트리밍 서비스이되, 대신 앞에 라이브라는 말을 붙이게 됩니다. 그래서 최종적으로는 인터넷 라이브 스트리밍 서비스라고 부르게 됩니다.

이제 라이브 콘텐츠를 전달하는데 거기서는 고가의 송출 장비가 필요 없습니다. 장비라고 할 수 있는 것은, 착용 장비를 제외한다면 거의 컴퓨터만 있으면 됩니다. 이 중에서 가장 혜택을 많이 본 것 중 하나가 당연히 e스포츠입니다. 컴퓨터만 있으면 경기를 준비하는데 더 편한 것이 없어요. 그렇게 전달 된 영상을 저희가 보고 있습니다. 물론 클라우드, 인코딩, CDM[25], 패킷[26]을 주고받는 방식, 게

---

24) 온디맨드(On Demand)란 각종 서비스와 재화가 모바일 네트워크 또는 온라인 장터 등을 통해 수요자가 원하는 형태로 즉각 제공되는 경제 시스템을 말한다(출처: 연합인포맥스).
25) 코드분할다중접속(Code Division Multiple Access)의 약자. 이동 통신에서 코드를 이용한 다중접속 기술의 하나이다. 1996년 한국이동통신(현 SK텔레콤)에서 최초로 상용화되었다(출처: 위키피디아).

이트, 이런 것들을 기술적으로 자세히 본다면 알아야 할 것은 정말 많이 있지만 우리는 필드에서 일하면서 자세히 몰라도 상관없지 않을까 싶습니다. 우리에게 중요한 것은 삶을 무엇이 어떻게 변화시켰는가에 대한 질문의 답변이니까요.

"아래[그림 3-4]에서 보시는 이미지는 e스포츠 대회를 송출하고 있는 송출실의 이미지입니다. 부산 아레나에 가도, 저런 조정실들이 있어서 다 세팅이 되어있습니다. 영상 정보를 수집해 선별하는 오버레이라고 불리는 그래픽을 입혀서 인터넷으로 송출하는 거예요. 개념 자체는 그렇습니다. 여기저기 카메라가 촬영하고 있는 영상 정보를 수집합니다. 그리고 PD가 선별해요, 거기다가 오버레이라는 그래픽을 입혀서 우리가 보는 겁니다. 이미지에 보이는 장비는 프로의 장비입니다. 보는 이의 관점에 따라서 여전히 간소하다고 말할 수 있겠지만, 예전에 방송국에서 일하셨던 분들은 '야, 이것만으로 방송이 돼?'라고 이럴 수 있겠지만, 저희가 봤을 때는 '그렇게 단순하지는 않네요?' 이렇게 보일 수도 있죠."

[그림 3-4] e스포츠 송출

자료: ROSS PRODUCTION SERVICES

---

26) 패킷(Packet)은 정보 기술에서 패킷 방식의 컴퓨터 네트워크가 전달하는 데이터의 형식화된 블록이다. 패킷은 제어 정보와 사용자 데이터로 이루어지며, 이는 페이로드라고도 한다(출처: 위키피디아).

게임대회 e스포츠

과거보다 현재 사람들이 더 많이 게임 대회를 경험할 수 있게 되었습니다. 사람들은 게임을 시작할 때 당연히 프로게이머라는 개념이 없었고 그저 게이머만 있었습니다. 대회가 조직화 되면서 프로게이머가 등장하게 됐는데, 프로게이머가 등장했다고 해서, 게이머가 없어진 것은 아닙니다. 사람들은 게임 대회를 보는 것만큼 게임 대회에 참가하는 것을 좋아했었습니다. 이 부분은 프로게이머 대회가 있었기 때문에, 아마추어 대회가 만들어진 것으로 접근하면 될 것 같습니다.

"이렇게 e스포츠는 다른 스포츠 종목과 다른 점인 것 같습니다. 다른 스포츠는 아마추어 대회가 활성화가 된 다음, 프로가 만들어진 것으로 볼 수 있는데, e스포츠는 그 과정이 필요 없었던 것 같습니다. 기술로 인해 급속도로 변화했기 때문에 아마추어 대회와 프로게이머 대회가 거의 동시에 만들어진 것인데, 프로게이머 대회가 더 빛이 나서 프로게이머 대회 다음에 아마추어 대회가 만들어졌다고 이야기하는 것 같습니다. 특별히 친구들과 한 팀이 되어 게임 대회에 참가하는 일은, 정말로 재미있고 신나는 일이었습니다. 친구 중에는 조금 더 잘하는 친구도 있고, 조금 더 못하는 친구도 있었는데 우리는 한 팀이 되어 하나의 공통된 목적을 향해 그 목표를 향해 나아갑니다. 그 과정에서 친구들과 잘 안되는 것도 있고, 잘 되는 것도 있고, 싸우기도 하고, 욕하기도 하고, 너 때문에 졌어, 나 때문에 이겼어, 그런 소리 하지 마라, 이런 얘기도 하고 감정이 올라갔다가, 내려갔다가 해요. 그런데 그 모든 과정이 스포츠 활동의 재미인 것 같습니다."

e스포츠는 게임 업데이트 없이, 게임 내 재화의 활용도 없이, 사람들에게 지속해서 동기를 부여할 수 있었습니다. '재화가 필요하지 않으면서 업데이트 없이 게임의 재미를 부여하는 방법이 없을까?'에 대해 고민하던 결과가 '사용자들끼리 콘텐츠를 만들게 하는 방식'인 겁니다.

"예전에는 아마추어 대회가 많지 않았어요. PC방의 니즈는 있었지만, 홍보 자금 등에 한계가 있고, 타깃 고객 유치 효과에 대한 수치화하는 것이 많이 영세했기 때문에 어려움이 있었죠. 아마추어 대회를 개최해야 할 이유가 있었던 곳은 거의 게임사밖에 없었다고 말할 수 있겠습니다. 게임사는 자사의 게임을 즐기는 게이머들에게 게임이 지겨워지지 않게 색다른 재미를 계속 줘야 합니다. 보통 게임사들이 색다른 재미를 주는 방식은 게임 업데이트이지만, 게임 업데이트를 무한정 할 수 없습니다. 소비자 콘텐츠 소비 속도를 따라갈 수가 없었는데 사람들은 체감되는 업데이트 속도가 느렸기 때문에, 해당 게임을 금방 질려했습니다. 업데이트하지 않고 색다른 재미를 주는 방식은 이벤트와 프로모션이 있습니다. 임무를 부여하고, 보상 상품을 지급하는 것이 가장 일반적인 재미였지요."

이렇게 매력 있는 e스포츠. 그런데 게임사는 왜 많이 하기가 어려웠을까요? 가장 큰 문제는 게임 개발사와 퍼블리셔는 e스포츠 전문가가 아니라는 점이에요. 그래서 이 일을 해줄 회사를 찾아야 했습니다. 우리가 아는 바와 같이 국내 e스포츠는 방송사가 이끌었다고 할 수 있습니다.

게임사는 방송사에 의뢰해야 했는데, 그들이 생각하는 e스포츠와 방송사가 생각하는 e스포츠는 초점이 달랐습니다. 게임사가 생각하는 e스포츠는 더 많은 게이머가 즐기는 e스포츠였는데, 방송사는 시청자들이 좋아하는, 한마디로 주목을 받는 스타가 많이 나오는 콘텐츠를 만드는 것이었습니다. 그렇지만, 게임사들은 별다른 선택의 여지가 없어 방송사에게 대회를 맡겼습니다.

"OGN과 같은 방송사가 가장 주목받는 시기였습니다. 제작비는 한 회당 500만원 ~ 1,000만원 수준의 고가였습니다. 가격은 고가지만, 참여하는 선수들의 숫자는 적었고 이외로 장애 요소도 많이 있었습니다. 그러나 게임사 입장에서 대표적으로 금요일, 토요일 저녁과 같은 좋은 시간대에는 전부 인기 종목인 스타크래프트가 차지했습니다. 옛날에 케이블 TV는 한 방송사가 한 채널을 가질 수가 없어서 금요일 저녁과 토요일 저녁은 하나밖에 없었습니다."

자체적으로 게임사들이 대회를 시도해 본 적 없다고는 할 수 없지만, 방송 채널을 가질 수 없었고 그 외 여러 가지 이유로 유의미하게 기록될 만한 것들은 없었던 것 같습니다. 게임사들이 자체적으로 게임 대회를 개최할 수 없는 이유는 많았습니다. 첫 번째, 과거 e스포츠 대회는 모든 것을 수기로 했습니다.

"참가자 정보를 이메일로 받고, 신청 입력페이지로 받거나, 현장에서 수기로 접수하거나, 또 접수된 내용을 바탕으로 수기로 대진표를 작성하고, 경기가 종료되면 일일이 결과를 찾아서 입력해야 했습니다. 당연히 한두 명의 사람이 그 일을 하는데, 대규모의 참가자를 수용할 수가 없었습니다. 대회는 대부분 인비테이셔널(Invitational)이라는 이름으로 고수를 초청해서 대회를 하거나, 상위 이상의 랭크의 참가자만 가능하다는 조건이 붙었습니다."

이후 기술이 이 문제에 대한 해결을 어떻게 풀어갔을까요? 해답은 토너먼트 플랫폼이었습니다. 2010년 이후부터는 인터넷을 통해 편리하게 대회를 관리할 수 있었고 아주 적은 비용으로 대회를 개최할 수 있었습니다.

> "2010년이 넘어가면서, 북미와 유럽에서 e스포츠 토너먼트 플랫폼이 출현하기 시작합니다. 사람들은 인터넷을 통해 플랫폼에 가입하고, 로그인하고, 참가하고 싶은 대회에 체크인한 후, 체크인된 상대와 게임을 하고, 그 결과를 스크린샷으로 찍어서 대회 관리를 최소화할 수 있게 되었습니다. 이제는 천 명이 신청해도 며칠 만에 우승자를 가릴 수 있는 대회를 치를 수 있게 되었습니다. 시간이 적게 드는 장점만 있는 게 아니었습니다. 수기가 아니기 때문에, 실수도 적어졌습니다. 추가로 게임사는 아주 적은 비용으로 대회를 치를 수 있게 되었습니다. 마음만 먹으면, 1년 내내 대회를 할 수 있게 되었습니다."

이쯤 되니, 게임사가 아닌 회사도 e스포츠 대회를 개최하고자 했습니다. 대표적인 행사들은, 주로 e스포츠의 고객에게 무엇인가를 전하려는 메시지가 있었던 곳입니다. 예를 들면, 컴퓨터나 게임 관련 장비를 파는 회사들, 게이머들이 좋아하는 음료, 젊은 친구들을 겨냥하는 의류 회사들, 자동차 회사들, 핸드폰 제조사, 통신사 등이 대표적이었죠. 그런데 이런 경우도 있었습니다. 바로 은행입니다.

은행은 물론 돈이 많은 고객을 위해서 골프와 같은 종류의 스포츠를 지원합니다. 그러나 은행의 신규 고객은 항상 새로 어른이 되는 사람들이죠.

> "그래서 e스포츠가 의미가 있게 된 거죠. 어쩌면 우리는 항상 이런 예상할 수는 없지만, 당연한 의미를 찾아가는 사람들일지도 모르겠습니다."

현대 e스포츠 플랫폼은 통합 플랫폼 쪽으로 나아가고 있습니다. e스포츠 토너먼트 개최 지원 플랫폼뿐만 아니라, e스포츠 리그 관련된 소식도 전하고 있고 '불판'이라고 해서 누가 이길지 이런 것들을 확인하는 것들도 지원하고, 전적 검색도 지원합니다. 한마디로 e스포츠하면 떠오르는 모든 것들을 집대성하려고 하고 있습니다. 온라인에서는 '슈퍼 앱'이라고 부르데 이는 원래 금융권에서 나온 용어지만 금융 쪽에서 할 수 있는 모든 기능을 제공하는 것을 금융 슈퍼 앱이라고 합니다. 따라서 e스포츠에서는 e스포츠 슈퍼 앱이라고 부르게 되죠. 그런데 e스포츠와 금융을 제가 두 개로 예로 들었는데, 다른 분야도 다 마찬가지예요. 슈퍼 앱 쪽으로 나아가고 있어요. 다 통합, 대 통합으로 나아가고 있습니다.

"토너먼트 플랫폼 중에서는 '스매쉬 닷지지(smash.gg)라는 회사가 있는데, 2020년에 마이크로소프트에 인수되었습니다. 인수 금액은 정확히는 밝히지 않았지만, 상당한 규모라고 알려져 있습니다. 금액을 밝힌 것은 2022년입니다. '페이스잇'이 사우디 국부펀드 산하에 있는 사비 그룹에 인수되었는데 매각 금액은 4억 5천만 달러, 한화로 약 5천 840억 원 정도의 규모입니다. 이게 어느 정도 금액인지 비교를 하자면, 당시 사비 게임즈는 'ESL 드림핵'이라는 회사도 같이 인수했는데요. ESL 드림핵은 방송사이면서도 대회 개최를 전문사로 잘 알려져 있죠. 이 두 개의 회사 금액이 10억 5천만 달러로, 한화로 약 1천, 3천입니다.

하여튼, 플랫폼이라는 회사라는 자체가 ESL이나 드림핵이나 이런 회사들과 비교해도 크게 금액 차이가 나지 않을 정도로 굉장히 이런 플랫폼 관련 회사들이 비싼 가격을 받는다고 저희가 기억하면 될 것 같습니다. 물론 콘텐츠 스트리밍이나 이런 회사들에 비하면 아직 한참 어린아이와 같은 수준입니다. 예를 들어, 트위치 같은 경우 2018년도에 기업 가치를 32조 이렇게 받았으니까요. 거의 60배 이상 차이가 난다고 보고 있습니다. 스트리밍 플랫폼도 그렇고. 그게 2018년이니까 지금은 더 높을 것이라 보고 있습니다. 플랫폼 회사 중에서는 최근에 저희와 관련해서 제일 인상적인 것은 2020년이 제일 최근인데, 그때 '디스코드'라는 회사가 거의 70조 가까이 기업 가치를 평가받았습니다. 이 플랫폼 시장에 대해서 사람들이 매력을 좀 많이, e스포츠 쪽에서는 느낄 수밖에 없게 되었고. 아무래도 플랫폼 관련된 내용에서는, 기존에 저희 선배님들하고 하시는 분들은 조금 접근성이 떨어지시는 부분은 있습니다. 정확히 이 내용을 파악하시기는 어려운데, 대신 좀 올라오는 젊은 친구들은. 올라온다는 표현이 맞을지는 모르겠는데, 같이 가는 비교적 젊은 세대의 친구들 같은 경우에는 디스코드라든가, 페이스잇(faceit)이라든가, 그 외에도 e스포츠 관련 플랫폼 활용도들이 되게 높아지고 있다는 것. 관심을 가지고 보시면 되게 좋을 것 같다는 생각이 듭니다."

향후 e스포츠의 전망

우리가 어디로 가는지를 알려면 어디서 왔는지를 알아야지 된다

어디서부터 어떤 식으로 방향을 왔는지 중심을 잘 정리한다면, 앞으로 어떻게 갈지 얘기할 수 있고, 이는 굉장히 설득력이 높을 것이라 봅니다. 그래서 앞에서 설명했던 것처럼, 네트워크 관련된 내용들을 지금까지 네트워크가 우리에게 어떤 선물들을 줬는지, 방송 관련된 것들은 인터넷이 어땠는지, 또 플랫폼과 관련된 기술들은 어땠는지 생각하시면 되겠습니다. 미래 쪽으로는 어떤 식으로 나아가게 될지 그 배경을 가지고 한번 여기에 참여한 분들이 들어보시면 제 설명을 조금 더 쉽게 이해할 수 있으실 거로 생각합니다.

많은 전문가는 영화인 레디 플레이어 원에서 그린 것과 비슷하게 미래 사용자에게는 향상된 VR 기술을 이용하여 메타버스에 진입하고, 거기서 게임을 할 것이라고 예상합니다. 레디 플레이어 원 영화 혹시 보셨습니까?

[그림 3-5] 영화 레디 플레이 원

자료: 워너브라더스

영화의 주 내용은 메타버스 세계가 처음에 나오고, 주인공은 주로 게임을 합니다. 우리가 메타버스라고 생각하는 공간에서 게임을 하려고 들어갑니다. 여기서 재밌는 게 뭐냐면 메타버스 안에서 레이싱게임을 합니다. 이것을 우리는 e스포츠라고 부릅니다. 메타버스, VR, 그리고 메타버스에서의 행위가 게임인데, 거기서의 핵심 콘텐츠가 e스포츠에요.

이미 우리는 일부 메타버스를 경험하고 있습니다. 그래서 미래의 제가 언급했던 광경을 상상하면 어색함이 없습니다.

"사람들이 메타버스 가서 나는 은행 일이나 영화를 본다면, 쟤는 왜 쓸데없는 행동을 하느냐 다른 사람에게 듣지 않을까? 겁이 나니까 생각합니다. 저는 이 부분도 개인적으로 e스포츠라고 생각합니다. 이를테면 모든 라이브 스트리밍 사이트는 앱에 라이브 채팅이 있습니다. 그 속에서는 닉네임으로 소통하는 나는, 가상의 나잖아요. 누군가 '저런 이야기 하는 쟤는 누구야?' 하고 불렀는데, 거기에 제 사진이 안 뜨고 거기에 뭔가 제가 올려놓은 다른 게임 캐릭터 같은 게 올라왔다면 우리는 그를 아바타라고 부를 수 있습니다."

물론 닉네임으로 채팅한다고 해서 그 세상이 메타버스라고 하는 것은 아닙니다. 이런 것은 일종의 예표죠. 우리가 스트리밍 콘텐츠를 보고, 채팅하는 것은 결국 우리가 스포츠를 보면서 소통하는 것을 원하는 건데 그것을 기술적으로 더 나은 경험으로 주기 위해서 구현되는 것이고, 다른 이름으로 메타버스라고 불리게 될 거로 생각합니다.

"귀신의 집에 들어가기 바로 전에 현관에 여러 귀신의 마스크가 걸려 있다고 생각해 봅니다. 들어가기 전이니까, 우리가 그걸 본다고 해서 무섭거나 그러지는 않잖아요. 그런데 다만, 들어가면 어떤 것이 기다리고 있을지는 예표를 보고 알 수 있다고 생각합니다. 그리고 실제로 얻는 그 경험은, 밖에서 마스크를 보면서 느꼈던 것과 같지만 농도가 완전히 다른. 완전히 경험 자체가 주는 강도가 다릅니다. 무엇이 어떻게 할지는 알지만, 차원이 다른 경험을 하게 될 것이라고 예상을 할 수 있습니다."

저는 특별히 관전의 경험을 높이는 것에 관심이 있고, 그 분야가 많이 발전할 것으로 예측합니다. 우리가 일반적으로 상상하는 것은 VR과 AR기술의 결합입니다. 현재 우리는 경기장 중앙이나, 한쪽 벽면에 대형 스크린으로 여러 사람이 함께 관람하는 형태입니다. 그런데 AR기술은 마치 실제 선수들이 축구를 보는 것과 같이, 게임 캐릭터 애들이 이미지 경기장 바닥 위에 뛰어다니는 형태라고 말하고 있습니다. 예를 들어 농구 경기 같은 걸 구경한다고 했을 때, 이 밑에 있는 선수들이, 실제 사람들이 움직이는 걸 구경하는데, e스포츠는 선수들이 앉아 있고 이 선수들이 하는 경기를 위에 보통 있는 대형 스크린으로 보고 있습니다.

이제 미래에는 어떤 식으로 게임에 참여할까요? VR, XR 기술로 활용될 것이라 보입니다. XR은 확장 현실이란 의미인데, 원래는 스튜디오에서 크로마키27)를 통해서 스튜디오를 재구성하는 형태에서 처음 나왔어요. e스포츠가 XR을 제일 많이 활용하고 있습니다.

---

27) 크로마키(Chroma Key)는 두 개의 영상을 합성하는 기술이다. 이 기술은 컬러 키, 색 분리 오버레이, 그린스크린으로도 일컬을 수 있다. 보통 기상 예보 방송에서 쓰이는데, 예보자가 큰 지도 앞에서 서 있는 것처럼 보여 주지만 실제로는 파란색 배경이나 초록색 배경의 스튜디오 안에 있는 것이다(출처: 위키피디아).

"기술적으로, 상용화는 언제 될지는 모르겠지만 과거에는 컴퓨터가 고가였지만 상용화되면서 금액이 내려간 것처럼 이번 기술도 그럴 것으로 생각합니다. 옛날에는 이 기술로 앵커가 앉아 있고 카메라를 비추면 크로마키라고 해서 녹색으로 된 배경을 입힙니다. 뒤에는 완전히 다른 그래픽이 움직이고, 배경을 입히는 거거든요. 근데 이 기술은 아무래도 어색하고 카메라는 준비된 이미지만 사용할 수 있어서 제한적이었습니다. 그런데 요즘 기술은 뒤에 엄청난 크기의 LED 패널을 놓고, 배경에 나오는 이미지를 사람이 보니까 이전보다는 어떤 배경 화면에서 진행하고 있는지 알 수 있어서 시선들이 자연스럽게 변하게 됩니다. 그런데 카메라가 트래킹을 하는데 어느 장면에서 사진을 찍어도 뒤에 있는 배경 이미지와 본인하고 맞게 가상현실을 만들어 내는 그런 기술을 진행합니다."

실제 경기는 [그림 3-6]과 같이 사이버 펑크의 한 장면처럼 보이는 곳에서 마치 SF 영화를 보는 것과 같은 착각을 일으켜요. 해당 그림에 등장한 사람은 라이엇 게임즈의 아트 디렉터인데 저 뒤에 보이는 모든 배경들은 다 가상입니다. 하나도 실제로 있는 것들이 없는데 그 곳에서 플레이하고 있습니다.

[그림 3-6] 가상 배경의 경기장 화면

자료: PPT

이미 LAL(Latin America League, 리그오브레전드 라틴 아메리카 리그)에서도 이 기술을 엄청나게 크게 활용하고 있습니다.

미래 e스포츠 기술 : AI

다음 기술에 대해 고민을 많이 해봤습니다. 우리가 기술적인 부분에서 확인할 수 있는 것들은 물론 이제 더 많이 있어요. 예를 들어 인터넷 기술은 우리를 스트리밍 게임[28)의 세계로 이끌 거로 생각했습니다.

> "예를 들어 테슬라의 이제 스페이스 X는 미래 어느 날 그렇게 된다는 막연한 것이 아니라 실제로 곧 그렇게 된다고 말하고 있습니다. 지구를 수천 개의 테슬라가 수천 개의 인공위성을 쏘아서 촘촘하게 만들었어요. 지금 그러니까 어디에 있어도 사실상 인터넷 서비스에 접속하지 않아도 스타링크에 우리가 만약에 가입한다면 거기에 어느 곳에서 접속할 수 있거든요. 저게 이제 테슬라에 가장 큰 힘이라고 보고 테슬라가 저걸 하는 이제 목적 자체는 원래는 자율 주행 서비스 때문인 거죠. 왜냐하면 정확하게 얘가 어디 있는지를 알아야 그 도로에 안내할 거니까요. 그런데 만들어 놓고 보니까 활용도는 거의 무제한에 가까운 그런 형태가 되는 거죠. 최근에 태평양 연안에 있는 한 작은 섬이 있어요. 그런데 그 섬에서 크게 이제 해일이 일어나서 인터넷이 몇 달간 복구가 안 되고 끊긴 적이 있었거든요. 그때 이 일론 머스크가 스타링크를 열어줬어요. 열어줘서 그쪽에서 인터넷으로 접속하는데 무난하게 접속해서 그런 서비스가 와서 굉장히 이제 일론 머스크한테 고마워했다는 면도 있다고 생각합니다. 그분에게. 그런 것들을 제가 앞으로도 그런 인터넷이 발달하면 하면 할수록 우리가 가지고 있는 것들에 대한 제약들은, 게임을 하는 제약들은 더 낮아질 거다, 이렇게 보고 있습니다."

AI가 큰 영향을 주리라고 예상됩니다. 제너레이티브 AI[29)는 이제 게임 내 NPC(Non-Player Character)들에게 지금과는 비교할 수 없을 정도의 수준으로 생명력을 부여할 것 같습니다. 그들은 인간의 말을 알아듣고 적절한 피드백을 할 것으로 예상이 됩니다. 마치 인간까지는 아니지만 인간과 유사한 무언가와 소통을 하고 있다고 느낄 가능성이 있습니다. 미래에 분명 우리는 이제 우리말을 알아듣는 AI 유닛에게 말로써 전투 명령을 내릴 수 있을 거로 생각하고 있습니다.

요즘에 ChatGPT에 관련된 내용들이 많은데, 실제로도 ChatGPT를 게임 속에다가 구현한 한 사례가 있습니다.

---

28) 클라우드 게임의 방식. 스트리밍 방식에 따라 '비디오 스트리밍' 기반의 클라우드 게임과 '파일 스트리밍(픽셀 스트리밍)'기반의 클라우드 게임으로 나뉠 수 있다(출처: 위키피디아).

29) 생성형 인공지능(Generative Artificial Intelligence)은 프롬프트에 대응하여 텍스트, 이미지, 기타 미디어를 생성할 수 있는 일종의 인공지능 시스템이다. 생성형 인공지능은 입력 트레이닝 데이터의 패턴과 구조를 학습한 다음 유사 특징이 있는 새로운 데이터를 만들어 낸다. 저명한 생성형 인공지능으로는 ChatGPT가 있다(출처: 위키피디아).

"예를 들어 게임 내에서 AI가 있다고 한다면 상점에 있는 AI를 선택하면 '무엇을 사시겠습니까?'라고 질문을 하는데, 이러면 소통할 수가 없고 해당 AI와 물건을 사고, 파는 행위만 됩니다. 그런데 ChatGPT를 도입한 NPC는 채팅 대화가 되는 겁니다. 그 게임 내에 있는 애랑. '야 이거 퀘스트 어떻게 하는 거야?'라고 아무 어떤 NPC에도 물어볼 수 없었다면 걔한테 물어보는 거예요. 어떻게 알아봐 그럼 걔가 대답을 해주는 거야. '이거 이렇게 하는 거야' 예를 들어 상인이다. 그러면은 '지금은 어디가 싸니까 거기서 물건을 떼다가 어디에다가 팔면 너 돈 벌 수 있을 거야' 이렇게 대화가 가능한 거죠."

그럼 이걸 e스포츠에 어떻게 접근하냐면, 스타크래프트를 예로 들면, 배럭30)에서 마린31)을 뽑아서 공격하게 반복적으로 하게끔 시도시킨다면 가능할 것이라 보입니다. 그러면 또 다른 e스포츠의 세계로 나가게 될 거라고 봅니다.

미래 e스포츠 기술 : IoT

마지막으로 제가 생각하는 기술 중에는 IoT 즉 사물 인터넷32)이라고 생각합니다. 제가 현재 경성대학교에 있는데, 이 장소에서 공항으로 가려면 지금은 볼 수 있는 컴퓨터와 길거리에 있는 컴퓨터가 많지 않을 거로 생각합니다. 그런데 미래에는 10걸음에 한 번씩 컴퓨터가 있을 것 같습니다. 현재 모바일 게임을 하고 있지만, 컴퓨터가 있으면 핸드폰 게임용이 아닌, 거의 모든 종류의 게임을 언제든지 할 수 있게 될 거라고 해도 과언이 아니라고 생각합니다. 하드웨어가 마스크처럼 가벼운 무게로 만들어져서 웨어러블 디바이스를 통해서 만들어지는 것처럼, 게임은 진짜 계속 장래가 밝을 것으로 생각됩니다.

e스포츠는 무조건 잘될 수밖에 없어요. 물론 오늘 기술에 초점을 맞춰서 이야기하였지만, 사회적인 관점에서도 전 국민이 기본소득이 되었다면 그 많은 시간 동안 사람들은 게임을 할 거로 생각합니다.

---

30) 병영(Barracks). 스타크래프트 시리즈에 나오는 테란의 건물 중 하나. 스타크래프트 오리지널에서는 마린, 파이어뱃, 고스트를 훈련할 수 있다. 확장팩 브루드 워에서는 메딕이 추가되었다(출처: 나무위키).
31) 해병(Marine). 스타크래프트 시리즈의 종족, 테란(인간)의 기본 전투 유닛. 강화복을 착용한 보병이다(출처: 나무위키).
32) 사물 인터넷(Internet of Things, IoT)은 각종 사물에 센서와 통신 기능을 내장하여 인터넷에 연결하는 기술. 즉, 무선 통신을 통해 각종 사물을 연결하는 기술을 의미한다. 여기서 사물이란 가전제품, 모바일 장비, 웨어러블 디바이스 등 다양한 임베디드 시스템이 된다(출처: 위키피디아).

[그림 3-1] 사물 인터넷

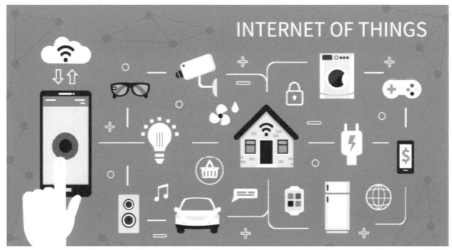

출처 https://www.mmkorea.net/news/articleView.html?idxno=7455

"버스 정류장에도 컴퓨터가, 어떤 모든 컴퓨터를 자율 주행을 컨트리그오브레전드하거나, 컴퓨터가 있고, 통신사들이 서비스하는 컴퓨터들이 곳곳에 우체통처럼 촘촘하게 있을 겁니다. 그래서 현재까지는 컴퓨터를 들고 다닐 수가 없었기 때문에 컴퓨터가 있는 곳에서만 게임을 했다면, 모바일 기기가 출현하면서 게임을 어디에서도 할 수 있겠다고 설명을 해왔잖아요. 미래에는 컴퓨터가 있으면 이제는 핸드폰 게임용이 아닌, 거의 모든 종류의 게임을 언제든지 할 수 있게 될 거라고 해도 과언이 아니라고 생각합니다."

토론

IoT로 인한 게임 접근성

오○성 선임 부산산업정보진흥원 오○성이라고 합니다. IoT가 실제로 우리가 일상생활에서 길에서도 게임에 접근할 수 있을 것이라 설명해 주셨는데, 혹시 이 부분에 대해 상세하게 설명해 주시면 감사드리겠습니다.

구마태 실장 기술적인 부분에서 IoT(사물 인터넷)의 중요성이 강조됩니다. 미래에는 스타링크와 같이 초고속 인터넷 연결이 일상적으로 제공될 가능성이 높으며,

이때 우리의 디바이스들은 더 이상 단순히 반응만 하는 것이 아니라, 인터넷을 통해 실제로 메시지를 전달하는 역할을 할 것입니다.

또한, 미래의 서비스와 기술은 우리의 디바이스 없이도 모든 서비스에 접속할 수 있다고 예측됩니다. 이러한 서비스에 가입하고 사용할 것이고 미래 기술과 서비스를 채택하지 않는 선택은 어려울 것입니다. 현재 사용하는 핸드폰과 이어폰 같은 디바이스 또한 컴퓨터로 대체될 것으로 보입니다.

특히 Z세대 및 그 이하 세대, 알파 세대는 디지털 네이티브로 자라며 모든 디바이스가 인터넷 연결과 소통을 할 수 있어야 한다고 생각합니다. 이러한 변화가 일어나고 있다면, 자동차 및 버스와 같이 모든 것이 컴퓨터로 변화하고 IoT와 관련된 연구와 개발이 중요하다고 강조됩니다. 이러한 변화가 미래 10년 이내에 일어날 것으로 예측됩니다.

이상호 교수 말씀 주신 내용과 유사한 내용으로, 유치원에서는 이전에 돈을 주는 행위로 손을 '자'했다면, 요즘은 무언가를 받고 아래위로 움직이고 준다는 거예요. 그러니까 세상이 그만큼 어릴 때부터 타고난 인터렉티브 생각을 하면 조금 더 다르지 않을까 생각합니다.

구마태 실장 어렸을 때, 미래 그림을 그릴 때 어떤 거 그리셨어요? 제가 저학년일 때 미래 그림을 교실에서 아이들이 태블릿을 들고 있는 걸 그렸는데, 과거에는 교실 가운데에 난로가 있던 상태라 학교에 컴퓨터가 있다는 것 자체도 말이 안 됐었습니다.

이러한 미래의 빠른 변화는 과거 세대와 현재 세대의 간극을 보여주는 중요한 사례입니다. 그러나 현재의 Z세대 및 알파 세대는 디지털 네이티브로 자라며, 컴퓨터와 인터넷이 모든 측면에서 일상적으로 통합되어 사용되는 것이 당연한 거죠. 이들은 어디서나 컴퓨터와 게임을 즐깁니다. 이런 시대적인 차이는 현재와 미래의 기술 및 컴퓨터 사용에 대한 관점을 깊이 이해해 보는 좋은 기회가 되리라 생각해요.

e스포츠 활동

이상호 교수 e스포츠 관련 산업 인력 양성의 측면에서 본다면 실질적으로 할 수 있는 분야가 적지 않을까 싶은데, 앞으로 가면 갈수록 기술 발전에 따라 인력 양성의 과정에 대해 어떻게 생각하는지 궁금합니다. 또는 e스포츠 현 상황에서 어떻게 전개될지 설명해 주시기를 바랍니다.

구마태 실장 e스포츠를 어떻게 정의하느냐가 굉장히 중요한 포인트일 것 같습니다. 그래서 얼마 전에도 제가 SNS에 e스포츠 활동 부분에 대해 업로드한 내용이 있습니다. 그 내용을 이야기해 보자면, 어떤 프로선수가 경기에 출전해서 게임했는데 다음날엔 은퇴했어요. 그래서 방송을 켜서 개인 방송을 켜서 게임을 했습니다. 그러면 이 부분에 관해 이야기해 볼 필요가 있습니다. 전날에 한 것은 e스포츠 활동이고 오늘부터는 그냥 게임 활동일까요? 굉장히 어렵다고 생각합니다.

우리가 e스포츠 활동이란 이야기에 대한 고민을 먼저 해봐야 할 부분이라고 생각해요. 예를 들어 축구 선수가 은퇴하고 축구해도 그건 축구잖아요. 같은 양상에서 e스포츠 활동이라는 부분들도 좀 정의를 해야 할 것 같습니다.

이학준 교수 그렇게 파악하는 게 아니라, 그것은 제가 생각할 때 누가 하느냐가 중요한 게 아니라 그 사람이 하는 목적과 맥락에 따라서 그게 이제 유연성을 갖고 e스포츠가 되고 e스포츠가 안 되는 것이 맞는 것 같습니다.

제가 학생들한테 얘기할 때 그러면 게임하고 스포츠하고 운동의 차이는 뭐냐 하면 그거는 다 신체 활동을 하는 것이고, 그것이 어떤 목적을 가지고 어떤 맥락에서 하는 거에 따라 다르다는 거죠.

> "예를 들어서 사람들이 신체 활동을 하는데 이렇게 즐거운 목적으로 하면 그건 스포츠를 하는 것이고, 학교에서 교육을 목적으로 하면 체육을 하는 거예요. 같은 축구를 해도 그냥 즐거움을 위해서 하는 건 스포츠고, 학교에서 교육을 목적으로 하면 그건 체육을 하는 것이고, 의사가 당뇨나 고혈압을 개선하기 위해서 규칙적인 운동을 해라. 이렇게 하는 그 운동은 건강을 목적으로 하는 신체 활동을 할 때 그거를 우리는 운동이라고 규정을 하는 것처럼요. e스포츠는 a는 b다, 이런 명제적 정의를 내리는 것이 아니라 그것을 행하는 자가 어떤 맥락과 목적을 가지고 하느냐에 따라서 그게 e스포츠냐, 아니냐의 이렇게 구분하는 것이 좋을 것 같습니다. 지금 말씀하신 것에 대한 어떤 해결 방향을 좀 잡을 수 있지 않을까 생각합니다."

그런데 우리는 e스포츠를 이것도 아니고 저것도 아니라는 의견을 내세우곤 이건 e스포츠가 아니라고 폐쇄적으로 얘기하는 데에 문제가 있는 것 같습니다.

그래서 오늘 강의를 통해 장애인 스포츠에서 VR/AR로 교육에 실제 사용하고 이에 따른 운동 효과를 보고 있으므로 먼 나라 얘기가 아닌, 현재 진행되고 있는 가까이에서 발견될 수 있는 중요한 요인이라고 생각합니다.

제가 하나 질문을 하면 구마태 실장께서 발표하신 거는 낙관론적이라고 생각합니다. 현재 게임이 지배하는 사회에 있다고 게임을 하고 우리 주변에 모든 것이 다 네트워크로 연결되어 있어서 마음만 먹으면 게임할 수 있는 사회인 것이죠. 그럼 '그런 사회가 과연 좋은 사회일까?'라고 보았을 때 초창기 유토피아 커뮤니티, e스포츠를 했던 사람들은 누구나 e스포츠를 즐기면서 행복한 삶을 추구했습니다. 그런데 그게 막상 실현되니까 많은 사람이 게임에 합류하게 되면서 세상에는 즐거운 삶의 유형들이 많이 있음에도 하나에 매몰돼서 다른 것들을 우리가 경험하지 못하는 그런 게 됩니다.

즉 게임 중독과 인터넷 의존 문제, 그리고 게임 산업의 지배적 역할에 대한 우려를 다루고 있습니다. 이러한 우려 중 일부는 낙관론적인 입장에서 게임이 사회를 변화시킬 긍정적인 요소로 보이기도 하지만, 그에 대한 비판적인 시각도 표현되고 있습니다.

이 발표에서는 미래 사회에서 게임이 중요한 역할을 할 것이라는 주장과 게임과 기술이 미래를 어떻게 변화시킬지에 대한 질문을 던져 주셨습니다. 미래 사회에서 게임은 노년층을 포함한 사람들이 여가 시간을 활용하는 수단으로 떠올라, 긍정적 측면도 있다고도 생각합니다. 그러나 과학기술의 발전은 계속해서 게임을 중심으로 사회를 구성하게 될 수 있으며, 이에 따라 게임 중독과 윤리적 고민이 발생할 우려가 있습니다. 결국, 이러한 변화에 대한 선택은 우리가 어떤 방향으로 나아가고자 하는지에 달려 있다는 것을 강조합니다.

구마태 실장 교수님이 말씀하신 부분에 대해 짧게 말씀드리면 e스포츠를 행위라는, e스포츠 활동이라는 것 자체에 대해서 교수님이 말씀하셨던 것처럼 명확한 정의가 나오고 나고, 그 다음에 그 e스포츠 활동이라는 것을 지원하는 형태로 직업이 세분화될 가능성이 있습니다. 정확히 말하면 재편될 가능성이 좀 있다고 생각합니다. 왜냐하면 기술이 우리에게 가져다준 것들에 대한 변화가 큰데. 우리가 일반적으로 e스포츠 산업이라고 판단하는 거는 옛날에 케이블 시대 때 방송과 선수 여기에 좀 많이 국한되어 있는 선수, 선수 매니지먼트, 방송 PD 등 대략 여기에서만 계속 머물러 있는 경향이 있거든요.

"예를 들어 한 회사의 경우 교실 정도 규모의 IT 개발자들이 플랫폼을 만들고 있습니다. 그러면 e스포츠 관련된 토너먼트 플랫폼을 만들고 있는 상황에서 IT 개발자는 e스포츠 업계 사람일까요? 그들은 스스로 e스포츠 전문가로 생각하지 않을 수 있습니다. 이와 관련해서도 e스포츠 관련 콘텐츠를 만들어 내는 사람들은 XR(VR/AR) 관련 신기술들로 인해 새로운 직업(아트 디렉터, 아트 테크 디렉터, 아트 테크 퍼포먼스 디렉터 등)이 양성되는데, 선수하고 감독까지만 e스포츠라고 하고, 본인들은 아니라고 하는 게 대다수입니다.
개인 방송 BJ의 경우에도 내면을 보면 즐겁게 게임할 수 있지만, 그건 게임하는 것이지, e스포츠 활동이라고 말하기엔 어렵죠. 게임 관련된 콘텐츠임에도 누군가를 초청하고 그 사람과 대결해서, 서로 이기려고 노력하는 등 굉장히 공정한 모습을 보여주려고 노력하는 콘텐츠들도 있습니다. 이런 콘텐츠를 즐겨서 관련 콘텐츠로 확장하는 BJ들도 본인들이 e스포츠 관련된 비즈니스라고 생각합니다.

그래서 이런 업계에 있는 친구들의 이야기를 들어서 학계에 있는 분들이 잘 정리해 주신다면 기대하겠습니다. 현장에서는 이게 차이가 있어요."

제가 회사 안에 있으니까 e스포츠 업계에 들어오려고 하는 친구들을 만나기 어렵습니다. 그 친구들은 인터넷을 아무리 잘 서칭해도 e스포츠에 관련된 업종, e스포츠 관련 회사에서는 무슨 일을 하는지, 본인이 어떻게 성장할 수 있는지 등 알 수 없습니다. 그래서 미래에 어떤 분야가 유망하고 어떤 기술이 도입될지, 현재의 e스포츠 형태는 어떻게 발전하고 있는지에 대한 논의가 중요하다고 생각합니다.

물론, 언급한 대로 XR 기술과 같은 기술은 SF 영화나 넷플릭스와 같은 VOD 서비스에서도 빈번하게 활용됩니다. 모든 것이 서로 연결되어 있기 때문입니다. 이러한 부분들을 고려해야 한다고 생각합니다. e스포츠 분야에서는 전통적인 인력 창출에 제한이 있을 수 있지만, e스포츠 관련 회사나 e스포츠 업종을 중심으로 활동하는 기업들은 미래에 크게 성장할 것으로 예상됩니다. 이는 흥미로운 부분입니다. 전통적인 e스포츠 분야에서 인력 수요가 제한적일 수 있지만, e스포츠 회사는 계속 커질 것입니다. 중요한 것은 미래에 e스포츠 업계에서 어떤 역할을 하게 될 것에 관한 것입니다. 따라서 지원자들이 게임에 대한 열정과 높은 랭킹을 가진 경력을 어필하는 이력서를 제출하는 것은 흔한 일입니다. 이력서 내용 대부분이 '저는 리그오브레전드에서 다이아 티어입니다. 정말 열심히 했습니다'와 같은 내용입니다.

이학준 교수 그런데 실장님이 말씀하시는 부분의 내용은 게임을 제작하는 게임학과 학생들 내용인 것 같습니다. 그러니까, 지금 말씀하시는 부분은 e스포츠학과 학생이 아니라 게임 학부 학생들을 대상으로 하는 e스포츠 관련은 전망이 밝은데, 현재 e스포츠 학과에서는 그런 게임을 제작하는 것도 아니고 그냥 지금 말하는 게임을 하는 방법이나, 게임을 어떻게 잘하는 거, 이런 거에 국한돼서 배우기 때문에 차이가 있어 보입니다.

구마태 실장 괴리가 있어요. 지금 현장과 괴리가 많이 있어요.

이학준 교수 현장 실습 같은 경우는 그렇게 해도 현장에 가서 본인들이 하는 거와 진짜 괴리가 있는데 가서 뭘 배울 수 있을까요? 차라리 게임학과 학생들을 거기

현장 실습을 시켜서 게임학과 학생들이 거기서 보고 듣고 한 사람들한테 많은 도움을 줄 수 있을 것 같습니다. 실장님도 젊은 시절에 게임을 많이 하셨습니까?

구마태 실장 저는 공부와 게임 모두 좋아했는데, 공부를 열심히 해서 대학에 입학하자마자 게임만 하다 보니, 학사 경고를 맞고 군대에 갔습니다. 전역 후에도 게임 회사에 들어가기 위해서 3년 반 만에 졸업할 정도로 게임도 공부도 열심히 했습니다.

이학준 교수 그럼 중고등학교 때는 게임을 전혀 안 하셨습니까?

구마태 실장 당연히 많이 했는데, 지금 생각해 보면 게임하는 것과 공부하는 것은 다른 거로 생각합니다. 왜냐하면 제 직장 내 직원들의 학벌이 높은 편입니다. 어렸을 때 게임을 했으면 공부를 못했을 거라는 편견을 가지고 있는데, e스포츠 관련 회사와 게임 회사(넥슨, NHN, 네이버, 카카오, NC 등) 직원들의 학벌은 높습니다.
  근데 이게 게임이라는 것도 보는 관점마다 굉장히 아주 다를 수 있습니다. 왜냐면 제가 제일 놀랐던 부분은 2012년도쯤의 동남아시아 칼럼에 필리핀 디지털 청소년 장관을 보고 진짜 많이 놀랐습니다. 인터뷰 내용이었는데, '게임이 우리 아이들을 마약과 폭력에서부터 구한다'라고 합니다. 즉 청소년들을 가만히 놔두면 그들끼리 어울려 다니면서 총 들고 마약 등의 안 좋은 상황에 빠지는데 이걸 하지 않는다는 겁니다. 왜냐하면 게임이 너무 재미있기 때문이라고 합니다. 반면 우리나라는 게임을 부정적으로 바라보고, 공부의 적이라고 생각하는데 타 국가에서는 전혀 다른 관점에서 바라보는 것을 알게 되어 신기했습니다.
  e스포츠 쪽에서는 게임 중독이라 말보다는 과몰입이라고 합니다. 그런데 제 생각에는 게임은 중독이지, 몰입이라고 보긴 어려운 것 같습니다. 게임 중독은 질병 코드로 등록할 수 없을 뿐 중독이라고 생각합니다. 그래서 한 친구가 공부를 못하는 이유는 게임이 아니라, 게임 중독을 해결해야 하는 겁니다. 그리고 이를 해결하려면 다른 걸 할 수 있음에도, 게임 중독을 해결하는 데 그저 게임을 못하게 막는 거뿐입니다.

김영선 교수 제 관점에서는 기술이 아무리 변해도 그 기술은 스포츠를 하기 위한 수단이 될 뿐이지, 스포츠의 어떤 커다란 틀은 변하지 않는다고 생각합니다.
  지금 기술이 가져온 e스포츠의 변화라고 해서 어떤 변화를 말씀하실지 궁금했는데 대회의 어떤 형식이라든지 미디어나 디지털 기술이 발전하면서 그사이 사이에 확장되는 경험의 확장성 등 많은 말씀을 해주셨습니다.

그런데 예를 들어 구시대의 경우 달리기 경주를 하는데 시계나 측정 도구가 없어서 해가 질 때까지 뛰었다는 부족 사회의 기록이 있는데, 근대사회에는 시계가 발명되면서 계속 기록, 즉 인간의 능력이나 그런 심리적인 역량을 측정하기 시작했고 1등, 2등, 3등 이렇게 정하기 시작하면서 근대 올림픽이라는 기록 위주의 형태로 많이 변했거든요. 하지만 여러 사람이 모이는 것은 로마 시대 때도 지금도 마찬가지고 여러 사람이 팬덤을 형성하는 것은 또 그때나 지금이나 마찬가지예요.

그래서 제가 궁금한 부분은 '가상 세계에서 우리가 평범하게 일상 생활적으로 게임을 할 텐데 과연 미래 인간이 무엇을 가지고 경쟁하고, 무엇을 가지고 스포츠를 할 것인가?'입니다.

구마태 실장 물론, 아까 말씀하신 내용은 매우 중요합니다. 일반적으로 제가 대학에서 13강 분량의 강의를 진행하고 있는데, 이것은 일반적인 대학 학기에 비하면 15강 정도에 해당합니다. 두 번째 강의에서는 아까 말씀하신 내용을 다루게 됩니다. 제가 다루는 내용은 모든 것이 도구라는 관점에서 출발합니다. 인간이 사용하는 모든 것은 기본적으로 도구라고 볼 수 있습니다. 이러한 관점에서 컴퓨터도 도구이며, 그 이전에 사용했던 공들 또한 도구입니다. 축구에서 예를 들어, 원래 축구의 원조는 어디에서 시작되었을까요? 영국이라고 알려졌지만, 과거의 기록을 보면 중국에서도 축구와 유사한 게임이 있었고, 로마 시대에도 볼 게임이 있었습니다. 처음 이상호 교수님을 만났을 때, 그는 e스포츠의 기원을 게임과 놀이로 바라보며 설명하셨습니다. 그냥 재미를 위해 게임을 즐겼고, 게임은 결국 인간이 시합하고 경쟁하기 위한 도구일 뿐이라고 생각합니다.

그러므로 농구공, 농구 코트, 그리고 모든 농구 관련 물품은 인간이 농구 경기를 하기 위한 도구로 볼 수 있습니다. 마찬가지로 게임은 인간이 경쟁하고 시합하기 위한 도구입니다. 이것이 인간들이 누가 더 잘하는지를 판단하기 위한 수단이며, 그것을 보면서 스포츠에서 느꼈던 감정과 같은 감정을 느끼기 때문에 게임을 즐기는 것입니다. 축구 경기에서 손흥민이 멋진 플레이를 하여 골을 넣을 때, 그 경기를 관람하는 관중이나 시청자와 게임에서 캐릭터가 멋진 플레이를 하여 보는 감정은 같습니다. 인간들은 멋진 경기나 플레이를 보고 싶어 하며, 그들이 좋아하는 사람들과 소통하고 싶어 합니다. 현재는 채팅을 통해 선택적인 소통을 하지만, 나중에는 음성을 통해 더 직접적인 소통이 이루어질 것이며, 이것은 인터넷 서비스를 통해 그래픽으로 구현될 것입니다. 더불어, 아바타가 활동하는 메타버스 세계로 진입하고 활동할 것입니다.

최근, IOC(국제올림픽위원회)가 사이버 스포츠를 올림픽에서 다루기로 발표한 사실을 언급했습니다. 이때 IOC는 전통 스포츠를 가상 환경에서 시합으로 진행되는 종목으로 인정하였습니다. 이것은 전통적인 스포츠와 가상 스포츠 간에 본질적으로 같은 경험을 제공한다는 것을 나타냅니다. 따라서 "전통 스포츠"라는 용어가 점차 사라지게 되리라 생각하며, 이는 다양한 지역과 문화에서 스포츠를 정의하는 방식이 다르기 때문입니다.

김영선 교수 그렇다면 미래의 스포츠가 어떤 변화는 VR 또는 가상 세계에서 하고 있을 거라고 보고 계신가요?

구마태 실장 아닙니다. 미래에도 전통 스포츠는 그대로 전통 스포츠로 남을 것이며, 그에 대한 팬덤은 줄어들지 않을 것입니다. 이는 제가 확신하고 언급하는 바입니다. 현재에도 많은 사람이 전통 스포츠를 아주 좋아합니다. 그러나 차이점은 있을 것입니다. 현재는 10대와 20대의 세대가 하나의 축구 경기를 시청할 때, 기술이 발달한 카메라로 시합을 보게 됩니다. 이러한 기술은 더 실감이 나고 풍부한 시청 경험을 제공합니다. 그러나 미래에는 전통 스포츠 관람 방식이 변화할 것입니다.

> " 예를 들어, 과거에는 라디오로 야구 경기를 듣기도 했고, 때때로 누군가가 "누가 공을 던졌어"라고 알려주었던 시기도 있었습니다. 이후에는 텔레비전으로 시청하게 되었고, 최근에는 태블릿을 사용하여 경기를 시청하곤 합니다. 기술의 발전은 전통 스포츠 관람 방식을 계속해서 변화시켜 왔고, 앞으로도 더 현실적이고 재미있는 관람 경험을 제공할 것으로 예상됩니다."

김영선 교수 반대로 말하면 상상력이 줄죠. 그때는 라디오를 들으면서 인간이 가지고 있는 경기에 대한 상상력과 선수에 대한 상상력의 폭이었던 거죠. 그런데 점점 실재감 있고 점점 구체화 되면서 우리가 즐거움을 느꼈던 그 가상적인 상상력은 점점 줄어드는 것처럼요.

구마태 실장 전통 스포츠도 기술의 지원으로 현장감을 더하고 재미를 더할 수 있는 방식으로 진화할 것으로 생각되기 때문에 전통 스포츠도 더 흥미로울 것이며, e스포츠도 흥미진진할 것입니다. 그러나 슬픈 점은 미래에는 엄청난 양의 콘텐츠가 소비될 것이고, 더 많은 콘텐츠가 필요하다고 생각합니다. 현재에서도 예를 들어 한국 시리즈 경기를 기다리며 시청하고 3시간을 보는 것처럼 기대와 시간을 투자하는 스포츠 이벤트가 있습니다. 그러나 앞으로는 e스포츠를 비롯한 여러 스포츠 경기를 지속해서 시청하고, 다양한 종목을 즐기더라도 어느 순간 더 이상 볼게 없는 상황이 오게 될 것이라고 예상합니다.

e스포츠는 전통 스포츠와 경쟁하면서 전통 스포츠의 영역을 넓히고 있으나, 전통 스포츠라는 용어 자체가 사라질 것으로 예측합니다. 그 이유는 스포츠 경기에서 얻는 경험은 손흥민이 실제 경기에서 뛰는 모습으로부터 오는 경험이나, e스포츠의 게임 그래픽으로부터 오는 경험 사이에서 큰 차이가 없기 때문입니다. 결국 이러한 경험을 우리에게 제공하는 것이 중요하며, 스포츠라는 개념은 더 넓은 의미로 해석될 것으로 생각됩니다.

김영선 교수 전통 스포츠에는 지금 말씀하신 부분은 보는 스포츠에 국한된 건 아닌가요? 전통 스포츠 안에는 하는 스포츠가 있는데, 보는 스포츠는 별반 차이가 없습니다. 근데 하는 스포츠는 굉장한 차이를 크게 가져올 수가 있죠.

구마태 실장 예를 들어 선수가 특별한 컴퓨터 관련 장비를 착용한 후 축구를 하거나 이렇게 되는 것들이 새로 출현할 수는 있을 것으로 생각하지만, 그게 전통적으로 우리가 해왔던 축구 자체를 없앨 것으로 보지는 않습니다. 사람들이 그러한 변화를 원한다면 그런 기술이 나올 수는 있겠지만, 이러한 변화로 자신이 원했던 것을 포기해야 할 이유는 없다고 생각하기 때문입니다. 예를 들어 미식축구 같은 경우 이미 컴퓨터 의존적인 장비들이 꽤 많이 사용되고 있지만, 그것이 프리미어 리그와 같은 전통적인 축구 시장을 협박하는 정도로 큰 변화를 불러오지 않습니다. 그리고 말씀드렸던 것처럼 새로운 콘텐츠가 나오더라도 이를 소비할 수 있는 환경이 더 확대될 것이며, 서로가 경쟁하며 상호 파괴적인 방식으로 경쟁할 필요는 없을 것 같다는 생각이 듭니다. 오히려 콘텐츠를 소비할 수 있는 다양한 영역이 확장될 것으로 생각합니다.

이학준 교수 근데 개인의 취향에 따라서 그 어떤 스포츠의 맛을 선호하느냐에 따라서 콘텐츠와 다양한 그것을 선택하는 입장이기 때문에 지금 말한 것처럼 계속 콘텐츠가 부족할 것으로 생각하지 않습니다. 그걸 저는 한번 물음표를 한번 던지고요. 왜냐하면 콘텐츠가 다양하거든요. 중국에 있는 도박하는 사람들이 우리나라의 K3 축구나 한국에서도 관심이 없는 스포츠를 실시간으로 중계하면서 관심을 가지고 있습니다. 누가 이기느냐에 배팅을 했기 때문에 그래서 재미를 증가시키는 것은 내기나, 도박 이런 것을 결합했을 때입니다. 스포츠와 하는 사람들이 그 재미에 열광하게 한 것처럼. e스포츠도 역시 그 자체 기술의 발달보다는 그것을 통한 내기나 도박, 그런 것들이 가게 됐을 때 더 열광적이고 더 확산될 것입니다.

구마태 실장 네, 정말로 재미있을 것 같아요. 만약에 제가 대학에서 연구를 하고 있다면, 전통 스포츠와 e스포츠에서 느끼는 재미의 유사성과, 앞으로 기술이 발전함에 따라 어떻게 새로운 재미를 찾아낼 수 있는지를 연구하는 것은 흥미로울 것입니다. 아까 말씀하신 것처럼 변하지 않는 가치를 어떻게 현대 기술과 연결시켜 더 넓게 확장시키는 방법에 대한 연구는 무척 흥미로울 것 같습니다.

이학준 교수 그거는 과학적으로 생리학적인 연구를 하면 운동으로 전통 스포츠를 할 때와 e스포츠를 할 때에 결국은 그 기분이 좋아지는 것, 그런 것이 이제 베타엔돌핀이 어떻게 나오느냐에 따라서 그것의 호르몬의 변화 양상을 통해서 그것의 강도를 전통 스포츠에서 느끼는 그 어떤 맛, 그 어떤 매력 그거와 이제 e스포츠에서 느끼는 그러한 강렬한 그것을 비교해서 그걸 토대로 어떤 것이 더 강렬한가, 어떤 것이 더 강렬하지 않은가, 어떤 것이 비슷한가, 이런 것을 현실적으로 실험 가능성을 확인할 수 있습니다.

이상호 교수 예를 들어 대한민국은 프리미어 리그 다 좋아하잖아요? 그런데 피파 온라인, 프로 선수들이 하는 것을 보면 더 재미있다고 느끼는 경우도 있습니다. 왜냐하면 훨씬 역동적이기 때문입니다. 관전하는 사람의 편리성을 고려한다면 피파 온라인 e스포츠가 더 낫다는 생각이 듭니다. 저라면, 90분짜리보다 프리미어 리그보다 약 15분짜리 피파 온라인을 하는 것이 훨씬 더 재미있고, 한 눈에 볼 수 있는 직접적인 것이라 생각합니다. 피파 온라인 경기를 보는 순간에 인간의 의식은 그것을 가상과 현실을 구분하지 못하고 진짜로 인식하기 때문입니다.
　e스포츠의 등장이 디지털 기술에 기반으로 등장하였다면, 디지털 화면에서 보여주는 것이 우리의 사고에 어떠한 영향력을 미치는지에 대한, 즉 인간이 기술을 다룰 수 있는 인터랙티브. 저희가 좀 더 많이 연구해야 되는데, 아직까지 한국에서는 이런 연구에 관심을 별로 안 가지고 있다고 생각합니다.

구마태 실장 저도 그와 같은 의견을 공유합니다. AI 및 다른 기술들이 발전해도, 인간 간의 대결을 보는 것이 중요하다고 생각해요. 인간과 컴퓨터 사이에서의 경쟁보다 인간과 인간 간의 경쟁을 감상하는 게 더 의미 있을 것이라고 생각합니다. 예를 들어 우사인 볼트가 9초로 달릴 때 우리는 감동을 받지만, 실제로 치타와 같이 빠른 동물들이 존재하는데 그런 경기를 보지 않는 것처럼, 인간이 어떻게 노력하고 자신의 한계를 극복하는지를 감상함으로써 우리는 더 큰 감동을 받는다고 생각합니다.

이학준 교수 이게 또 반론이 가능한 게, 청도에 가면 소싸움이 있습니다. 예를 들어 동물에게 싸움을 많이 훈련시키는 것은 자기를 동일시하기 때문입니다. 자기를 대표하기 때문에. 사람이 흥분하는 것이고 열광하는 것입니다. 청도의 소싸움도 그 소를 훈련시킨 주인이 그 소라고 생각하기 때문에 그렇게 말씀하신 것처럼 그런 거죠.

구마태 실장 결국 인간의 경쟁이에요. 오직 인간입니다. 그게 스포츠하고 똑같기 때문에 e스포츠라고 붙일 수 있는 거지 아니면 e스포츠가 스포츠라고 불릴 수가 없다고 생각합니다.

이학준 교수 AI와 페이커 선수와 경쟁하면 누가 이길 것 같습니까?

구마태 실장 AI와 페이커 선수가 경쟁하는 것은 보통 의미를 두지 않습니다. 왜냐하면 관심이 없을 거라 생각이 들기 때문입니다. 사람과 사람의 경쟁만 중요하고, 오직 AI를 포함한 모든 것들은 전부 도구일 뿐이에요. 사람이 경쟁하는 도구일 뿐인 거죠. 알파고하고 바둑 대결을 할 때는 처음이니까 관심이 있지, 지금 똑같은 거 하면 하나도 안 볼거라 생각이 듭니다.

이학준 교수 그러면 AI가 당연히 이길 거라고 생각해서 안 보는 겁니까?

구마태 실장 아까 말씀드렸던 것처럼, 예를 들어 인간이 AI를 이기는 것에 대한 관심은, 결과적으로는 AI가 인간을 이기느냐가 아니라, 인간이 AI를 이길 수 있는지에 대한 관심이라고 볼 수 있습니다. 모든 것은 인간을 중심으로 돌아가는데, 그 앞에 있는 모든 요소들은 인간이기 때문입니다. 따라서 이러한 주제들은 제가 학교에서 가르치고 있으며, 앞으로도 이러한 주제들이 계속해서 존재할 것으로 개인적으로 생각합니다. 인간이 사용할 수 있는 도구가 더 많아지고, 그 도구를 더 효과적으로 활용하는 방법들이 발전하며, 도구에 대한 접근성도 더 높아질 것으로 예상됩니다.

이학준 교수 갑자기 궁금한 건데 이게 관점의 차이거든요. 유저의 관점과 게임 개발업자의 관점과 회사, 게임 회사의 그 관점에 따라서 미래를 전망할 수 있는데, 그 회사에 지금 다니시면서 미래의 어떤 게임 회사의 전망은 어떻게 생각하시는지 궁금합니다.

구마태 실장 저희는 e스포츠 회사이고 사실 게임사인데, 제가 회사 자체를 대변하기는 좀 어렵고요. 다만 개인적으로는 생각하는 건 게임이 전체가 다 e스포츠는 아닙니다. 그래서 e스포츠에 특화되어 있는 게임이 이제 따로 있는 거라고 봅니다. 이제 그거는 사람과 사람과의 경쟁에 드라이브 되어 있다. 혹은 방향이 정해진 것으로 되어있다고 저희는 이제 그렇게 판단합니다. 게임이라는 것 자체는, 저는 계속 성장은 할 건데 그거를 어떤 방향으로 어떻게 성장할지에 대한 책임을 어른들이 가지고 있다고 생각합니다. 저는 개인적으로는 그거를 만약에 잘하면 좋은 도구로 이제 남아 있을 것이고. 그것을 만약에 잘하지 못하고 어른들이 굉장한 과욕을 부리거나 이렇게 한다면 이거는 큰 재앙이 될 수 있는 도구라고 저는 개인적으로는 판단합니다. 이 주제에 대해서는 개인적으로 게임 중독 시각으로 강하게 이야기하는 경향이 있습니다.

이학준 교수 강원랜드에서는 게임 중독자들을 위한 치료 센터를 만들어서 게임 도박 중독자들에 대한 치료를 돕고 있잖아요. 근데 게임 회사들이 막대한 돈을 벌면서 그 돈을 게임 중독자를 치유하는데, e스포츠 회사들도 기부하나요?

구마태 실장 있습니다. 기부를 해요. 대기업 입장에서는 기부가 상대적으로 손쉬울 수 있습니다. 그러나 중소기업의 경우, 기부가 상대적으로 어려울 수 있습니다. 이것은 중소기업이 자원을 투자하는 것이고, 어떤 자식이 어떻게 나가게 될지 예측하기 어렵다는 비유로 표현할 수 있습니다. 예를 들어 게임 회사의 입장에서도 일부 사람들이 게임 산업을 반대하는 입장을 취할 수 있습니다. 이렇듯 다양한 요소들이 복잡한 문제를 만들어 내고, 이에 대한 결정을 내리는 것이 어려울 수 있습니다. 이러한 어려움을 인정하면서도 기부와 사회적 책임을 다하는 방법을 찾는 것이 중요하다고 생각합니다.

오○현 선임 마지막으로 질문 하나 있습니다. 저는 부산산업정보진흥원의 오○현입니다. 아까 말씀 답변 주셨던 것처럼 다른 산업의 기존에 있던 직원들이 e스포츠 쪽으로 그래픽, 테크 그런 부분들의 실무진이 확장되어 가는 건가요? 그리고 e스포츠 수요가 많다고 생각하시는지 궁금합니다. 이 상황에서 기술이 발전하면서 수요가 폭발적으로 늘어날 것 같다고 예측하실 수 있는지요?

구마태 실장 게임 분야에서는 백엔드(Back End)[33] 개발자, 프론트 엔드 개발자,

---

[33] 백 엔드(Back End) 개발자는 백엔드의 DB와 API 서버 개발을 맡는다. 백엔드 개발자는 기존 개발자라 불리는 스펙과 방식이 약간 다르다. 이들은 프로그래밍, 데이터베이스, 웹 서버, 네트워크, 인프라 등에 대한 기술이 필요하다(출처: 나무위키).

및 기술에 특화된 개발자들을 채용하는 경향이 있습니다. 백엔드 개발자는 백엔드 시스템, 데이터베이스, API 서버 등과 관련된 기술에 능통해야 합니다. 프론트 엔드 개발자는 웹 인터페이스 및 사용자 경험에 중점을 두며, 게임 관련 이해도가 높은 개발자가 특히 선호됩니다.

비즈니스 측면에서는 학벌이 높고 영어 능력이 뛰어난 개발자들이 기업에서 중요하게 여깁니다. 특화된 기술을 보유하거나 특정 업계 경험이 있는 개발자도 중요하게 채용됩니다. 기술과 업계 경험이 결합된 개발자들은 특히 가치 있습니다.

미래에는 기술 분야에 특화된 개발자들이 더 높은 수요를 받을 것으로 예상됩니다. 인플루언서 마케팅, 홍보 마케팅, XR, VR, AR 등 특별한 기술을 가진 개발자들은 계속해서 수요가 늘어날 것으로 예상됩니다. 대 정부 사업과 관련된 분야에서도 취업 기회가 제공될 것으로 보입니다.

이상호 교수 기업을 대표하는 회사관계자를 만나보면, 특히 데이터 관련 학생이 필요하다고 합니다.

구마태 실장 e스포츠 팀과 데이터 관련 업종은 미래에도 지속해서 성장할 것으로 예상됩니다. 이 분야에서 활동하는 전문가들은 프로그래밍 언어와 데이터 분석 능력이 필요하며, AI와 기술을 활용하여 데이터 분석과 전략 향상에 기여할 것입니다. 예를 들어, 세이버 메트릭스(Sabermetrics)[34]와 유사한 원칙을 e스포츠에 적용하여 선수와 팀의 성과를 분석하고 개선합니다. 이와 같은 분석을 통해 게임에서 선수와 팀의 퍼포먼스를 개선하려는 시도가 있습니다.

또한, 데이터 트래킹 기술을 사용하여 선수들의 움직임과 게임 상황을 추적하고 데이터를 수집하며, 이 데이터를 해석하는 능력이 중요합니다. AI와 기술을 통해 게임에서 팀과 개인의 성과를 분석하고 전략을 계획하고 이해하는 능력은 매우 중요합니다. 미래에는 AI 관련 기술에 특화된 전문가들이 특히 더 중요해질 것으로 예상되며, 전문가들은 데이터를 수집하고 해석하여 게임의 선수와 팀의 성과를 개선하는 데 도움을 줄 것입니다. 이러한 분석 및 기술 전문가들은 꾸준한 수요를 받을 것으로 예상됩니다.

이상호 교수 마지막으로, 데이터 분석 분야에서 역량을 갖춘 인재의 양성이 중요하며, 이러한 능력을 키우고 싶다는 의견이 많이 나왔습니다. 비즈니스 분야나 게

---

34) 세이버메트릭스(Sabermetrics)는 1971년 8월 밥 데이비스가 창시한 SABR(The Society for American Baseball Research)라는 모임에서 만들어진, 야구를 통계학적/수학적으로 분석하는 방법론이다. 창시되었던 1970년대에는 많은 변화를 불러오지 못하였으나, 1980년대를 넘어 1990년대부터는 본격적으로 야구계에 영향을 미치기 시작하였다(출처: 위키피디아).

임 운영 분야를 비롯한 다른 분야와 마찬가지로 데이터 분석 분야도 축적된 지식과 노력이 필요하다는 것이 제기되었습니다. 깊이 있는 이해와 노력을 통해 실무경험이 풍부한 구마태 실장님과 함께 깊은 토론의 기회를 갖게 되어 감사하게 생각합니다. 참석하신 모든 교수님들과 부산산업정보원의 직원 분들께 감사의 말씀을 전합니다. 이로써 제3회 e스포츠 연구소 정기포럼을 마무리하도록 하겠습니다. 감사합니다.

[그림 출처]

[그림 3-1] 경성대학교 e스포츠 연구소 3차 정기포럼 '기술이 가져올 이스포츠의 변화' PPT 중 발췌

[그림 3-2] 경성대학교 e스포츠 연구소 3차 정기포럼 '기술이 가져올 이스포츠의 변화' PPT 중 발췌

[그림 3-3] 경성대학교 e스포츠 연구소 3차 정기포럼 '기술이 가져올 이스포츠의 변화' PPT 중 발췌

[그림 3-4] https://www.rossps.com/services/esports/

[그림 3-5] https://www.facebook.com/WarnerBrosKorea

[그림 3-6] 경성대학교 e스포츠 연구소 3차 정기포럼 '기술이 가져올 이스포츠의 변화' PPT 중 발췌

[그림 3-7] https://www.mmkorea.net/news/articleView.html?idxno=7455

경성대 e스포츠연구소 제4차 e스포츠포럼

나의 e스포츠이야기: 대학생에서 프로게이머로

강사: 크라니쉬 백학준

약력

2014 블리즈컨 월드 챔피언십 4강
2015 아시아 태평양 챔피언십 우승
2015 블리즈컨 월드 챔피언십 8강
2017 하스스톤 글로벌 게임즈 4강
2017 블리즈컨 인비테이셔널 우승

날짜: 2023년 4월 29일(토) 13:30
장소: 경성대 중앙도서관 소극장 605호

나의 소개

크라니쉬(백학준) 선수 안녕하세요. 백학준입니다. 저의 어떤 경험 얘기도 하면서, 동시에 제가 겪었던 e스포츠적인 부분에 있어서 저의 경험에서 좀 색다른 부분은 뭐였는지,리고 그런 색다른 부분들이 이제 대한민국의 e스포츠에 있어서 좀 다른 부분이 있고 또, 어떤 부분이 도움이 될 수 있고, 어떤 부분이 좀 더 새롭게 와닿을 수 있는지에 대해서 말씀을 드리고 싶어서 이 자리에 섰습니다.

[그림 4-1] 크라니쉬(백학준) WCS GF[1] 4강 진출 인터뷰

[WCS GF] 하스스톤 정상 도전 백학준 인터뷰, "내친김에 우승까지"

박범 기자 (Nswer@inven.co.kr)

'Kolento'를 꺾고 4강에 진출한 'Kranich' 백학준이 우승에 대한 열망을 드러냈다.

한국 시각 11월 8일 새벽, 미국 캘리포니아주 애너하임에서 열린 하스스톤 월드 챔피언십 8강 2경기에서는 믿기지 않은 결과가 일어났다. 무명에 가까웠던 'Kranich' 백학준이 전설적인 하스스톤 플레이어 'Kolento'(이하 코렌토)를 잡고 4강에 진출한 것. 그것도 무려 경기를 거의 지게 생긴 상황에서 역전승을 거뒀다.

코렌토의 명성이 오히려 독이 된 셈이다. 대회에서는 거의 사용되지 않는 녹대인간을 중심으로 한 격노 전사덱으로 마지막 일전에 나선 백학준은 결국 실낱같은 가능성을 현실화하면서 극적인 4강 진출에 성공했다. 백학준은 승리 인터뷰에서 "여기까지 왔으니 우승까지 노려보겠다"라며 각오를 다졌다. 다음은 백학준과의 승리 인터뷰 전문이다.

자료: 인벤

102

"저는 원래는 예전에 어릴 때부터 게임을 굉장히 좋아하고 많이 플레이를 했었는데, 지금 생각해 보면 어느 정도 착한 학생으로 자랐던 것 같아요. 제가 해야 하는 일들인 학업을 중요시하곤 했습니다. 그런데, 제가 카이스트를 재학했었는데, 고등학교 2학년 때 선수로 지원했습니다. 사실 고등학교 2학년 때 지원할 수 있는 규정이 있었기 때문에 정말 운 좋게도 합격을 했어요.

약간 여담이지만, 제가 대학교에 합격을 하니까 저의 같은 학교에 있던 같은 학년의 친구들은 이제 수능 준비를 해야 하는데 저는 수능을 보지 않아서 같이 놀 사람이 없는 거예요. 근데 이제 제가 인터넷도 많이 하고 이러다가, 당시에 스타크래프트 프로리그가 주 5일 정도 하고 있었어요. 그때 계속 보다 보니까 너무 재밌고 이래서 그때부터 e스포츠에 관심을 크게 가졌던 것 같아요."

e스포츠라는 것 자체가 대회 경기도 있고 그런 경기들을 시청하면서 즐기는 행위를 통틀어서 말하는 건데, 사실 게임과 e스포츠를 좀 구분 지어서 얘기하는 경우가 많이 없습니다. 이를테면 남학생들에게 '너 게임해?, 안 해? 게임 재미있어 해?' 이러면 당연히 좋다고 생각하겠죠. 하지만 이제 실제로 그런 리그 같은 걸 즐기고 경기를 즐기고 그 안에 들어있는 선수들에 대해서 알아가고 이런 거를 제가 모르다가 그때 대학교에 입학하고 나서 알았던 거죠.

카이스트 입학, e스포츠에 처음 참가하다

저는 e스포츠에 관심을 가진 상태에서 입학 했어요. 사실 대학교 입학했으면 공부를 해야하는데 공부에 별로 관심이 없었던 것 같아요. 그때 게임과 e스포츠 이런 게 너무 좋아서 저의 인생을 바꾸게 된 행사가 있는데, 그게 '카포전'이라는 행사였습니다.

"카이스트 포스텍 대제전이라는 그런 행사가 있습니다. 그래서 '카포전' 또는 '포카전' 이런 식으로 많이 부르는데, 되게 재밌게도 게임을 즐기는 학생들이 많다보니까. 거기에 이제 게임 경기들도 있었어요. 그때는 대학 e스포츠나 이런 것도 명확하게 있지 않았고. 게임 경기를 그런 큰 행사에서 한다는 것 자체가 되게 어색한 그런 개념이었는데, 당시 스타크래프트2라는 게임이 출시되고 제가 정말 많이 플레이했었어요."

그때 예선전에서 선수로 뽑히고, 우승하게 되었는데, 일반적으로 많은 분들에게

1) 글로벌 파이널(Global Final)의 약자. WSC GF는 한국과 아메리카, 유럽으로 나눠 진행된 WCS의 최종 결산 무대로, 16강 토너먼트로 진행된다.

있어서 그런 대회 경기에서 많은 분들이 보는 앞에서 응원을 받고 이기고 이런 경험이 거의 없잖아요. 그러다 보니까 이제 '어? 이게 뭐지?' 되게 신기하고 재밌다, 라는 생각을 제가 했던 것 같아요.

스포츠라고 하면은 스포츠라는 그런 단어에다 글자를 붙인 건데, 저의 관심이 단순히 게임을 좋아하는 사람에서 벗어나서 e스포츠로서 작용하는 그런 경험을 맛본 것이죠. 대회 경기를 하고 많은 분들이 응원하고, 그런 승리의 짜릿함을 공유하고.. 결정적으로 또 제가 저를 바꿨던 부분이 또 있었습니다.

[그림 4-2] 2016 사이버 포카전 선수단 모집 홍보 포스터

자료: 포카전 페이스북

104

[그림 4-3] 카이스트 e스포츠 동아리 'OPTeamus' 창단식 겸 프로게임단 MVP 간 자매결연 체결식

자료: 인벤

대학생에서 '하스스톤' 프로게이머로

제가 카이스트에서 e스포츠 동아리를 만들었습니다. 지금 '옵티머스'라는 이름이 붙어 있는 동아리예요.

"실제로 제가 학교를 더 이상 다니지 않게 되고 나서 더 잘 됐다고 얘기를 하 긴 하더라고요. 이제 처음에 저는 좀 큰 뜻에서 만들었는데 그 이후에 후배님들 입장에서 이제 사교적인 학생들이 많이 들어와서 제가 있을 때보다 더 잘 됐다는 얘기도 들었고. 실제로 그중에 후배분들 만나서 제가 밥도 사주고 막 이렇게 조 언도 해줬었는데... 사실 되게 이상한 일이죠. 왜냐하면 어떻게 보면 공부를 되게 열심히 하는 학교이기도 하고. 그리고 게임이라는 게 사실 해가 갈수록 인식이 달라지지만, 그래도 대학생 입장에서 게임 활동을 하는 동아리를 한다. 이렇게 보 면 뭔가 좀 이상하다는 느낌이 들잖아요. 개인적인 취미라는 느낌이 더 강하지, 그거를 가지고 이제 공식적인 활동을 하겠다. 라고 하는 거는 그때도 되게 생소 한 이야기였는데. 지금 생각해 보면 되게 신기했던 것 같아요."

근데 중요한 건 뭐냐면은 제가 '카이스트라는 학교에서 동아리를 만들었다'라는 것이 자랑이 아니고,. 이거는 이제 사실 시발점에 불과합니다. 그 시절에는 그 이상 나아가지 못했었거든요.

근데 저랑 같이 이제 동아리를 만들었던 후배 중 한 명이 '에카(ESports College Clubs Association, ECCA) 동아리 연합회' 이런 것도 만들고 다른 학교들과도 교류를 시작하더라고요. 그래서 저는 제가 직접 했던 일은 아니지만, 되게 큰 감명을 받았어요. 이게 단순히 그냥 동아리만 만들고 e스포츠 좋아하는 사람들끼리 끝날 게 아니라 이것으로 사람들과 교류를 할 수 있구나. 그리고 사실 e스포츠라는게 게임과 다른 건 그거잖아요. 그냥 단순히 게임을 같이 즐기는 게 아니라 대회 경기를 할 수 있다. 그걸 통해서 친목 도모를 할 수 있다는 게 저는 너무 인상 깊어지고, 그래서 이제 제가 학교를 떠난 이후로 많은 것들이 있었고 제가 참가는 못했지만, 많은 이런 대학교 간의 교류나 행사 같은 것들이 있었다고 저는 알고 있거든요. 그래서 그런 거에 시발점이 됐다는 게 되게 저는 기분 좋았던 것 같습니다.

하스스톤을 처음 접하고

그 다음에, 제가 하스스톤2)이라는 게임을 처음 만나게 됐어요. 지금 거의 한 10년 됐거든요. 벌써 그렇게 시간이 오래됐는데. 블리자드라는 게임사는 알 수도 있지만, 사실 요즘 대학생분들은 이 게임을 잘 모를 수도 있어요.

> "제가 작년쯤 백화점 식당에서 식사를 하다가 어떤 분들이 저를 알아보고 사진을 같이 찍자고 부탁을 해 주시는 거예요. 그러니까 자랑하는 건 아니지만 간혹 그런 일이 생기거든요. 간혹 생기는데, 이제 저보다 좀 나이가 더 있어 보이시는 부부가 이제 아이를 동반하고 있는 거예요. 제가 처음에 하스스톤을 시작할 때 한 22살 이 정도였는데, 생각해 보니까 예전에 하스스톤을 즐겼던 분들이 이제 나이가 어느 정도 들어서도 계속 즐기고 계속 그런 거를 기억을 하고 있다는 게 전 너무 신기했는데. 아무튼 그만큼 오래됐습니다."

대학교를 제가 다니는 와중에 굉장히 운 좋게도 월드 챔피언십이라는 대회가 있습니다. 매 년마다 가장 큰 규모로 이제 최종적으로 하는 그런 하스스톤 종목의

---

2) 블리자드 엔터테인먼트가 2014년에 개발한 온라인 카드 수집 게임(트레이딩 카드 게임)이다. 2013년에 처음 발표되었으며, 2014년에 처음 출시되었다. 자사의 대표작인 워크래프트 시리즈의 세계관을 따르고 있으며, 2015년 5월에 이용자가 3000만명을 돌파했다(출처: 위키피디아).

대회였는데 거기에 이제 한국 대표로 한번 출전을 하게 된 과정이 있었어요. 제가 e스포츠와 상관없는 생명공학 학과를 전공하고 있었어서 많은 고민을 했는데, 그 때 강의를 듣는 교수님들께 이야기했더니 모든 교수님이 흔쾌히 허락해 주셔서 너무 좋았습니다.

> "근데 그때, 제가 이제 학교에서도 어떻게 보면 성적도 별로 좋지 않았고. 수업을 그렇게 성실히 듣지 않는, 약간 '앞으로 뭐 해야 하지?'라고 고민을 하고 있었는데 그 상황에서 그런 좋은 기회가 생겼을 때 수업을 한 2주 정도를 빠져야 됐어요. 그래서 미국에 가서 2주 정도 프로필 촬영도 하고 연습도 하고 그 다음 경기를 다 소화하고 돌아와야 되는데 문제는 학기 중이잖아요. 근데 이제 그 상황에서 제가 강의 듣고 있는 수업들의 교수님들한테 메일을 보냈는데 진짜 한 분도 빠짐없이 다녀오라는 거예요. 그게 저 너무 신기했어요."

[그림 4-4] 크라니쉬(백학준) 세 번째 블리즈컨3) 우승 이후 인터뷰

자료: 인벤

그래서 저는 이렇게 얘기할 기회가 있을 때 항상 대학교 얘기를 굉장히 많이 해요. 왜냐하면 저도 대학생이었던 경험이 있어서도 그렇고, 대학교에서 진로 고민이 있었던 경험도 있었고. 그 다음에 '대학교가 e스포츠하기 정말 좋은 장소가

---

3) 블리즈컨(BlizzCon)은 블리자드 엔터테인먼트가 주요 게임들을 홍보하기 위해 반정기적으로 주최하는 컨벤션이다. 2005년 10월 애너하임 컨벤션 센터에서 처음 열린 이후 계속 같은 장소에서 개최되고 있다(출처: 위키피디아).

아닐까?'라는 생각을 항상 했거든요. 연령대도 사실은 어떻게 보면 가장 게임에 관심이 많을 수 있는 그런 때이기도 하고 싶었습니다.

> "20대 후반, 30대, 40대 되면 또 이제 본인의 일이라는 것이 있고, 중·고등학교 때 하기에는 너무 어리기도 하고.. 여러 가지 제약 사항이 있기 때문에 대학생 때 가 가장 활동하기 좋은 시기가 아닐까 생각을 했습니다."

하스스톤 종목에 대해서 말씀드리면 굉장히 특이한데, 장르는 카드 게임이고, 스타크래프트, 리그오브레전드 같은 게임도 아니고 규모도 상당히 애매해요. 왜냐 하면 리그오브레전드처럼 어떻게 보면 세계에서 가장 크다고 볼 수 있는 그런 규 모는 아니지만, 그렇다고 완전 사람들이 모르거나 잘 취급을 안 해주는 그런 대회 도 아니었거든요. 그래서 미묘한 느낌의 그런 위치에 있는 종목으로서 프로게이머 로 제가 활동을 했고, 해설도 하고 활동하면서 느꼈던 부분들이 있습니다.

> "제가 선수 생활을 하다 보니까 군 복무를 늦게 해서 나중에 한 2020년 그쯤에 전역했고, 그 이후에 이제 크리에이터로 활동하면서 T1 소속으로도 활동했습니 다. 지금은 저는 이제 하스스톤 종목을 약간 대표하는 느낌으로 활동을 하고 있고, 개인 방송과 그리고 대회에도 출전을 하고, 이제 해설도 하면서 여러 가지 그런 일 들을 하면서 생활을 하고 있습니다. 제가 처음 국제대회 나갔을 때 기사가 있었거 든요. 인벤 기사인데. 당시에 제가 미국의 캘리포니아에 가서 경기를 했었던 게 기 사로 나와서 되게 신기한 경험이었고. 그때 찍었던 사진과 기사가 남아 있더라고 요. 그래서 잠깐 이제 여기다가 올려봤고요. 이때가 제가 이런 시스템을 처음 경험 해 봤던 것 같아요. 이따가도 설명해 드리겠지만, 블리자드라는 회사에서 사실 굉 장히 많은 e스포츠 종목이 있었는데. 그런 종목들을 이 회사에서 어떻게 다뤘는지, 그리고 어떤 방식으로 이제 대회가 진행이 되었고 어떤 느낌을 제가 가졌는지 같 은 내용을 제가 좀 이야기 하고 싶습니다."

하스스톤 프로게이머가 되기로 결심하다

제가 전공, 새로운 진로에 대해서 진지하게 고민하고 있었을 때, 대회에서 4강 까지 가게 되면서 '프로게이머가 되어야겠다'라고 생각했었습니다.

> "그리고 그 당시에 학교를 다니고 있었는데 사실 학기를 마치고 제가 제적이 됐어요. 근데 재밌는 게, 사실 저의 학력이나 이런 거에 대해서 많은 분들이 좀

알고 저도 이제 숨기지 않다보니까 얘기를 하시는데. 저도 질문을 많이 들어요. '어떻게 그렇게 공부를 열심히 하셨으면서 프로게이머를 하셨어요?', '용감하다. 소위 말하는 보장된 길 같은 게 있음에도 불구하고 프로게이머 도전을 했냐'라고 하는데 전 항상 말합니다. 저는 성적이 안 좋아서 제적당했어요. 이제 그런 게 있죠. 평점 같은 게 2.0이 안 되고 이러면 학사 경고를 받고 이러잖아요. 그래서 사실 그렇게 적응을 잘하고 있던 학생은 아니었고. 게임을 했기 때문에 제적을 당했냐? 라고 물었을 때는 그거는 저는 아니라고 생각이 들었는데."

그 과정에서 선수를 시작하게 되었습니다. 그때 학기 중이었는데, 대회를 끝내고 돌아와서 기말고사를 보고 그러다가 제적당했어요. 그래서 부모님과 의논하다가 '저는 프로게이머 하겠습니다. 말리지 마세요.'라고 말씀드리면서 프로게이머의 인생을 시작하게 됐습니다. 이후 블리자컨이라는 행사에서 세 번정도 초청을 받아서 처음 두 번은, 이제 월드 챔피언십이라는 대회에서 16명 중에 1명으로 가서 각 4강, 8강이라는 성적을 기록했었고요. 그 다음에 2017년에도 '팀 인비테이셔널'이라는 대회가 이제 이 사진에 있는 대회인데, 그 대회에 초청이 되어서 그때 우승을 했어요. 그 경기가 아직 아마 유튜브 나와 있을 거예요.

[그림 4-5] 블리즈컨 행사

자료: variety

"그 영상을 검색해 보면 그때 되게 이상한 그런 상황들이 영상들에 있어요. 예를 들면, 당시에 제가 경기를 하고 있었는데 그 옆에서 '오버워치 월드컵' 결승전 하고 있었고, 그 옆에서 또 '히어로즈 오브 스톰' 결승전을 하고 있었거든요. 그래서 제가 경기하고 바로 옆에 가서 구경하고 막 이랬었는데. 그때 이제 한국인들이 석권했다. 블리자드 종목들을 전부 다 우승했다. 이런 식으로 하면서 약간 그런 뉘앙스의 기사 같은 걸 만들거나 혹은 영상을 만드셨던 분들이 있었는데. 그때 거기서의 경험이 저한테는 되게 특별해지고 이렇게 한번 사진으로 담아봤습니다."

e스포츠 경험으로부터 진로까지

한국의 e스포츠라는 게 사실... 뭐, e스포츠 종주국이다. 이런 얘기도 있고 되게 어떤 하나의 큰 축. 세계 글로벌적으로 봤을 때 하나의 큰 축으로 보잖아요. 그 구조가 저 같은 사람이 이제 활동하면서 느끼기에는, 탑-다운 느낌으로 뭔가 하나의 큰 리그, 큰 볼거리가 있어요. 예를 들면 'LCK(League of Legends Champions Korea)'입니다.

반대로 저는 바텀-업의 경험들을 많이 했습니다.

"예를 들면 아마추어였던 제가, 대학교 동아리를 만들고, 대학교 동아리에서 대회를 개최하고, 그리고 그 대회를 개최하는 것도 모자라서, 다른 대학교들과 같이 연합해서 행사를 하고, 이런 것들을 저는 많이 했었고, 그런 걸 하려고 많이 노력했었고. 또 이제 저의 어떤 후배 분들이나 다른 동료 분들도 그런 경험을 살려서 지금 현업에 취업을 하신 분들이 좀 있거든요."

예전에 '테스파4)'라는 블리자드에서 만들어진 대학 e스포츠 연합으로, 미국 대학생들의 활동을 촉진하기 위해 설립되었었는데, 이는 대학생들이 만든 것이 아닌 블리자드에서 직접 만든 단체로, 한국에서도 유사한 활동을 시도하고자 하는 노력이 있었습니다. 6~7년 전에는 '커리어 세미나'가 개최되었는데, 이 자리에서 대학생들의 큰 관심을 느끼게 되었습니다. 대학 시기는 다양한 분야에 대한 흥미가 많은 시기로, 세미나 참여자들은 다양한 이야기를 듣고 싶어 하는 모습이 있었어요. 그래서 그때 제가 멘토링을 해보자는 생각이 들었습니다.

그 이후 대학생분들을 실제로 만날 기회를 많이 잡아서, 거기서 이제 저의 개인적인 경험을 말씀을 드리고 또 어떻게 발전시키면 좋을지. 어떤 거에 관심을 가지

---

4) 테스파(TESPA, 이전 Texas eSports Association)은 블리자드 엔터테인먼트 사무실에 본부를 두고 있는 북미 대학 e스포츠 연합으로, 대학 게임 단체를 위한 이벤트 지원을 위해 전국적으로 확정되었다. 2014년에 블리자드 엔터테인먼트와 공식 파트너십을 체결하였다(출처: 위키피디아).

면 좋을지, 실제로 e스포츠 선수 출신이 아니라, 그냥 평범한 대학생에서 어떻게 현업에 진출했는지 이야기할 수 있는 기회를 스스로 많이 만들려고 했고, 이러한 경험은 저에게 매우 중요하다고 생각하고 있습니다.

> "세미나 참여자들은 게임이 좋고 e스포츠가 좋은데 나의 전공과 나의 학교는 전혀 다른 세상이고 그리고 나는 이런 쪽으로 커리어를 개발하고 싶어 하는데 어떻게 하면 좋을까. 그리고 대학교의 전공이 원하는 진로와 관련된 부분도 안 맞거나 할 수도 있는 분들이 많아 가지고, 멘토링을 해보자는 생각을 하게 되었죠"

또 말씀드리고 싶은 부분이 있는데, 미국의 대학 클럽 스포츠 문화가 강한데, 미국 대학에서는 다양한 스포츠뿐만 아니라 게임도 클럽 스포츠로 존중받아 오고 있으며, 대학 스포츠 경기에서는 종목별로 선수를 뽑아 상금을 주고 대회를 개최해요. 테스파의 한 대회에서 참가한 학생은 하스스톤에서 우승하여 경력과 상금을 얻는데, 이는 대학 스포츠가 게임 분야에서도 성공적으로 적용될 수 있는 모델이라는 것을 알게 되었죠.

> "'국내외 대학 클럽 스포츠 문화와 e스포츠의 연결고리를 찾아서'를 보시면, 테스파라는 그룹이 사실은 미국에서 먼저 생겼다고 제가 말씀드렸거든요. 그 이유가 미국은 대학교 클럽 스포츠 문화가 엄청 강하잖아요. 그 선수들이 그대로 프로 선수들이 되기도 하고. 이제 농구, 미식축구, 야구 이런 것들을 다 대학교에서 하다 보니까. 스포츠 외에 게임도 실제로 하더라고요. 미국에서는 이제 종목별로 대학교에서 선수들을 실제로 뽑아다가 이제 그런 경기들을 할 수 있는 판을 깔아주고, 어느 정도 규모 이상의 상금을 주고. 그리고 제가 하스스톤이라는 게임 프로 게이머로 활동할 때 같은 클랜에 소속돼 있었던 저보다 좀 많이 어린 친구가 있었어요.
>   그 친구가 펜실베이니아 주립대학교에 다녔는데 거기에서 테스파 소속이 되어 있고, 하스스톤 종목을 해가지고 미국에서 우승을 했어요. 그런데 학업 생활도 있고 주변과의 관계는 유지하지만 완전 프로로 뛰어들 수는 없는 그런 상황이었는데 테스파 주최 대회에서 우승하면서, 경력이 생겼습니다. 그 친구가 일본의 게임 회사에 취업했는데, 대회 우승한 것이 본인의 게임 이해도를 보여주기 정말 너무 좋은 기회였고, 그런 경험들을 바라보면서, '이게 뭔가가 될 수 있겠다'라는 생각을 저는 처음으로 했었어요."

e스포츠와 다양한 대회

저는 최근 단체나, 기업에서 e스포츠를 하고 싶은데, 다양한 종목으로 할 수 있는 것이 뭐가 있는지 추천해달라는 의뢰를 종종 받습니다. 제가 하스스톤을 종목으로 추천하면 이제 약간 컨설팅 느낌으로 기획을 요청하시는 분이 있습니다. 예를 들어, 대회를 어떻게 진행할지, 사람을 어떻게 모집해야 하는지, 어떤 방식으로 만들어야 하는지 의뢰가 많이 들어오는데, 하스스톤의 경우에는 만족도가 엄청 높습니다. 왜냐하면 하스스톤은 카드 게임이라서 피지컬 요소가 필요 없고 팀 게임이 아니고, 참여시간도 짧기 때문입니다. 그래서 참가자 입장에서는 부담이 없습니다. e스포츠 게임이라는 건 우리가 마우스랑 키보드를 잡고 양손으로 하는 거를 생각하잖아요. 저희는 게임이라고 많이 생각을 하는데. 이게 생각보다 위에서 말한 아마추어 e스포츠라거나, 대학교에서 하는 데 적합한 요소들을 가지고 있다는 생각이 들더라고요.

> "저도 이제 리그오브레전드 같은 게임 대회도, 교내 대회 같은 것도 해보고 했지만 솔직히 너무 어려워요. 왜냐하면 5명을 모아야 되고, 포지션 같은 것도 맞춰야 되고, 그 다음에 또 연습도 같이 해야 되고, 이런 것들이 사실 쉬운 일은 아니잖아요. 그러다보니까 이제 하스스톤이 대학 e스포츠에서도 그렇고, 아마추어 e스포츠에서도 그렇고 종목 중에 하나로 많이 사용이 되었는데 이런 것도 종목으로 한번 생각을 해보면 어떨까라는 생각이 들어요. 물론 이제 게임이라는 건 당연히 재밌어야 되는 거고 처음에 재미를 가지고 느꼈다가, 그 다음 대회를 하고 싶다는 생각이 들어야 순서가 맞는 거긴 한데. 그래도 카드 게임이나 이런 캐주얼한 게임들도 충분히 하나의 재미 요소로 자리매김할 수 있겠다는 생각을 제가 했었거든요. 그래서 그런 부분을 저도 앞으로도 한번 찾아보고 싶고. 하스스톤 대회를 하고 싶다고 하면 그런 것도 제가 조언을 드리고, 또 다른 종목 중에서도 비슷하게 역할을 할 수 있는 그런 게 있으면 좋겠다고 생각을 많이 했습니다."

e스포츠 모델

제가 오늘 강조를 드리고 싶은 두 번째 요소 중의 하나인 'e스포츠 모델'입니다. 해외에는 다양한 리그가 있는데 이 대회들은 페스티벌 같은 느낌으로 꿍장히 크게 개최해서 근처에 있는 많은 사람들이 모여서 경험을 공유하고 거기서 이제 프로게이머들을 초청하거나, 오픈된 대회로 열어서. 상금을 걸고, 경기를 해서 볼 수 있게 만드는 그런 종류의 행사들이거든요. 저는 그런 행사를 정말 많이 가봤어요. 정말 많이 가보고, 이제 계속해서 그런 데서 경쟁을 했는데, 이런 대회들 같은 경우는 사실 이제 게임사에서 라이센스를 주고 종목을 열 수 있게 해주는 것이거든요. 예를 들어 거기서 이제 성적을 거두면 아까 말씀드렸던 그런 월드 챔피언십이나 공식 대회에 나갈 수 있게 만드는 약간 보너스 포인트를 주거나 그런 느낌이에요.

"추상적인 표현일 수도 있겠지만, 리그오브레전드 같은 게임을 예를 들었을 때 각국의 메인 1부 리그, 2부 리그, 3부 리그가 있고 그런 아마추어들이 있고. 그 다음에 그들끼리 국제 대항전을 하고 약간 이런 스타일의 전체적인 모델들이 있잖아요. 이런 얘기를 저는 하고 싶었어요. 왜냐면은 제가 이제 하스스톤 프로게이머로 활동하면서, 제가 사실 어떤 팀에 소속돼서 팀 연습을 하면서 스케줄을 소화한 건 아니에요. 저는 사실 프리랜서에 가까운 사람이었지만, 소속 팀도 있었고, 연습도 제가 하고, 대회도 제가 나가고 특히나 이제 해외 대회를 나갈 일이 정말 많았습니다. 아까 얘기했던 그런 월드 챔피언십이나 이런 거는 공식 대회예요. 그러니까 이 대회들은 블리자드라는 게임사에서 주관을 하고, 예선전을 거쳐서 각국에서 이제 대표를 뽑는 그런 느낌의 대회로 시스템이 구축되었는데, 여기서 말하는 거는 이제 해외 대회 중에서도 굉장히 많은 군소 대회들이 있어요. 각 지역별로 대표적인 대회, 예를 들면 유럽 같은 데 '드림핵(Dream Hack)'[5]이라는 이름의 대회도 있고, 북미의 'IPL(IGN ProLeague)'[6], 'MLG(Major League Gaming)'[7]. 이런 생소한 이름들이 많이 있습니다."

어떻게 이 대회가 축제 같은 느낌으로 하는지 들어봤습니다. 얘기를 들어봤더니 사실 우리나라는 인터넷이 워낙 좋아서 20여 년 전부터 PC방에 가서 게임하거나 집에서 게임을 할 수 있었죠. 반면에 해외에서는 'LAN(Local Area Network)' 같은 느낌의 글로벌 서버나 이제 통합된 서버에서 게임하는 게 아니라, 나랑 연결되어 있는 같은 인터넷 상에서 매칭을 잡아서 경기하는 옛날 시스템이 있어요. 근데 이제 유럽이나 북미에서는 인터넷 망이 그렇게 좋지 않았기 때문

---

5) 드림핵(DreamHack)은 세계 최대의 컴퓨터 축제로, 매년 여름과 겨울에 스웨덴 옌셰핑에서 개최되는 컴퓨터 축제이다. 기네스 세계 기록에 세계에서 가장 큰 규모의 LAN 행사로 등재되어 있다. 매 회 72시간 동안 진행되며 e스포츠 대회, 공연, 강연 등 다양한 행사가 열린다(출처: 위키피디아).
6) IGN ProLeague는 해외의 국제 대회로, MLG 드림핵과 함께 스타크래프트2 기준으로 국제 대회 TOP 3에 속하는 대회이다. 해외 선수들의 비중이 높은 드림핵에 비해 MLG와 함께 국내에서 가장 인기 있는 대회 중 하나로, MLG가 KeSPA와 협약을 체결한 반면 IPL은 GSL과 협약을 체결했다(출처: 나무위키).
7) Major League Gaming은 미국의 프로 게임 단체이자 해당 단체에서 여는 리그 대회를 부르는 말이다. 그동안 대회 종목으로 채택했던 게임으로는 스타크래프트2, 도타2, 리그오브레전드, 카운터 스트라이크 시리즈, 오버워치 등이 있다. 비디오 게임의 프로스포츠화란 면에서 북미에서 가장 영향력 있는 단체이자 대회이다(출처: 나무위키).

에 '랜파티(LAN Party)'라는 거를 했다고 해요. 그리고 거기는 주택에서 사는 경우가 많다 보니까 거기에 친구들이 본인의 노트북이나 컴퓨터를 전부 가져와가지고 한 집에다 다 모아놓고 8명, 10명 이렇게 되는 많은 사람들이 다 같은 인터넷망에 연결해서 게임을 즐겼다라고 얘기를 하더라고요.

[그림 4-6] 드림핵 행사

자료: venturebeat

"진짜 재밌는 게 앞에서 말씀드렸듯이 '드림핵'이라는 유럽 행사가 있어요. 스웨덴의 '옌셰핑(Jönköping)'이라는 정말 작은 도시, 호수가 아름다운 도시가 있어요. 정말 작아요. 사실 시골인데, 이 도시에서 드림핵 대회를 개최했던 게 전통처럼 돼서. 옌셰핑에서 꾸준히 드림핵을 하고(연간 4~5회 정도), 나머지 3, 4회 정도는 다른 데 투어를 돌면서 다른 도시에서 하기도 해요. 유럽 안에 있는 다른 국가에서 할 수도 있고. 이런 식으로 진행이 됐던 그런 행사인데. 처음에 제가 그 대회에서 하스스톤을 한다고 해서 이제 갔거든요. 제가 이제 소속돼 있는 팀에서 경비를 지원해 줘서 갔는데. 거의 그 작은 도시에 한 2만 명 정도가 오고 호텔도 없어요. 왜냐하면 너무 시골이라 가지고 호텔이라든가 숙박업소가 그렇게 많지도 않은데. 그걸 한 달 전부터 다 예매를 해야해요, 이제 그런 게 정말 꽉 차 있고. 그래서 정말 이제 예약하기가 힘들고. 제일 중요한 건 뭐냐면, 스웨덴 안이나 유럽에서는 삼삼오오 사람들이 본인의 PC를 가져와 가지고 거기 설치해서 게임을 하는 거예요."

e스포츠를 즐기는 행사, 드림핵

이런 행사가 실제로 계속해서 지속해서 이루어지고 있다는 사실이 저는 너무 신기하더라고요. 그래서 그런 대회에서 경기를 많이 해봤는데 대학 e스포츠동아리 활동도 일맥상통하는 느낌이 있는 것 같아요.

> "이게 저는 너무 이상했어요. 왜냐하면 게임이라는 건 사실 그냥 본인 집에서 편하게 그냥 할 수 있는 거잖아요. 편한 복장을 입고, 근데 굳이 본인이 차를 몰고 자기의 어떤 장비들을 전부 다 트렁크에 싣고, 심지어는 가족끼리 와요. 이제 본인의 배우자라든가, 자녀들까지 다 같이 와가지고. 거기에 있는 홀 같은 데, 컨벤션센터 이런 데서 본인의 컴퓨터를 다 설치해서. 거기서 게임을 즐기는 거예요. 저희가 듣기에는 너무 이상한 얘기거든요. 너무 불편하고. 하지만 그런 파티를 했던 문화가 있었고 특히 아까 가족끼리 왔다는 거는 그런 경험을 어릴 때, 친구들끼리 했던 경험이 있기 때문에"

저는 항상 e스포츠 얘기를 할 때 제가 경험했던 거는 사람들이 뭔가를 모여서 하다 보니까, 그게 문화가 되고. 거기에서 실제로 수익이 발생하고. 그래서 그거를 이제 계속 진행하면서 지금까지 역사를 지켜왔다는 느낌이 들기 때문에. 그런 데서 되게 깊은 영감을 얻었습니다.

> "그리고 이제 또 '그라인딩'이라는 용어가 있습니다. 이 그라인딩이라는 용어가 뭐냐 하면은 사실은 뭔가 좀 이렇게 노력해서 쌓아나가고, 계속해서 발전시키고 이런 용어를 의미하는 건데. 저는 이제 카드 게임을 했잖아요. 하스스톤이랑 카드 게임을 하면 또 어떤 게 있었냐면 하스스톤이 일반적인 분들이 참여하기가 정말 좋은 게임이고. 캐주얼하고 프로와 아마추어 간의 구분 경기가 좀 모호한 느낌이 있기 때문에, 그런 일반적인 분들도 참가하기 쉬운 '컵대회'[8]라는 게 있어요. 이 컵대회는 온라인으로 진행이 되고 128명부터, 많으면 1024강까지도 하는데. 이제 온라인으로 등록해서 정해진 시간에 체크인을 하면, 자동으로 이제 매칭 잡아주고 이런 식으로 해서 우승자가 나올 때까지 진행이 돼요. 실제로 이런 하루 동안 진행되는 조그마한 대회도 그런 제가 말했던 큰 대회 나갈 수 있는 포인트를 조금씩 주거든요. 그래서 이제 많은 분들이 이 컵대회에 도전을 하고 그래요. 근데 그 도전하는 분들이 다 프로게이머냐? 도전하는 사람들이 지망하는 게 정말 난 프로페셔널한 사람이 되고 싶어서인가? 이건 아니에요. 그냥 이거 자체를 즐기는 분들이 진짜 많았어요."

---

8) 정식 명칭은 Hearthstone Masters Qualifier로, 일반적으로 Open Cup과 같이 컵대회라고 부른다. 하스스톤 마스터즈 투어라는 상위 대회를 나가기 위해 열리는 온라인 예선격의 대회. (출처: 나무위키)

 카드 게임에도 카드게임을 즐기러 갔다가, 조그만 대회를 하기도 하고. 거기서 입상하면 더 큰 대회 나가고 그런 것들을 일상적으로 하는 시스템이 이렇게 뿌리부터 구축이 되어 있어서. 그래서 이제 이런 식으로 되어 있는 판이 있다는 게 저는 되게 흥미로웠습니다.

 "그냥 주말인데 자신이 게임을 즐기고 싶은데, 그냥 게임하면 재미없으니까. 이런 대회 같은 거를 한번 일상적으로 해봐야겠다고 해서. 또한 인게임에서 주어지는 작은 보상 같은 게 또 있었거든요. 그래서 그런 거를 얻기 위해서 하는 것도 있고. 사실 이런 용어는 하스스톤뿐만이 아니라 이제 홀덤[9], 포커[10]라거나 아니면 다른 '매직 더 개더링(Magic The Gathering)'[11]이라는 해외에 있는 근본 있는 카드 게임에서도 많이 하더라고요.

 이런 거랑 비슷한 것 같아요. 마치 이제 대한민국에서, 리그오브레전드 프로게이머가 된다고 치면 1군 선수들에는 정말 유명한 선수들도 있고, 2군, 3군, 이제 아카데미 선수들도 있겠지만 사실 좀 모호하잖아요. 어떻게 프로게이머가 될래? 라고 하면은 잘하면 된다. 그럼 어떻게 잘해야 되는데? 라고 하면 다 경쟁이고 그리고 3군, 2군까지 올라갔다 하더라도 내가 1군까지 할 수 있을까? 라고 했을 때 그렇다고 볼 수도 없어요. 왜냐면 이제 아무것도 정해진 게 없으니까. 정말 3군, 2군 하다가 갑자기 잘해진 선수도 있고, 또 못해지는 선수도 있고 이런 것들이 명확하지 않은데."

 이제 카드 게임 같은 캐주얼한 게임이라서 가능한 거겠지만, 어떻게 보면 리스크가 없어요. 왜냐면 실제로 제가 하스스톤 프로게이머로 봤던 분들 중에 어떤 분들이 있었냐면. 그냥 평범하게 학교 생활하거나, 평범하게 직장을 다니고 그렇게 이제 생활을 하다가. 게임에 흥미가 생겨서 하다 보니까 잘하는 거예요. 잘해서 꾸준하게 취미로 즐기는데, 실제로 수입이 생기고 실제로 어느 정도 인지도가 생기니까. 그렇게 되고 나서는 프로게이머로서 활동할 수 있는 기반이 생기더라고요. 그래서 이런 게 되게 재밌는 점도 있고. 그 다음에 어떻게 보면 저희가 아는 메이저 e스포츠 종목과 조금은 다른 것 같아요. 왜냐하면 어떻게 데뷔를 하느냐에서의 방법도 차이가 있고 어떻게 일상적으로 즐기느냐의 차이도 있고. 또 아마

---

9) 텍사스 홀덤(Texas Hold 'em)은 포커의 한 종류로, 개인별로 2장의 카드를 갖고 나머지 5장의 공통 카드로 족보를 완성하게 된다(출처: 위키피디아).
10) 포커(Poker)는 플레잉 카드로 즐기는 카드 게임의 한 종류이다. 게임의 참가자들은 자신이 갖고 있는 카드를 보면서 베팅을 하며, 가장 높은 가치의 카드 조합을 가지고 있는 참가자가 승리한다(출처: 위키피디아).
11) 매직 더 개더링(Magic: the Gathering)은 1993년 발매된 세계 최초의 트레이딩 카드 게임으로 현재 11개 언어로 발매되어 70개 이상의 나라에서 즐기는 게임이다. 장대한 스토리를 바탕으로 15000종이 넘는 카드와 20년이 넘는 긴 역사를 가지고 있다(출처: 위키피디아).

추어 분들이나 이제 다른 분들이 쉽게 접할 수 있는 요소도 있다 보니까. 이런 모델이 저는 이제 너무 익숙하고, 저로서는 오랫동안 즐겨왔던 거기 때문에. 이제 알려드리고 싶어서 이제 담았습니다.

블리자드와 하스스톤

마지막으로 이제 블리자드사가 이제 e스포츠로 굉장히 이름이 있는 게임 회사라고 생각합니다. 특히, e스포츠의 처음 시작이 사실 스타크래프트 같은 게임이 있었잖아요. 우리나라에서는 블리자드하면 e스포츠 아닌가? 블리자드의 종목들이 다 e스포츠 경기를 하고, 그 종목들을 모아서 블리즈컨에서 매치를 보여주곤 합니다. 하스스톤이라는 게임은 사실 좀 운이 좋았거든요. 왜냐면 다른 회사에서 만약에 출시가 됐다고 하면, 다들 좀 반신반의 했을 것 같아요. 왜냐면 이제 카드 게임을 이 정도 규모로 크게 해보는 게 많이 없었기도 하고. 되게 생소하기도 하고. 하스스톤 아시는 분들 알 거예요. 되게 유명한 별명이 있어요. 운빨 게임이라고.

하스스톤은 운에 좌우되는 운적 요소가 큰 게임이에요. 왜냐하면 모든 카드 게임들은 사실 운적의 요소가 있잖아요. 어떤 패가 들어오는지도 다르고 그러다 보니까 항상 이게 처음에 생겼을 때 되게 많은 분들이 그런 얘기를 했습니다.

[그림 4-7] 하스스톤 인게임 플레이

자료: 시사저널-e

운이 이렇게 크게 작용하는데 어떻게 이게 e스포츠냐, 운의 영향이 이렇게 크고, 결과가 매번 다르게 나오고 우리가 알고 있는 그런 강자가 항상 올라오는 것도 아닌데. '어떻게 이게 스포츠적인 요소가 있을 수 있느냐?'라고 이제 많은 분들이 얘기했고, 사실 지금까지도 얘기하는 분들도 있어요. 물론 이제 어느 정도 자리 잡은 다음부터는 인정을 받는 추세였지만, 사실 블리자드에서 하스스톤이 출시가 됐기 때문에, 너무 자연스럽게 그렇게 e스포츠가 된 거는 있는 것 같아요. 이제 우리의 종목이 하나 더 늘었기 때문에, 이걸로도 대회를 해보자. 근데 재밌는 거예요.

재미라는 게 정교하고 잘 짜인 좋은 플레이를 보는 것만 재밌는 게 아니라. 자기의 인생을 걸고 경기하는데 다양한 일이 생겨요. 그래도 결국엔 중요한 것은 재미이죠. 보는 시청자 입장에서도 얼마나 재미있냐가 포함되어야 하는데 하스스톤도 어느 정도 인정을 받았기 때문에 여태까지도 인정받는 대회가 있는 것 같습니다.

[그림 4-8] 크라니쉬 유튜브 페이지

자료: 유튜브

e스포츠와 콘텐츠 크리에이터

그 다음 요소를 또 얘기를 해볼게요. 이거는 근데 e스포츠를 좋아하는 분들 입장에서는 되게 좀, 특히나 이제 예전 스타크래프트나 이런 e스포츠를 좋아하던 어떻게 보면 좀 이제 연령대가 있으신 분들 입장에서는 되게 생소하게 느껴질 수도 있어요. 저는 하스스톤이라는 종목의 프로게이머로 활동하면서, 지금은 이제 방송도 하고 유튜브 영상도 올리고 해설도 하고 다방면으로 활동하고 있지만. 예전에는 그런 생각을 했습니다. 선수라는 건 모름지기 경기에 집중하고, 연습에 집중하고, 좋은 경기력을 보여줘야 된다고 생각합니다. 그리고 실제로 그거는 정말 옳은 말이라고 아직도 생각해요. 근데 요즘 제가 스트리머로 활동하다 보면, 스트리머 대회가 정말 많아요. 그런데 즐겁게 하는 대회가 아니라 경쟁적인 요소가 많이 있어요.

　　"스트리머분들이 참여하는 대회가 정말 많고 그게 마케팅 목적이든 아니면 자체적으로 생산한 콘텐츠든 간에 그런 분들끼리 이제 경기를 하는데 어떻게 보면 이분들은 프로게이머는 아니죠. 프로게이머로 활동한 경력이나, 커리어가 있는 분들도 있지만, 그분들이 전부 프로게이머는 아니고. 이제 그분들이 게임을 잘하는 것도 아니에요. 티어가 최고 티어인 것도 아니고. 그런데, 그냥 재밌게 즐기려고 하는 대회가 아닌가. 뭐 이기면 이기고 지면 지고. 하하호호 하면서 하는 대회는 아닌가라고 했을 때, 실제로 온라인 플랫폼 방송들을 보는 분들은 아시겠지만. 절대 그렇지 않아요. 엄청 경쟁적이에요. 그리고 정말 수천 명의 시청자들이 욕을 하면서 봐요. 왜 이렇게 못하냐, 연습을 해라, 이런 걸 발전시켜라, 이런 얘기를 훈수까지 두면서 본단 말이에요. 그러면 저는 이런 현상들을 봤을 때, 이거를 뭐라고 정의해야 될까. 단순히 엔터테인먼트에다가, 그냥 방송하는 분들의 방송인들의 대회라고 보기에는, 실제로 경쟁적인 요소가 많이 생기고. 스토리도 많이 생기고. 그 다음에 우승을 위해 달려가는 그런 목표가 너무 확고하고 치열하거든요. 연습도 하루에 10시간씩 하고. 이렇게 정말 프로게이머를 뺨칠 정도의 연습량을, 심지어 방송을 켜고 보여줄 정도로 많이 하는데. 근데 또 과거부터 e스포츠를 보던 분들, 그리고 저까지만 하더라도. 이 사람들은 진짜 선수는 아니잖아, 하는 생각을 하거든요."

　　한편으로는 다양한 스타일의 게임들이 나오는데. 미디어 자체가 많이 달라졌어요. 예를 들면 예전에 TV에서 요즘에는 유튜브로 바뀌다보니까 어떤 개인적인 경험을 되게 중요하게 생각하는 분들이 많아진다고 생각이 들었습니다. 저도 e스포츠를 정말 좋아하고. 제가 게이머로서 활동도 해봤고 저도 다른 종목들을 많이 보는데. 점점 갈수록 개인적인 그런 경험을 많이 중요시하다 보니까. 엔터테인먼트적인 요소도 놓칠 수가 없고. 그 다음에 이제 심지어는 LCK 같은 대회에서도 이제는 '프로뷰'를 보여주잖아요. 개인화면. 그냥 이제 그 라인에서 그 개인이 한 명의 선수가 어떻게 플레이했냐. 이거를 궁금해하기 때문에 그런 것 같아요.

　　"이제 '펍지: 배틀 그라운드'라는 게임이 있어요. 이 게임은 참가자가 몇십 명씩 된단 말이에요. 이 '배그'를 하는 선수분들이나 관계자분들의 얘기를 제가 들어봤을 때 이 게임은 관전하기 너무 어렵다. 전체적인 흐름을 알아야 되는데. 개인 화면이 막 60~70개씩 되고, 이 사람들 다 뭐 하는지도 보기 힘들고. 운빨적인 부분도 있기 때문에. 일부는 초반에 막 탈락해요. 그러면 한 20명이 없어지고, 그래서 어떻게 관전을 잡아야 되지. 어떻게 이 스토리텔링을 보여줘야 되지, 라고 했을 때 되게 어려움을 많이 겪었던 종목으로 제가 알고 있거든요.

근데 재밌는 거는 스트리머가 대회를 하잖아요. 시청을 하는데 아무런 문제가 없어요. 왜냐면은 모두가 각자의 자기 화면을 가지고 있고. 그리고 이분들을 응원하고 싶거나 궁금해하는 사람들이 있으면 그 방송에 와서 이 사람의 화면을 보면 돼요. 왜냐하면 전체로 묶으면 스토리로 만들기 어려운데, 한 명 한 명의 스토리는 되게 확실하거든요. 운이 없어서 초반에 이제 사망했든. 아니면 끝까지 버티다 아슬아슬하게 2등하고 이런 것도 다 보인단 말이에요. 그래서 이런 분위기가 좀 변하나라는 생각에 저는 많이 들었어요."

그래서 이제 많은 변화가 일어난다는 생각이 들어요. 특히 이제 하스스톤이라는 종목을 좋아해서 프로게이머로 활동했고, 또 그중에서 이제 스트리머, 콘텐츠 크리에이터로 잘 된 분들이 많아요. 그래서 이제 그런 부분까지도 아울러서 생각했을 때 좀 변화하고 있는 게 아닌가. 어디까지를 우리가 e스포츠로 볼 수 있고, 어디까지 정의 내릴 수 있고, 그 다음에 중간 단계에 있는 이런 대회들이나 이런 이벤트들은 어떻게 봐야 되는가. 그래서 만약에 이런 부분들이 정말 좀 어떻게 마케팅 쪽으로 더 도움이 되고, 사람들 입장에서 더 재밌는 경험을 제공을 해 줄 수 있다면 인정해야 하는가, 아닌가. 이런 부분도 제가 많이 고민하는 부분들이고, 많은 분들이 실제로 궁금해할 만한 부분들이라고 생각이 됩니다.

"우스갯소리지만, 제가 이제 프로게이머 생활이라고 치면 사실 작년까지도 했어요. 왜냐면 작년까지도 이제 공식 대회에 나갔거든요. 블리자드에서 진행하는 공식 대회, '마스터스 투어'라고 불리는 상위 대회에 나가고, 입상까지는 못했지만, 어쨌든 경쟁을 하고 있었는데 방송을 하다보면 그런 질문을 정말 많이 받아요. '크라니쉬님은 프로게이머예요? 스트리머예요?' 저는 뭐라고 답을 못하겠어요. 왜냐하면 제가 언제든지 원하면 게이머로서 경쟁할 수 있는 기회가 있어요. 하지만 제가 방송에 집중하고 싶으면 방송에 집중할 수도 있어요. 그런데 방송에 집중하다가 저한테 어떤 대회 제안이 들어와요. 그래서 좀 이름이 알려진 하스스톤 게이머들끼리 모여서 대회를 해보자, 라고 하면 이제 그것도 할 수 있어요. 근데 그걸 보는 분들이 '그러면 이거는 대충 하는 대회네'라고 생각하냐, 그렇지도 않아요. 엄청 몰입하면서 본단 말이에요. 이런 미묘한 부분들에 대해서 말씀을 드리고 싶었기 때문에 이제 약간 미래 e스포츠, 그리고 지금의 어떤 엔터테인먼트적인 그런 부분들이 e스포츠에 통합될 수 있지 않을까, 이런 부분들도 저는 생각을 해보고 있습니다. 하스스톤과 블리자드 얘기도 했었는데 사실 이제 블리자드 쪽 e스포츠가 지금은 그렇게 형편이 좋지 않아서, 중간에 시스템적인 변화를 시도한 부분들도 있었고 그다음에 이제 되게 많은 일들이 있었는데, 대한민국의 경우에는 사실 지금 그런 느낌이 있어요. 하스스톤 대회라는 걸 했을 때 오히려 이런 제가 말씀드렸던 크리에이터들의 대회가 더 뷰어쉽이 높고 더 많은 주목을 받거든요. 물론 이분들이 한 분 한 분들이 다 커리어가 있어요. 기본적으로 이제 하스스톤이란 게임을 잘했던 분들이고 다 기본적인 경기력도 보장이 되는 분들인데, 이런 부분들이 이제 왜 공식적인 대회에서는 그렇게 되지 못했는지 어떤 부분이 부족했는지 이런 부분들도 제가 생각을 많이 하고 있긴 합니다."

토론

김영선 교수 지금 준비해 주신 내용을 들으면서 너무 생동감 있고 저희가 모르는 새로운 이야기들도 많이 나왔는데, 혹시 플로어에서 개인적으로 이 질문을 크라니쉬님께 하고 싶다 라고 생각하시는 분이 계시면 먼저 질문을 받겠습니다. 없으시다면, 잠깐 질문을 정리하시는 동안 제가 좀 먼저 질문을 드리겠습니다. 지금 대학생에서 프로게이머까지라는 제목으로 오늘 발표를 해 주셨는데, 제가 생각하기에 그 하스스톤이라는 게임이 크라니쉬님께 굉장히 인생에서 중요한 어떤 터닝 포인트가 되었다는 생각이 들거든요. 혹시 하스스톤이라는 게임을 만나기 이전과 이후에 개인적으로 자기 자신의 어떤 그런 변화, 아니면 관계에서의 변화, 아니면 다른 사람들이 나를 바라보는 그런 시선의 변화 그러한 것들이 어떤 게 있었는지 좀 말씀을 해주시면 같이 들어보겠습니다.

크라니쉬(백학준) 선수 일단 하스스톤을 하기 전에는 저도 어떻게 보면 게임을 그냥 좋아하는 학생 중의 한 명이었어요. 사실 전에는 제가 이런 비슷한 강연을 하거나 했을 때는 경기했을 때 그 짜릿함이 너무 좋다고 말씀을 많이 드렸었거든요. 제가 이제 대학교 e스포츠나 이런 얘기를 많이 했지만, 그런 거를 다른 분들한테도 좀 알려드리고 싶다는 생각이 많이 드는 게 제가 경기를 많이 했었기 때문에 지금은 좀 무덤덤해졌지만, 예전에는 저도 긴장도 많이 하고 경험이 없었을 때가 있었잖아요. 그럴 때 이제 대학교 리그에 나가서 이기고 이런 것도 어떻게 보면 대단한 일이 아닐 수도 있지만, 이제 저한테는 너무 크게 느껴졌던 거예요. 그래서 그런 느낌을 좀 알게 되면서 내가 정말 이거를 열심히 해가지고 보여주고, 그 다음에는 이기고 싶다는 생각을 하게 되잖아요. 그래서 그런 거를 좀 알게 됐다는 게 큰 것 같고 실제로 저도 이제 프로게이머 생활에 대한 질문을 받거나 아니면 뭐 이럴 때도 그런 짜릿함을 한번 여러분들이 경험해 보셨으면 좋겠다, 라는 생각

121

을 저는 항상 많이 하고 있어요.

김영선 교수 그 짜릿함이 변화의 주요 키워드가 되는 것 같은데, 이제 옵티머스를 창단할 당시에 그 배경으로 가보면, 미국에서는 이미 'CSL(Collegiate Starleague)'이라는 스타크래프트 대학생 리그전이 활성화되어 있고, 이제 제가 다른 인터뷰를 해보면 'UC 버클리'나 아니면 'MIT' 그런 대학들끼리는 이미 스타크래프트 대학 리그전을 하고 있었다고 들었습니다. 그 모델이 에카 창립에 영향을 주었고요. 그 당시, 외국 선수들하고 같이 교류전을 하셨던 것 같은데 외국 사람들이 바라보는 한국 대학생들의 게임 문화 또는 스타크래프트를 하는 그런 문화에 약간의 차이가 있었을 것 같은데, 혹시 그런 부분에 대해서 이야기가 있으면 같이 공유를 했으면 좋겠습니다.

크라니쉬(백학준) 선수 사실 제가 미국에서 대학 생활을 해 본 건 아니기 때문에, 어떤 부분이 좀 메이저한 차이일까는 모르겠지만 이제 한국에서는 게임하는 게 되게 자연스러운 문화라고 생각해요. 지금도 많은 분들이 하고 있고. 사실 이제 미국에서 게임 자체가 가지는 이미지가 오히려 어떤 의미에서는 더 좀 미국이 보수적인 면이 있다고 생각을 하거든요. 그래서 그런 시스템을 먼저 만들고, 대학 간 교류도 만들고, 이런 아이디어 자체는 정말 많이 나오고, 먼저 시행을 많이 하는 편이지만. 저는 한국의 선수들에 대한 어떤 좋은 감정이 있는 것 같아요. 미국에 있는 어떤 대학생분들이나 이런 분들이 실제로 그런 교류전 할 때도 이제 하스스톤 쪽에서도 좀 이름 있는 대학교를 다니며 재학하는 학생들도 있었고, 그런 학생들을 좀 알아보기도 하고, 이런 거에 있어서는 더 시스템적으로는 먼저 했다고 볼 수도 있지만, 그런 감성이나 문화적으로는 메이저한 느낌이 저는 좀 더 있다고 생각을 해가지고, 그런 정도의 차이는 있었던 것 같아요.

김영선 교수 제가 잠깐 이렇게 자료를 보면서 과거에 연고전에 대비할 만한 게 '카포전'이라고 저는 생각이 드는데 카포전이 2002년부터 시작을 했더라고요. 근데 카포전을 하면서 그 안에 e스포츠 종목이 들어갑니다. 그래서 혹시 카포전의 상황에 대해서 조금 경험하신 게 있으면 같이 이야기를 좀 더 추가로 이렇게 해주시면 좋을 것 같은데요.

크라니쉬(백학준) 선수 사실 라이벌전이라고 많이 하는데 저는 항상 느낀 게 그렇게 라이벌 까지는 아니거든요. 우리 학교가 좀 더 좋은 성적을 많이 거뒀고. 그럴 수밖에 없는 이유가 사실 이제 인원수 차이가 좀 많이 있어서요. 제가 알기로는 거의 2~3배 이상 돼서, 이제 어떻게 보면 선수 풀이 더 저희가 많긴 해요. 그렇게 진행이 되고 있는데 여기서 재미있는게, 좀 이공계 대학들 간의 싸움이잖아요. 농구, 축구, 당연히 이런 거 하겠죠. 실제 연고전 같은 데는 그런 스포츠를 다루는 학과들이 있고 프로를 지망하는 선수들이나 잘하는 선수들이 있잖아요. 그런데 저희는 그런 선수들이 없고, 그러다 보니까 그런 스포츠 종목에 대한 관심보다는 게임 쪽도 관심이 많이 있었던 것 같고, 이상한 종목들도 좀 있어요. 해커들이 하는 그런 이제 어떤 프로그래밍적인 문제들을 미리 준비해서, 그 문제들을 누가 빨리 푸느냐, 이런 걸 가지고 대결하기도 하더라고요. 근데 저는 사실 흥미가 하나도 안 갔지만 그런 걸 재밌어하는 분들도 있는 걸 보면, 연고전과 달리 조금 더 머리를 쓰거나 컴퓨터를 쓰는 그런 거에 초점이 맞춰져 있지 않나 그런 생각이 들어요.

김영선 교수 지금 콘텐츠도 제작하고 계시는데, 여기 내려오시기 전날까지도 굉장히 바쁜 시간이라고 말씀하셨어요. 근데 콘텐츠 크리에이터로 활동하시면서 생활 리듬이 있으실 것 같아요. 자료를 준비하고, 또 그거를 또 올리고, 업로드하고 여러 가지 그 직업만이 가지고 있는 특징, 그런 것들이 있으리라고 생각이 되는데. 어떠신가요? 직접 그런 생활을 크리에이터로서 생활하는 거에 대해서, 어떤 리듬을 가지고 계신지 잠깐 설명을 청해 듣겠습니다.

크라니쉬(백학준) 선수 네. 실제로 스트리머, 크리에이터, 이런 직업들을 많이 궁금해하시잖아요. 유튜버 뭐 이런 것도 있고, 일단 좀 어떻게 보면 불규칙한 면도 있고, 특히 이제 말씀드렸던 거는 게임 쪽을 주로 하시는 분들은 업데이트 주기가 있잖아요. 그 업데이트에 맞춰서 이제 뭔가를 해야 해요. 그래서 그러한 시기에는 좀 바빠졌다가 그렇지 않은 시기에 좀 덜 바빠졌다가 이런 부분들도 있긴 한데. 개인적으로 이제 이런 종목들에서 크리에이터로 활동하면, 시차가 있고, 또 미국이나 다른 해외에서 있는 일들이 되게 많거든요. 제가 해설자로 활동할 때도 대회 시작 시간이 새벽 1시, 10시간 연속 중계를 하고 이런 식이에요. 그래서 이제 그런 거를 해야 하는데, 실제로 보시는 분들도 피곤하시겠지만, 특히 해외 게임들, 글로벌 게임들은, 그런 게 좀 힘들 때가 있는 것 같아요.

김영선 교수 그러면 혹시 크리에이터로서 하시는 거는, 일과 여가의 중간이라는 생각이 드는데, 혹시 여가 시간이나 취미 활동이나, 좀 휴식을 취할 때는 어떤 활동을 하시나요.

크라니쉬(백학준) 선수 이런 질문을 저는 많이 듣기도 했고. 되게 중요한 질문이라고 생각이 드는 게, 제가 사실 프로게이머 했다고 얘기를 했잖아요. 크리에이터도 하고, 게임을 많이 하는 사람이잖아요. 근데 한 번씩 이런 댓글들이나 질문들이 있어요. '하스톤 여전히 재밌으신가요?' 그런 얘기도 많이 하고. 근데 어느 순간 솔직히 말하면 약간 일체화가 되어서 일과 취미가 어떻게 보면 하나가 되었어요. '재미가 어떤 거지?' 약간 이런 생각을 한때 했었거든요. 사실 근데 많은 프로게이머들이나 아니면 그런 분들이 그 생각을 하실 거예요. 근데 그거는 경쟁적으로 생각을 하니까. 이기려고, 성과를 보여주려고 생각을 하다 보니까 그런 스트레스를 받았는데. 요즘은 이제 좀 더 본연의, 그런 게임 자체 어떻게 재미있게 즐기는지 집중을 하고 싶어 하는 것 같고. 그래서 좀 다양한 경험을 많이 하고. 다른 게임들도 해보고. 다른 게임을 해본다니까 좀 이것도 약간 숙제처럼 들리긴 하는데 근데 이제 경험을 많이 하면 그만큼 좀 더 재밌는 게 많아지니까. 그래도 이제 게임 안에서 많이 풀려고 하는 것 같아요. 게임을 좋아하다 보니까. 취미 얘기지만, 이제 다른 게임들도 한번 해보고, 다른 분들이 하는 것도 보고. 근데 봐도 약간 좀 일적으로 처리되는 건 있어요. 그러니까 어떤 분들이 방송하거나 대회 경기하는 거 봤을 때 '재밌다. 되게 신기하게 게임을 한다' 이렇기보다는 저기서 저렇게 하고 이렇게 하는구나, 이런 전략 같은 것도 보이고. 이럴 때가 있긴 한데. 그래서 일과 여가를 분리하려고 하지만 분리가 잘 안되고 약간 어려운 것 같아요.

참여 대학생 저도 이제 크라니쉬님 방송을 많이 시청하고, 하스톤 관련해서도 많이 봤고 '마블스냅' 관련해서도 많이 봤고 하는데. 지금 현재 하스톤 월드 챔피언십 '서렌더'[12] 선수 나가는 걸 보고 느낀 게, 사실 작년에도 해설을 하셨잖아요. 사제vs사제 1시간 그런 것도 해설하시고 하셨는데, 그때보다도 이번에 서렌더 선수 한 번 나간 게 사실 시청률이 확 뛴 게 느껴지긴 했어요.

참여 대학생 물론 이게 서렌더 선수 개인 팬들이 엄청나게 많은 것도 사실이고, 서렌더 선수 개인 방송이 재미도 있고 이래서라고 생각하는데. 제가 좀 카드 게임 쪽을 보면서 느낀 게, 카드 게임 쪽은 실력 있고 좋은 선수들이 나가는 게 이상하게 시청자가 좀 안 나오더라고요.

참여 대학생 이게 그러니까 비단 하스톤만이 아니라, 살짝 뭐라고 해야 하지.

---

12) 하스톤 프로게이머 김정수의 아이디(Surrender). 하스톤 베타시절부터 게임을 해왔던 플레이어로, 아시아 최초 전설 등급 달성 및 하스톤 최초 종합스포츠 경기대회 대한민국 국가대표라는 이력을 가지고 있다(출처: 나무위키).

그러니까 1위를 찍고 내려와서 방송을 하시는 분들이, 방송을 하다가 그 방송이 잘 돼서 다시 이제 대회를 하고 이런 쪽이 좀 더 잘 되는 것 같더라고요. 왜냐면 마블스냅도 사실 크라니쉬님도 계시지만, '푸사'님도 있으시고 '웃는 남자'님도 계시고. 근데 사실 그중에서 저는 제일 대외적으로 많이 치는 게, '홍이림'님이라고 생각을 하거든요. 근데 홍이림님은 솔직하게 말해서 방송에 그렇게까지 매달리는 것 같지 않아요. 특히 이번 주도요.

참여 대학생 괴리가 심한 것 같아요. 다른 e스포츠도 정말 많이 보는데. 발로란트도 그렇고, 도타도 그렇고, 리그오브레전드도 그렇고, 이쪽은 그래도 실력과 이 방송이라는 이게 조금 갭이 엄청 크진 않은데, 이게 카드 게임은 이런 게 좀 있는 것 같더라고요. 이게 왜 그런지에 대해서 혹시 생각나시는 게 있으실까요?

크라니쉬(백학준) 선수 일단 제 생각에는, 저는 그 선수들의 빌드업이 되게 중요하다고 생각해요. 예를 들면 맨날 그 게임 좋아하는 사람들끼리 하는 얘기가 있어요. 특히 저 보다 이제 약간 나이가 저랑 비슷하거나, 약간 형님인 분들은. 예전에 스타크래프트 대회 같은 거 했을 때 어떤 '엄재경' 해설 님의 어떤 포장, 이 선수는 이런 선수다, 저 선수는 저런 선수다. 이런 걸 만들어 주는 것도 그렇고. 이제 그런 식으로 캐릭터를 잡아주거나, 좀 어필이 될 만한 요소가 있는 게 사실 실력 외로 되게 중요하거든요. 실제로 좀 이상한 전략 쓰거나 자기만의 시그니쳐가 있는 선수들은 실력보다 더 인지도가 더 올라가는 경우도 있어요. 탑급 선수가 아니더라도. 그래서 그런 눈에 띌 만한 게 있어야 되는데... 첫 번째는 게임이라는 게 사실 모든 시청자분들이 이 선수가 얼마나 잘하는지, 얼마나 실력이 좋은지를 알 수 있는 게 아니잖아요. 해설이 말하는 거 보고, 본인이 약간의 그런 개인적인 주관적인 견해를 곁들여서 판단을 하는 거라. 100% 그걸 다 알 수 있지 않고.

근데 이제 또 막 격투기라거나 피파 같은 건 알 수 있어요. 왜냐하면 그냥 골이 들어가거나, 아니면 더 많이 때리고 있으면 그냥 그 사람이 잘 하는 거예요. 근데 직관적이지 않은 부분들도 있어요. 스타크래프트나 리그오브레전드 같은 게임은 게임 내에서 무언가를 쌓아오는 거니까, 잘 모르는 분들이 봤을 때 누가 더 잘 싸우나 이런 건 알 수 있지만, 그 안에 들어 있는 세세한 디테일까지 다 캐치를 할 수가 없잖아요. 그러다 보니까 이제 하스스톤 같은 게임도 그렇지 못한 부분들이 있고, 특히 카드 게임이 직관적이지 못한 부분들도 있고, 카드 게임에서 사실 유명해진 분들은 대회에서 진짜 이상한 상황들 나왔을 때, 운이 너무 좋거나, 운이 너무 나쁘거나, 아니면 자신만의 그런 전략으로 이기거나 이런 경우가 많았거든요. 실제로 지금 많이 유명해진 분들도 그걸로 많이 시작을 했었고. 그래서 이제

125

전체 e스포츠로 봐도, 그리고 하스스톤만 놓고 봐도, 그렇게 좀 실력이 좋은 선수들이 바로 눈에 띄기 어렵고. 그리고 실력이 좋은 선수들이 눈에 띄려면 좀 많이 노출이 되어야 해요. 그러니까 단순히 그냥 플레이를 좀 잘했다가, 아니라 계속 상위권에 노출되고 계속해서 뭔가 유의미한 걸로 올라와서 이제 좀 아는 많은 분들이 좀 알아줬을 때. 그럴 때 그렇게 되는 것 같은데 사실 이거는 이제 e스포츠적으로 봤을 때도, 어떻게 노출시킬까 고민하고도 좀 비슷한 맥락이 있는 것 같습니다.

김영선 교수 지금 게임이라는 것이 게임 과몰입이다, 게임 중독이다, 라는 부정적인 시선들이 e스포츠 영역에도 영향을 줘서, e스포츠를 바라보는 많이 부정적인 시선들이 있는데요. 저는 그렇게 생각합니다. 지금 대학 e스포츠 동아리, 옵티머스를 만들었을 때도 그렇고. 또 여기에 계신 분들도 e스포츠 동아리 활동을 하거나, 아니면 e스포츠가 정말 좋아서 지금도 즐기는 분들이신데. 그 즐거움이 어떻게 사회적으로, 어떻게 사회에 이바지할 수 있을까. 그런 부분들을 제가 개인적으로 e스포츠 연구를 하면서 가끔 고민하거든요. 우리가 지금 일단은 놀지 않으면 살아 있는 게 아니다, 라고 얘기를 하고. 우리는 어떻게 보면 일하기 위해서 태어난 것이 아니라 즐기고 행복하기 위해서 지금 산다, 라고 생각을 하는데. 아까 짜릿함을 느끼신다고 하셨어요. 그럼 이제 하스스톤이나 이러한 e스포츠들을 통해서 얻는 즐거움을 어떻게 사회적으로 좀 기여할 수가 있을까요. 좀 질문이 넓긴 하지만, 그런 부분에 대해서 관련된 답변을 좀 들었으면 합니다.

크라니쉬(백학준) 선수 저는 이제 e스포츠 동아리를 만들었잖아요. 근데 사실 가만히 생각해 보면 제가 왜 동아리를 만들었을까. 한번 돌이켜 봤을 때 굳이 만들지 않고 혼자서 즐겨도 되는 일이었거든요. 근데 제가 지금도 고민하고 있고 예전부터 항상 고민하고 있던 문제 중의 하나가 바로 어떤 시각적인 괴리였던 것 같아요. 그러니까 게임을 좋아하는 사람들이 게임을 옹호하고, 게임으로 뭐를 좀 더 재밌게 할 수 있을까, 라고 생각을 하지만. 한편으로는 어떻게 보면 기성에서는 이런 걸 부정적으로 생각할 수 있잖아요. 근데 저는 제가 이 게임이라는 새로운 분야를 개척을 하고 싶었지만, 저의 마인드에는 이런 약간 기성의 느낌이 있었던 거예요. 왜냐하면 이제 저도 어떻게 보면 성적이 좋아서 학교를 갔고, 다음에는 학교를 가보니까 정말 모범생 친구들이 많았어요. 정말 어떻게 보면 틀에 박혀 있다고 볼 수 있는 분들도 많아서. 그래서 저는 제가 그런 동아리를 만들어서 인정받고 싶었던 이유는, 제가 생각해 봤을 때 게임과 e스포츠를 사람들이 좋아해 주고 편견 없이 바라봐 줬으면 좋겠지만, 사실은 제 마음속에도 약간 선입견이 있었던 거죠. 그래서 이제 동아리를 만들어서 공식적으로 인정을 받음으로써, 이거를 한번 이제 제대로 해보자, 라고 생각을 해서. 제가 그 생각에 초점을 맞추고 프레젠테이션을 준비해서 통과할 수 있었던 것 같아요. 그걸 이제 역으로 설득하는 그런 거죠.

근데 이제 대학교 e스포츠나 이런 아마추어 대회 같은 거는 제가 아까 말씀드렸지만, 사실 저는 어느 정도 구실도 있다고 생각해요. 저는 그냥 게임은 재밌어서 하는 거라고 생각해요. 근데 자꾸 누가 뭐라고 하는 거잖아요. '게임이 사회악'이다. '게임 때문에 공부를 못한다'. 근데 저도 공부를 학창 시절 때 되게 많이 했었어요, 대학교 가서는 안 했지만, 공부는 그냥 잘하는 사람이 사실 잘 해요. 게임이랑 관련이 없어요. 저는 고등학교 때도 그냥 자습 도망가고 집에서 그냥 '풋볼 매니저' 했거든요. 축구 게임하고 이랬는데. 어쨌든 공부를 할 사람들 하고, 그리고 나중에 흥미가 떨어지거나 안 할 사람들은 결국 하지 않는다고 저는 생각을 하거든요. 그래서 어떻게 보면 이제 다른 분들께 인정을 받기 위해서, 그런 어떤 이유들이 있으면 좋겠다고 생각을 하지만, 사실 그런 대회를 통해서 친목 도모하고, 경험하는 거는 이제 좀 다른 스포츠나 다른 활동에서는 좀 쉽지 않다. 왜냐하면 이제 스포츠라는 것 자체가 기본적으로 힘들잖아요. 그리고 스킬도 많이 필요하고 신체적인 활동도 많고 체력 소모도 심해요. 근데 이제 게임은 그런 면에서는 확실히 강점이 있다고 저는 생각이 들거든요. 배우기도 좀 더 쉬운 게임들도 있고, 그래서 그런 걸 통해서 친목 도모를 하거나, 사회적 활동을 하는 거는 되게 좀 용이할 수 있겠다, 라는 생각을 다른 취미들에 비해서 하거든요. 그래서 그런 거는 제가 좀 강조하면 좋을 것 같아요.

참여자 다른 게임도 하시나요?

크라니쉬(백학준) 선수 저 원래 오버워치도 진짜 많이 했고, 그냥 리그오브레전드 같은 것도 원래 많이 했고, 저도 이제 굉장히 진성 게이머라서. 그때 유명한 걸 많이 했는데 이게 사실 카드 게임이란 게, 제가 최근에는 이제 리치 마작을 하고 있거든요.

마작이에요. 근데 이게 카드 게임이라는 게. 사실 원래 막 포커 막 이런 거 보면 '도박이다'. 이런 얘기를 진짜 많이 하거든요. 그래서 실제로 이제 그런 시장이 해외에는 정말 크고 그런 대회들도 많이 열리고, 카드 게임으로 이제 하는 대회들이 많지만, 하스스톤은 그 카드 게임의 본질에 굉장히 좀 다른 '월드 오브 워크래프트' 캐릭터들을 넣음으로써 숨겼다고 저는 생각을 하거든요. 그래서 좀 더 재밌게 즐길 수 있었던 것 같은데. 이제 최근에 저는 이제 '나는 카드 게임을 정말 좋아하니까 카드 게임 많이 해야지' 생각해서 홀덤, 마작 같은 거 배우고 있긴 한데.. 저는 재밌고 입문하기 쉽다고 생각합니다. 근데 이제 그런 인식이 아직 카드 게임에는 남아 있는 것 같다는 생각이 드네요.

참여자 혹시 다른 카드 게임에도 재능이 있으신가요?

크라니쉬(백학준) 선수 저는 잘하는 것 같은데, 근데 이제 뭐 딱히 대회라든가 이런 증명할 수 있는 게 많이 없다 보니까. 아직까지는 그냥 저만의 주장이고. 다른 것도 좀 잘 하면 도전해 볼 수도 있겠죠. 근데 일단은 연습하고 있습니다.

이상호 교수 오늘 이야기 잘 들었습니다. 오늘 이야기는 10년 동안의 어떤 과정인데 궁금한 건 앞으로의 10년과 20년 이후에도, 본인이 어쨌든 간에 생각도 있고 계획도 있을 거 아닙니까. 어떻게 할지가 개인적으로 굉장히 궁금하거든요. 지금은 좋아서 한 거고. 좋아했던 것이 자기 나름대로 그게 하나의 길이 되고 하나의 JOB(일)이 되고 있지만. 앞으로의 미래는 또 다른 주위 환경 관계에서 따라서 또 달라질 것 같으니까. 그대로 갈 것인지, 안 그러면 어떤 일을 구상하고 있는 건지. 거기에 대해서 본인의 미래를 이야기해 주는 것도 여기에 참석한 분들이 미래의 진로를 생각하는데 좋은 일이 아닐까 생각이 듭니다.

크라니쉬(백학준) 선수 사실 저도 많이 생각을 했던 부분이고 왜냐하면 이런 문제는 현실적이지만 솔직한 부분이잖아요. 다른 사실 프로게이머들도 마찬가지예요. 물론 돈을 많이 버신 분들도 있겠지만, 앞으로 뭐 할 거냐, 라는 질문에 대해서 명확하지 않잖아요. 왜냐하면 이제 e스포츠 게임 이런 쪽이 이제 어떤 트랙이 정해져 있는 것도 아니고. 그래서 이제 고민이 많이 되는데. 제가 오늘 이런 자리에 되게 귀중하게 기회를 주신 부분도 있고. 굉장히 감사하게도 제 얘기를 할 수 있는 기회들이 좀 생기는 것 같아요. 점점. 그래서 저도 이제 게임과 e스포츠를 너무 사랑하는 사람으로서, 제가 이제 그런 관련된 콘텐츠들을 만들어 보자. 예를 들면 관련 유튜브 채널을 할 수도 있고. 관련 칼럼을 쓸 수도 있고. 관련된 이제 연구를 할 수도 있는 거잖아요. 나중에. 그래서 그런 어떻게 보면 조금 더 진중한 쪽으로 가는 거긴 한데. 근데 이제 그런 분야가 좀 한국에서도, 글로벌로도, 아직 많이 엄청 발전된 분야가 아니기도 하고. 그리고 이제 아까도 동아리 만들었던 이유랑 좀 비슷한 것 같아요. 제가 오히려 약간 찔렸던 거죠. 게임을 내가 너무 많이 해서 성적이 안 나온다고 생각을 한다거나, 이렇게 생각할 수도 있고. 스스로 약간 뭔가 좀 걱정이 돼서 오히려 오피셜하게 동아리를 만들었던 것처럼.

만약에 제가 생각하는 게임에 대한 부분을 다른 일반적인 대중분들에게 설득하거나 할 수 있다면. 그것도 좋은 일일 수 있을 것 같아서. 오늘 제가 여기서 말씀 드리는 것처럼, 저도 앞으로 저의 생각과 이런 걸 가다듬어서 글로 쓸 수도 있고, 영상으로 만들 수도 있고. 이런 작업을 저는 하고 싶다는 꿈이 있거든요. 그래서 그런 쪽을 준비를 하고 있는데. 지금은 이제 제가 지금 하는 그런 일이 좀 벅차긴 하지만, 어차피 이런 쪽은 제 생각에는 이제 정말 오래 갈 수 있는... 그러니까 어 떻게 보면 지금 당장이 아니라 사실 5년 10년 봐야 될 수도 있는 일도 있다 보니 까. 그래서 그런 준비를 하고 싶다는 생각은 있습니다.

이상호 교수 두 번째는 발표자 본인이 해왔던 게 스텝 바이 스텝 해서, 즉 일반적 으로 생활e스포츠로 기초적인 단계에서 시작해서 전문 프로의 과정을 보여준 것에 먼저 감사를 드리고요. 그럼 그와 관련된 가장 문제가 뭐냐 하면은, 그렇게 하는 어 떤 이야기의 전제 조건은 종목사가 만드는 게임이 전제하에서 시작하는 거잖아요.
　그렇다면 거꾸로 이 종목사의 게임이 어느 정도 바뀔 때마다, 또 새로운 어떤 형태로 출발을 좀 해야 된다는 입장이 있는데. 물론 좋다고 생각하지만 거꾸로 한 국은 왜 저런 게임을 못 만드는지에 대해서 한 번쯤 생각을 해본 적은 없는지. 그리고 또 하나는 지금도 외국에서 할 때 자기 집에 갖고 있는 노트북이나 컴퓨터 를 갖고 하는지, 지금은 좀 많이 바뀌지 않았을까, 라고 생각이 들거든요. 그 두 가지입니다.

크라니쉬(백학준) 선수 말씀해 주신 대로 사실 이제 후자의 경우에는 지금은 사실 그런 문화가... 지금은 어린 친구들까지 그렇게 하고 있지 않다고 생각이 들고, 방 문해 볼 만한 행사들은 많은 거니까요. 왜냐하면 아까 말씀드렸던 전통을 가지고 있는 그런 행사나 이벤트들이 있잖아요. 그래서 저도 그런 곳에 가서 되게 재밌었 지만, '이 친구들은 되게 가까운 데서 그런 것들이 벌어지는구나'라는 생각이 좀 들더라고요. 근데 이건 약간 운도 좋은 게 이제 유럽에는 국가들이 되게 많다 보 니까. 버스 3~4시간 타서 다른 나라 가고 이런 게 되잖아요. 그래서 이제 다른 항공기 값 같은 것도 되게 저렴하게 왔다 갔다 할 수 있는 것들이 많아서 좀 부 럽다는 생각을 하긴 했는데... 아마 지금은 그렇게 하지 않지만, 그 예전의 정신을 가지고 있는 그런 종류의 이벤트는 아마 많이 사라지지 않을까라고 생각합니다.

이상호 교수 한국 회사가 왜 그런 게임을 만들지 못하는 걸까요?

크라니쉬(백학준) 선수 이게 저도 진짜 그게 어려운 부분인 것 같아요. 블리자드라 는 회사를 예로 들어볼게요. 블리자드가 이미지가 정말 좋았고 지난 십 수년간.

그리고 정말 '제대로 게임을 만드는 회사다'라고 적어도 저랑 비슷한 동년이거나 아니면 좀 형님들은 그렇게 생각하는 분들이 많아요. 근데 사실 현실은 이제 '액티비전'이 인수·합병해서 지금 어떻게 보면 제가 알던 개발자분들 다 나갔거든요. 다른 회사를 만들고 이랬는데. 그러다 보니까, 사실 회사의 기본 목적은 이제 이윤을 추구하는 거라서 어쩔 수 없이 당연히 이제 돈을 많이 벌 수밖에 없겠지만. 그렇다고 이제 블리자드가 '액티비전 블리자드'가 되면서 이제 많은 것들이 기조가 변했는데. 그 과정 중에 하나도 이제 e스포츠에 대해서 확고한 철학을 가지고 있지 않다거나, 혹은 e스포츠를 좀 제대로 이제 만들어 볼 생각을 안 하고 투자를 줄이거나 이런 것들이 좀 있었어요.

솔직히 말하면. 그래서 되게 어려운 얘기인데 이런 게임사도 어떤 종류의 모럴이 필요한 게 아닌가라는 생각을 저도 하거든요. 그리고 이제 게임을 즐기는 방식 자체도 좀 국내 같은 경우는 항상 그런 게 있어요. 그러니까 그런 어떻게 보면 '가챠' 같은 그런 요소도 있고, 어떤 e스포츠를 할 수 있는 그런 게임들보다 조금 더 이제 돈을 잘 버는 형태의 게임들이 있잖아요. 근데 사실 그거를 유저분들이 좋아하는 것 같아요. 제 생각에는. 그러니까 많이 팔리는 것도 있어서. 그래서 이거는... 제가 진짜 게임 개발을 하는 입장이 아니라서 답하기 어렵긴 하지만, 좀 공감대가 형성이 돼야 할 것 같아요. 그러니까 어떤 게임이 좋은 게임인가에 대한 게 되게 미묘하잖아요.

회사 입장에서 돈을 많이 버는 게 좋은 게임이지만, 근데 이제 유저들 입장에서는 좋은 경험을 결국 줄 수 있는 거고, 지금 있는 게임들은 그 좋은 경험이 내가 돈을 투자한 만큼 게임 안에서의 존재감이 막강해 지면은 그걸 즐기는 형태의 유저들도 많은데. 근데 이제 저희가 경쟁하면서 얻을 수 있는 그런 좀 좋은, 포지티브한 그런 부분들도 있잖아요. 나쁜 부분들 말고. 그런 거를 좀 강조해야 할 것 같아요. 그래서 제가 아까 말했던 대회 경험이나 이런 거를 좀 많은 분께 드리고 싶다는 것도 사실 비슷한 맥락인 것 같아요. 경쟁, 이렇게 조그마한 대회를 했어도 이 조그마한 대회 남들이 안 알아줄 수도 있지만. 내가 나름대로 기분을 내서 나가서 입상을 했더니 색다른 기분이다. 이런 거를 일단 주는 게 어떻게 보면 인식을 바꾸는 데 도움이 될 수도 있지 않을까, 라고 저는 생각을 합니다.

김영선 교수 중요한 말씀 많이 해 주시는 것 같은데, 게임을 통해서도. 이제 대회 경험을 통해서 그것이 선한 영향력으로 사회에 파급되고 인식이 개선될 수 있다, 라는 그 점을 되게 강조해 주신 것 같아요.

이학준 교수 저는 뭐, 게임을 보는 입장이 어떻게 보면 블리자드라는 게임 회사가 만든 놀이판에 많은 사람들이 놀아나는, 그게 뭐냐 하면 놀아나는 구조는 '악셀 호네트'라는 사람의 '인정 투쟁'이라는 말인데. 게임 속에서, e스포츠에 자기가 최고라는 그 인정을 받기 위한 그런 걸 교묘하게 이용해서, 계속 게임을, e스포츠를 하게 만드는 그런 속성이 있는 그런 것은 아닌가하고 생각합니다. 그리고 또 하나 우리가 관점을 전하는 영화를 볼 때, 영화는 킬링 타임이라 하고 시간을 죽이는 거라고 이렇게 생각을 하는데. 제가 영화를 보니까 재미도 있고, 감동도 있고, 교훈도 있고, 이런데. e스포츠라는 게 그 좋은 경험이라는 것이, 이렇게 재미도 있고. 어떤 감동도 있고. 그다음에 그 사람에 대한 인생의 교훈도 줄 수 있는, 그런 것들이 어떤 돈만 벌려는 이런 회사들이... 아까 얘기했던 어떤 경영 윤리라든가, 그 회사의 어떤 기업가 정신이라든가. 이런 것들이 이 유저들이 요구해야 될 것이 아닌가. 그냥 놀아나지 말고. 내가 요구되는 그러한 게임들이 나와서, 그런 게임들이 확산되고 그것이 사회적 기여가 될 수 있는, 그런 요인이 역으로 돼야 되지 않을까. 그냥 충성스러운 어떤 유저가 되는 게 아니라 저항하고, 비판하면서, 게임판을 전환할 수 있는, 우리 사회에 요구되는 그런 판을 바꿀 수 있는, 많은 유저가 있는 한국의 목소리를 반영해서, 어떤 사회적 변화에 기여할 수 있는 거. 그런 걸 한번 생각을 해보는 게 코멘트고요. 또 하나는 이런 생각을 했는데 하스스톤의 종말. 이게 사라지면 이걸 대체할 수 있는 다른 것들이 등장을 하겠죠. 근데 제가 문득 이런 생각을 했습니다. 하스스톤을 하시는 분이 다른 e스포츠를 보는 관점과, 리그오브레전드를 하는 사람들이 하스스톤을 보는 관점은 어떤가, 그거 한번 여쭤보고 싶습니다.

크라니쉬(백학준) 선수 일단은 이제 기본적인 종목 이해도 있어야 되긴 하잖아요. 그러니까 예를 들면, 리그오브레전드를 하는데 이 챔피언이 뭔지, 무슨 아이템이 있는지, 이런 것도 모르면 안 되다 보니까. 이제 그런 거는 이해가 돼야 하는 부분이긴 한데. 근데 저는 어떤 부분에서는 되게 흡사한 부분이 많다고 느끼기도 해요. 특히나 이제 경쟁이 있는 프로 단계의 어떤 게임들에서는, 실제로 제가 제일 크게 많이 느끼는 부분 중의 하나는 그런 질문들을 많이 들어요. 제가 어떤 전략을 설명하거나 제가 대회에서 이렇게 했다. 저렇게 했다. 를 말할 때 어떤 댓글이나 이런 데서 '그렇게 했다 망하면 어떡하냐'라고 했을 때, 사실 일반적인 분들은 '이렇게 하면 잘 안 될 것 같은데, 망할 것 같은데'라고 하는데 게이머들은 '그럼 어쩔 수 없지'에요. 거기서 왜냐하면 그게 경쟁의 본질이기 때문에.

그래서 많은 그런 리그오브레전드 경기를 보지만, 그런 전략을 준비하잖아요. 전략을 준비를 하고, 상대방을 예측을 하고, 준비를 했을 때, 플랜과 이제 '리스크 리워드'가 있는데 항상 리스크에 대한 생각을 많이 하더라고요. 그러니까 리스크를 얼마나 줘야 되냐. 리스크를 이만큼 줬을 때 얼마나 리워드를 얻을 수 있는지. 왜냐면 무서워서 리스크를 아예 안 지면은 그거는 이제 경기가 성립이 될 수가 없거든요. 그래서 그런 쪽을 저는 선수로서 보게 되는 것 같아요. 예를 들면 이제 전략 같은 게 보이잖아요. 그런 거 했을 때, 어떤 경우는 지면 욕을 먹어요. 근데 이제 그 욕을 먹는다고 사실 졌다는 결과가 변하지도 않고, '준비할 때 어떤 심정으로 준비했을까'라는 생각이 들면서, 약간 그런 제가 직접 대화해 본 건 아니지만 선수들의 생각이 읽히는 경우들이 있는 것 같아서 이를 저는 중점적으로 많이 보게 되는 것 같습니다. 그래서 게임은 사실 경쟁에 들어가면 비슷한 부분들이 되게 많더라고요. 요소요소만 달라질 뿐이지 어느 정도는 통합적으로 볼 수 있는 부분들이 있는 것 같아요.

이학준 교수 하스스톤은 운빨이라고 이야기했는데 지금까지 이뤄내신 것을 보았을 때는 그 운빨이라는 것도 실력인 것 같습니다.

크라니쉬(백학준) 선수 하스스톤이 운적인 요소가 있는 게임이고, 뭐 되게 이제 운이 많이 작용한다, 근데 '저는 운이 좋은 사람이다'. 저 항상 이렇게 얘기해요. 그냥 좀 당당하게 '나는 운 좋다' '항상 잘 풀린다' 이런 식으로 얘기를 하거든요. 이제 노력을 물론 저도 많이 하긴 했는데. 근데 이제 결정적인 순간순간들이 있거든요. 참 재밌는 게, 아까 말씀하셨다시피 '스포츠에서는 운도 실력이다'. 이런 얘기 있잖아요. 왜냐하면 실제로 스포츠에서도 보면 분명 실력적인 요소가 있는 건데도, 뭔가 묘하게 살짝 틀어진 그런 부분 때문에 균열이 생겨서 원래 생각했던 계획이 안 되고, 그러면 그것 때문에 실수를 반복하고 이게 정말 조금만 그게 맞았으면 될 수도 있고, 안 될 수도 있는 경험들이 되게 많거든요.

　그것도 어떻게 보면 운이라고 볼 수도 있는데. 그런 요소까지도 커버할 수 있게 좀 백업 플랜을 짜두거나. 노력을 하는 것도 중요하고. 그 다음에 제가 선수로 하면서 생각을 했던 거는 이거는 꽹장히 좀 디테일한 부분이긴 한데. 그런 균열이 생길 것 같은 조짐이 보일 때가 있어요. 그럴 때 그거를 어떻게 할지를 정해야 돼요. 이걸 안고 갈 건지, 단칼에 잘라낼 건지. 마치 약간 스포츠로 치면 교체 같은 거랑 비슷한 거죠. 이른 시간에 교체하고 이런 식으로 전략을 바꾸잖아요. 그런 것처럼 그것조차도 약간 어떻게 보면, 좀 본능적인 수준에서, 혹은 꽹장히 좀 감각적으로 딱 캐치했을 때 어떻게 할 거냐. 예를 들면, 카드 게임이 운 게임이라고 하지만, 정말 수세에 몰렸을 때 도박을 해야 되거든요. 근데 원래 도박은 무조건 승률이 낮아요. 하지만 하는 거예요. 왜냐하면 난 이거 아니면 지겠다 싶으니까. 그런 것도 이제 노력으로 커버되는 부분도 있고. 운이 좋았던 부분들도 있지만.

그런 노력을 선수가 되면 무조건 하게 되는 것 같아요.

이학준 교수 하스스톤의 전망에 대해서는 어떻게 생각하십니까?

크라니쉬(백학준) 선수 제 생각에는 근데 묘하게 요즘 게임들은 좀 오래 가더라고요. 그러니까 이제 제가 사실 어릴 때만 하더라도 게임들은 무조건 수명 있는 것 같고, 수명 있는 게임들은 모바일 게임으로 가는 것 같아요. 근데 어느 정도 규모를 키웠던 게임들은 계속하고, 그 다음에 그게 있어요.

예전에 어른 분들을 보면 '게임은 애들이 하는 거기 때문에 난 어른이 됐으니까 이제 게임 안 할 거야'라는 느낌의 분들이 많았는데, 요즘은 한 번씩 생각나면 또 하고, 다시 복귀해서 하고, 혹은 본인이 게임을 못하는 상황이더라도 방송을 또 봐요. 대회를 보거나, 그걸 하는 분들이 방송을 보기 때문에 스타크래프트 같은 종목은 지금도 방송 많이 보잖아요. 나이 있는 분들이. 그래서 그렇게 봤을 때는 저도 쉽게 사라지진 않을 것 같아요. 저도 그래서 오늘 내일 한다, 이런 느낌은 아니고. 그냥 이제 한 2~3년 안에 나의 진로를 대체할 수 있는 걸 찾을 때까지는 할 수 있겠다. 약간 이런 생각을 해서, 그렇게 생각하고 있습니다.

김영선 교수 전망에 대해서 긍정적인 말씀을 해주셨습니다. 근데 제가 생각하기에 게임이 생겨났다가 없어지고 하는 것이 주기가 너무 짧지만, 카드 게임이라는 장르가 있기 때문에. 그 장르라는 것은 계속 살아있지 않을까 싶습니다.

크라니쉬(백학준) 선수 그런 얘기를 제가 들었었거든요. 10대 후반에서 한 20대 초반까지의 경험들과, 본인이 이제 즐기고 이랬던 것들이 어떤 평생의 그런 문화적인 취향을 만든다. 그래서 이제 나중에 조금 더 이제 연령대가 올라가도 그것들을 찾게 된다. 이런 얘기를 제가 들었어요. 혹시 오버워치 하신 분들 계신가요? 오버워치 많이 하셨나요. 제가 한 5년 전쯤, 4~5년 전쯤에 느낀 건데 게임을 좋아하는 여성분들 중에 오버워치를 좋아하는 분 진짜 많았거든요. 제가 느끼기에는 거의 그냥 하나의 문화적 현상이었어요. 그래서 제가 얘기를 나눠봤을 때 그 현업에 종사하는 분들 중에 누구를 만나더라도 이런 거예요. 그러니까 게임을 계속하면서, 배고프면 밥 먹고 그 자리에서 계속하다가 나중에 보니까 한 2만 원인가 3만 원 충전을 했는데 다 썼대요. 그 정도로 본인의 인생과 이제 등가교환 한 분들이 있거든요. 그걸 경험하고 나는 게임 좋다. 나 이쪽 현업에서 일하겠다, 라고 결심한 분들도 있고. 그런 강렬한 경험은 무조건 남는 것 같아요. 그래서 그분들이 팬이 돼서 또 게임을 지지해 주거나. 이런 건 있어서, 사실 스타크래프트가 예전에 그랬던 것 같고 리그오브레전드도 그랬던 것 같고. 약간 그 정도 느낌을 줄 수 있는 게임은 쉽게 안 사라지는 것 같아요.

사실 저는 유행이나 이런 거는 장르를 탄다고 저는 생각이 들어서. 그러니까 예를 들면 카드 게임을 계속하는데, '카드 게임이 이제 하스스톤 때문에 다른 후발 주자가 안 생긴다.' 이렇게 볼 수도 있겠지만, 사실 '매직 더 개더링'이라는 해외에 하스스톤의 모티프가 된 그런 게임도 있고, '유희왕' 같은 게임들도 사실 팬덤이 엄청나요. 저는 제가 사실 개인적으로 이해가 안 될 정도로 정말 충성심이 강한데. 그 게임도 사실 예전에 나왔는데 한 번 하스스톤이 나오면서 패러다임을 깼거든요. 거기서 이제 카드 게임 그거? '아는 사람만 하는 되게 어려운 게임이다'라고 했는데 그걸 되게 직관적으로 바꿨습니다. 한 번씩 그렇게 패러다임을 깨면서 지금은 '발로란트'나 FPS가 많이 올라오는 흐름이 있는 것 같아요. 그래서 아마 하스스톤이 많이 플레이될 때는 계속 많은 분들이 하스스톤 즐기다가, 또 한동안 다른 장르가 뜨면, 또 잠시 안 하다가, 또 새로운 카드 게임이 나오고 이러면 할 것 같긴 한데. 확실히 이제 다른 기성 스포츠에 비해서 장르가 막 쉽게 사라지고 다시 생기고 하다 보니까 좀 혼란스러운 면은 있는 것 같습니다.

이상호 교수 10년 동안 프로 선수 하셨다 그랬잖아요. 그래서 사실 e스포츠가 지금 어느 정도 안정화되지 않는 이유가, e스포츠를 자기가 직업으로 할 수 있는 능력이 될 수 있느냐, 직업의 영역이 얼마나 넓은지와 비교했을 때 e스포츠의 직업 영역은 사실 되게 많이 좁잖아요. 10년 동안 해보셨기 때문에 그래도 필요한 직업 영역은 있을 것 같아요. 예를 들어 저 같은 경우에는 그런 이야기를 하거든요. 옛날에 프로야구 할 때 프로야구 선수가 던지고, 모션 캡처하고, 비디오 찍고 이런 일은 십몇 년 전에는 없었거든요. 그러나 프로야구를 좋아하는 학생들이 그냥 자기가 좋아해서 분석해서 나중에 바로 분석관으로 가는 경우도 있습니다. 그렇다면 사실 제 생각에는 e스포츠의 직업은 무궁무진하다고 생각을 하거든요. 감독이든지, 심리 코치라든지, 데이터 분석이라든지 아니면 또 트레이닝이라든지. 다양한 종목에 관련되는 어떤 전문가가 좀 필요를 할지 안할지 잘 모르니까. 거기에 대해 어떻게 생각을 하고 있는지 궁금합니다.

크라니쉬(백학준) 선수 사실 있으면 저는 무조건 좋은 그런 직종들이 있다고 생각하는데, 규모가 사실 커져서 그분들의 어떤 연봉을 감당할 수 있거나, 그렇게 되면 이제 아마 많이 생기겠지만 저는 일단 첫 번째로 제가 생각하기에는 심리 상담이 필요하다고 생각해요. 근데 이제 왜 그러냐면, 스포츠랑 제가 생각해 좀 다른 점은 그게 퍼포먼스에 엄청난 영향을 끼쳐요. 되게 많은 그런 요소들이. 내가 이거 할 건가, 저거 할 건가에 기로에서 선택을 하는 거예요. 예를 들면 당연히 스포츠도 그런 선택의 그런 머리를 쓰는 기로가 있겠지만. 단순히 신체 스펙이 좋아서 그냥 되는 경우도 있어요. 그냥 달리기가 너무 빨라서, 혹은 이렇게 그냥 기본적인 스펙이 유지되기 때문에. 그런 전략들이 있지만, 이제 e스포츠의 중요한 점은 선택의 기로에서 내가 실패할 걸 알면서도 올바른 선택을 할 수 있는가. 그런 일이 정말 많습니다. 그러니까 이렇게 해서 잘 될 확률 60% 망할 확률이 40%인데, 40%에 PTSD가 있거나 두려우면 못 해요.

이거를 욕먹는 게 무섭거나 이러면. 실제로 이런 의사 결정 과정이 끊임없이 일어나기 때문에, 그리고 그런 컨디션 차이에 따라서 정말 퍼포먼스가 왔다 갔다 하는 이 폭이 넓다고 생각하거든요. 그래서 그게 중요하고. 그다음에 이제 이미 시도되고 있는 분야인데 통계 분석이죠. 왜냐하면 모든 걸 수치화하기 훨씬 쉽다 보니까. 예를 들면 스포츠가 모션 캡처를 한다고 하지만, 이거는 그냥 애초에 데이터가 있는 거잖아요. 모션 캡처 같은 거 할 필요도 없이.

그래서 제 주변에는 통계 박사인데 게임통계자료 쪽으로 창업을 했거나, 프로게임단에 통계분석으로 가는 분들도 있습니다. 이 외에도 의료 쪽에도 있습니다.

이상호 교수 저는 예를 들어 프로선수들을 타고 난, 신의 선물이라고 생각할 만큼 타고났다고 생각하거든요. 근데 궁금한 것은, 노력하면 최고의 선수에 들어갈 수 있는 건지, 노력을 한다고 되는 것인지 궁금합니다.

크라니쉬(백학준) 선수 최상은 안 되는 것 같아요. 그러니까 어느 정도 족적을 남기는 거는 물론, 그분들도 다 재능이 있겠지만. 최고의 선수가 되는 거는 정말 어려운데 특히나 제가 아까 심리적인 부분 말했잖아요. e스포츠는 타고 난 대범함이 있는 사람들이 있어요. 어릴 때부터 그러니까 남의 반응에 신경 전혀 안 쓰고...

어떻게 보면. 근데 이제 리그오브레전드 같은 경우에 되게 유명한 '캐니언' 선수였나. 정글러 하는 이제 그런 선수가 한 명 있어요. 그분이 이제 월드 챔피언도 됐었고 이런 분인데. 중학생 때 프로게이머 하겠다고 얘기를 해서 어머니가 물어봤대요. '프로게이머로서 가지고 있는 너만의 장점이 뭘까?'라고 물어봤더니 중학교 2학년이 '어떤 상황에서도 흔들리지 않는 대범함을 가졌다'는 거예요. 본인이. 그걸 듣고서 저는 실제 퍼포먼스를 떠나서 이미 그 성격부터가 이 사람은 된다고 생각이 들더라고요 그거는 타고나는 것 같아요. 왜냐하면 저도 긴장을 진짜 많이 하는데 진짜 경기를 많이 하니까 많이 줄었어요. 많이 줄었는데도 불구하고, 솔직히 저는 좀 질투심이 있어요. 그런 분들한테. 왜냐하면 제가 수를 보거나 플레이하는 능력은 있다고 생각하는데, 근데 그 대범함을 저는 인생 바꿔서 가질 수 있

135

다면 정말 가지고 싶을 정도로 그거는 타고나는 것 같아요. 그래서 그거는 '게임할 때는 다른 스포츠에 비해서 더 중요한 것 같다'라는 생각이 저는 들었어요.

참가자 방송 활동을 하거나, 프로게이머 활동을 할 때, 시청자들이 훈수를 두는 행위가 있다면 너무 힘들 것 같은데 혹시 마인드 컨트롤을 어떻게 하시나요?

크라니쉬(백학준) 선수 저도 진중한 성격이라서 그게 힘들 때가 있었는데 지금 와서 답은 내려놔야 된다는 것입니다. 제가 대학교 친구들 중에 다양한 직종에 종사하는 분들이 많은데, 제가, '나는 사이버 광대, 팡머다' 이러면서 얘기하는데, 근데 이게 저에 대한 비하가 아니라, 그 말 그대로 사람들한테 보여주는 거니까요. 예전에는 '난 프로게이머고, 난 엄청 대단한 사람이고, 난 되게 잘하고. 너네들이 뭔데 나한테 그렇게 얘기를 하냐'라며 핏대를 세웠었지만, 이제는 '네가 나보다 잘해? 너 월드 챔피언 가봤어?'라고 이야기하면 다른 사람들도 이제 약간 회피하는 거죠.

 그러니까 너무 말도 안 되는 훈수를 당당히 하면 '봐봐 너 말대로 할게'하고 그대로 하는 걸 보여줍니다. 그럼 책임을 전가하는 거죠. '봐봐 네가 하는 대로 했는데 이렇게 망했잖아 어떡할 거야' 이러면 다른 분들도 '이제 어떡할 거야 봐봐 이제 아무것도 모르는 애가 훈수 둬서 이렇게 됐다'라고 이야기가 나옵니다.

참여 대학생 저는 개인적으로 e스포츠를 볼 때, 사실 저는 게임을 원래 많이 했는데. 요즘에는 하는 것보다 보는 걸 더 좋아하기도 하고. 하스스톤도 사실 처음 할 때 해보려고 했다가 하스스톤이 좀 전제 조건이 많이 필요하잖아요. 저는 골드를 모아야 해서 투기장을 하다가 좋아하는 메타 분석정도만 하는데, 사실 저는 e스포츠 동아리를 들어간 것도 사실 그런 쪽을 좀 하고 싶어서 들어갔었던 겁니다. 그러니까 뭔가 여러 대회를 보면서 나누고 메타를 분석하고, 이런 쪽이 뭔가 e스포츠 동아리 아닐까를 생각하고 갔는데. 처음부터 만들어질 때부터 살짝 한국의 e스포츠 동아리는 하는 거 위주가 많은 것 같더라고요. 그래서 제가 그러니까 질문적으로 궁금한 거는, 처음 만드실 때도 사실 그런 쪽은 살짝 아웃사이드였던지가 궁금해서.

크라니쉬(백학준) 선수 근데 그게 사실은 원래 아웃사이드 할 수밖에 없어요. 왜냐면 사실 대부분의 팬분들이 당연한 얘기지만, 확률적으로 당연한 얘기지만, 그냥 이제 '어제 페이커 선수 미치지 않았어?' 이런 얘기하는 거예요. 사실 좋아하는 거죠. 근데 이제 분석이나 이런 거는 너무 좀 딥한 영역이고. 처음 제가 동아리 만들 때는 그렇게까지 제가 게임을, 지금 정도의 이해도는 없었기 때문에 저도 이제 좀 즐기는 그리고 약간 좀 환원하는 느낌으로 했다가, 나중에 이제 저도 분석적인 걸 좋아하게 되었는데. 근데 사실 좀 목마름이 좀 있죠. 그런 걸 좋아하는 분들은 왜냐하면 어디를 가도 정보를 찾기가 어렵고, 그런 걸 좋아하는 분들이 많지 않다 보니까.

대학교 동아리 수준에서는 사실 어렵지 않을까요. 왜냐하면 프로게이머 지망이 아니기 때문에. 그런 거를 만약에 좋아하는 분들이 주변에 있으면 그거는 저는 진짜 행운이라고 생각해서. 저도 막 한창 때는 예를 들어, 하스스톤을 좋아하면 정말 다 찾아봤어요. 막 무슨 몇 등을 달성한 어떤 선수가 어떻게 했고, 이 선수는 헝가리 출신인데, 이런 거 막 찾아봤거든요. 근데 이제 보통 주변에 얘기하면 그게 뭔데, 그래서 이렇게 얘기를 하기 때문에. 이제 제 생각에는 좀 어떤 본인만의 커뮤니티를 더 찾는 게 좋지 않을까. 동아리 가서 이제 막 얘기하면 '뭐 하는 거야?' 이러면서 이렇게 얘기를 하기 때문에. 오히려 그런 걸로 이제 본인의 인사이트가 만약에 생기면 또 만들 수도 있는 거잖아요. 유튜브 영상을 만들거나, 할 수도 있는 거라서 나쁘다고 생각하지 않습니다.

김영선 교수 지금 말씀하시는 거를 전통 스포츠하고 비교해 보면 e스포츠 생태계는 훨씬 넓은 것 같아요. 그리고 온라인 가상공간이라는 곳이 정말 여러 가지 전문 영역에서 새로운 직업들이 많이 창출될 수 있는 그런 가능성이 무궁무진한 그런 분야임에는 틀림없는 것 같습니다. 이전에 대학생이라는 그런 신분도 있고 또 대학생 경험부터 이렇게 프로게이머 경험, 이런 콘텐츠 크리에이터의 경험들 다 이렇게 말씀을 해 주셨는데 이 자리에서 후배들에게 마지막으로 해주고 싶은 말씀이 있으면 그 말씀 듣고 이 시간을 좀 마무리할까 합니다.

크라니쉬(백학준) 선수 저한테 '어떻게 카이스트 다니다가 프로게이머가 됐어요?' 라고 말하는 분들이 있는데 '하스스톤이라는 종목도 특수하고 이러다 보니까 어쩌다 보니까 됐어요'라고 합니다. 저는 후배님들에게 저처럼 하라고 하는 건 너무 이상한 일이고, 실제로 게임 실력이 좋더라도 그거는 이제 굉장히 좀 특수한 부분이다보니 어렵긴 합니다. 다만 이제 저도 제가 원래 하던 전공이랑 완전히 다른 일을 하고 있는 거잖아요. 완전히 다른 루트를 갔는데 그래도 노력한 만큼의 보상을 어느 정도 얻었고 그런 게 만족스럽고 그래서 이제 제가 보통 많은 대학생 분들께 보이고 싶은 모습은 어떻게 보면 가능성인 거죠.

왜냐하면 지금 어떤 생각하는 그런 진로라든가 직업이 아니더라도 다른 루트를 사실 갈 수 있는 거잖아요. 특히나 이제 제가 말했던 그런 게임 쪽의 현업 e스포츠 쪽 현업에 종사하는 분들 중에 실제로 학력도 좋고, 머리도 잘 돌아가지만, '난 게임 너무 좋아', '난 통계 쪽 한번 파봐야겠어' 라고 해서 연구하는 친구들도 있고, 이런 것들이 사실 어떻게 보면 본인이 원래 기대했던 진로나 좀 더 디테일하게 본인이 기대했던 연봉 이런 게 아닐 수도 있어요.

근데 열정이 있거나 혹은 꿈이 있으니까 또 하는 사람들도 있어요. 그중에서는 그래서 좀 시야를 넓게 가져가고 그리고 게임이나 e스포츠가 저는 많이 가능성이 있다고 생각을 해서 그게 꼭 이제 일반적으로 생각하는 대학교 졸업한 다음에 바로 e스포츠 쪽에 취업 이건 아니에요. 다른 경험들을 쌓고 본인의 어떤 전공 또는 다른 일에 관심이 생기게 되면 다른 루트로 갈 수 있기 때문에 범위가 넓어지거나 새로운 그런 직종들이 나오기 때문에 생각을 좀 넓게 했으면 좋겠다는 말씀을 드리고 싶습니다.

김영선 교수 요즘에 ChatGPT가 수학 교사도 할 수 있고 과제도 해 줄 수 있고 여러 가지 이야기들이 많지만 e스포츠는 할 수 없을 것 같습니다. 여러분들 비가 오는 오늘 이렇게 참석해 주시고 진지하게 백학준 크라니쉬님의 e스포츠 이야기를 함께 경청해 주시고 자리를 빛내주셔서 오늘 정말 감사드립니다. 안전하게 잘 귀가하십시오. 감사합니다.

[그림 출처]

[그림 4-1] https://www.inven.co.kr/webzine/news/?news=121472

[그림 4-2] https://ko-kr.facebook.com/Postech.Victory

[그림 4-3] https://www.inven.co.kr/webzine/news/?news=44888&site=esports

[그림 4-4] https://www.inven.co.kr/webzine/news/?news=188582&site=overwatch

[그림 4-5] https://variety.com/2018/gaming/news/blizzcon-2018-dates-tickets-1202747956/

[그림 4-6] https://venturebeat.com/esports/dreamhack-celebrates-25th-anniversary-and-announces-2020-schedule/

[그림 4-7] http://www.sisajournal-e.com/news/articleView.html?idxno=174853

[그림 4-8] https://www.youtube.com/@KranichHS/videos

변화하는 사회에서 e스포츠인으로 살아가기

變化
社會
ESPORTS
PERSON

일 정

2023년 5월 18일(목) 13:00

장 소

경성대학교
중앙도서관(27호관) 507호

강 사

윤서하 파트장

님블뉴런 이스포츠 파트장 2022.02 ~
더플레이스튜디오 이스포츠 본부장 2018.01 ~ 2022.01
프로게임단 스피어게이밍 단장 2019.05 ~ 2022.01
대학이스포츠동아리연합회 ECCA 초대회장
KAIST 산업디자인학과 11학번

김영선 교수 오늘 강연해 주실 윤서하 파트장님은 지난 4월 강연해 주신 하스스톤의 백학준 크라니쉬님과 국내 최초로 대학 e스포츠 동아리 옵티머스에서 같이 활동을 하였고, 이듬해 2013년 3개 대학을 중심으로 전국 대학 e스포츠 동아리연합회(ECCA)를 창립하여 초대 회장을 역임한 바 있으십니다. 동시에 개인적으로 e스포츠에 관련된 활동들을 많이 하시면서 현재 국내 게임 회사 님블뉴런(Nimble Neuron)에서 e스포츠 파트장으로 현장에서 일하고 계십니다. e스포츠 생태계의 현장에서 앞서 e스포츠인으로서 오랜 경험을 가지고 계시기 때문에 이 자리에 모시게 되었습니다.

나의 소개

윤서하 파트장 네, 안녕하세요. 먼저 간단하게 좀 자기소개를 하고 이야기를 시작해 보려고 합니다. 일단 저는 국내 게임사 님블뉴런이라는 게임 회사에서 일하고 있습니다. 저희는 이제 넵튠(Neptune)이라는 회사의 자회사인데, 또 넵튠이라는 회사가 카카오 게임즈(Kakaogames)의 자회사이기 때문에 우리 회사는 지금 카카오 게임즈의 손주 회사로 되어있습니다. 현재 회사의 이터널 리턴(Eternal Return)[1]이라는 게임으로 e스포츠를 하고 있습니다.

사실 제 회사가 별도로 그렇게 직급을 사용하는 회사는 아니라서, 외부 직함이 조금 왔다 갔다 하는데 이번에 플레이엑스포[2]에서 제가 파트장으로 명찰을 썼더니 어디 나가서 팀장이라고 하고. 부장님이 그러시더라고요. 근데 사실 저는 직함은 별로 중요하지 않고, 제가 책임지고 있는 분야가 e스포츠라는 게 더 중요하다고 생각하고 있습니다.

처음에는 e스포츠가 좋아서 일을 시작했었는데요. 중간에 이제 샌드박스 네트워크(Sandbox Network)[3] 같은 MCN 회사에서 잠깐 일을 했던 적도 있었고 일반적인 대행사 경험도 꽤 길었습니다. e스포츠라는 것에 대해서 항상 어느 정도 열정을 가지고서 계속 관심이 있었고, 생각보다 운이 좋게도 샌드박스 네트워크 같

1) 님블뉴런에서 개발하여 2020년부터 얼리 액세스로 서비스를 시작한 배틀 로얄과 MOBA가 혼합된 장르의 게임. 플레이어는 이미 출시된 많은 캐릭터 중 하나를 선택할 수 있으며, 살아남고 싸우기 위해 17명의 다른 플레이어들과 경쟁한다(출처: 위키피디아).
2) 2009년부터 경기콘텐츠진흥원 주관으로 진행되는 게임 전시회. 2013년부터는 매년 5월 킨텍스에서 열리고 있다. 이름의 유래는 Play와 EXPO의 합성어로, 엑스포를 X4로 줄여서 PlayX4라고 부른다(출처: 나무위키).
3) 샌드박스 네트워크는 2015년에 창립된 멀티채널 네트워크 회사로, 500명 가까이 되는 크리에이터와 연예인들이 소속되어 있다(출처: 위키피디아).

은 곳에서도 e스포츠 관련된 일들을 하게 되어서 꾸준히 e스포츠에 경험을 쌓아 왔던 것 같습니다. 중간에 이제 스피어 게이밍(Spear Gaming)이라고 프로 게임 단도 한번 운영했었는데요. 예전에 있던 더플레이 스튜디오라는 회사에서 운영했 었고, 사실 저희가 막 큰 회사는 아니어서 지금 T1이나 젠지 같이 회사 큰 팀은 아니었지만 그래도 꾸준히 선수들과 함께 으쌰으쌰 하면서 작은 팀치고는 알찬 성 적을 좀 많이 냈던 것 같습니다. 저희가 이제 LCK 프랜차이즈 되기 바로 전, 마 지막 2부 리그에서 우승을 차지하기도 했었고 배그(배틀그라운드) 팀도 이제 2부 리그에서 운영하다가 1부로 승격해서 지금 있는 오피지지 팀의 전신이 되기도 했 고요. 그런 성과들이 좀 있어서 되게 재미있게 했던 것 같습니다.

지금은 이제 성남시 분당구 수내동에 있는 님블뉴런이라는 게임사에서 e스포츠 뿐만 아니라 e스포츠랑 각종 오프라인 행사 그리고 일부 마케팅 사업들에 같이 참 여하게 되어 업무를 진행하고 있고요. 우리 회사의 경우에는 e스포츠 조직이 마케 팅 조직이랑 같이 합쳐져 있어서요. 같이 업무를 보고 있다는 점이 특징이라고 할 수 있겠고, 제가 하는 일들에 대해서는 이후에 또 한 번 얘기를 해보도록 하겠습 니다. 지금은 저의 학창 시절에 게임과 e스포츠를 어떻게 접했는지부터 얘기를 하 면서 시간순으로 이야기를 해보려고 합니다.

나의 e스포츠 이야기

2000년쯤에 아버지가 직접 컴퓨터를 가져오면서 게임을 즐기기 시작했습니다. 온게임넷(OGN)이 생긴 게 2002년 7월 24일로 되어있지만, 저는 2000년도부터 e스포츠라는 개념이 생겼다고 생각하고 있습니다. 물론 그전에도 게임으로 대회를 하는 아이디어 자체는 존재 했습니다.

> "기록을 찾아보면 1980년에 '스페이스 인베이더(Space Invader)'로 이제 대회 를 했던 기록이 있었는데 그때 무려 1만 명이나 참가했었다고 하더라고요. 이때 는 사실 PC도 아니라 콘솔로 게임을 하던 시기고 그 대회에서 사용했던 그 콘솔 은 무려 아타리[4]쳤다고 하네요. 아타리 쇼크가 또 게임 업계에서 굉장히 중요한 사건으로 하나 기록이 되어있어요. 이렇듯 한국에서 e스포츠가 시작되기 전에도 게임으로 대회를 진행하는 아이디어 자체는 게임 업계 전반으로도 있긴 있었다고 말씀을 드리고 싶었고요."

---

4) 아타리(Atari)는 1972년에 창업된 미국의 비디오 게임 회사이다. 퐁(Pong)이후 아타리 2600, 아타리 2800, 아타리 5200, 아타리 재규어 등 자사의 이름을 딴 여러 콘솔기기를 발매했다(출처: 위키피디아).

[그림 5-1] 1980년 스페이스 인베이더5) 대회

출처: http://www.megalextoria.com/wordpress/index.php/2017/04/18/atari-space-invaders-tournament-1980/

사실 e스포츠가 역사가 짧다면 짧고, 길다면 길다고 할 수도 있는데요. e스포츠가 지금까지 역사를 쭉 이어가고 있는데 좀 대세를 탔던 게임, 아니면 잠시 사람들한테 관심을 받았던 게임들이 있습니다. 그러한 게임들 속에서 기억에 많이 남는 것도 있습니다. 게임이 아니라면 최소한 장르라도, 시대별로 장르가 유행을 탔기 때문이죠.

"이제 제가 7살, 8살 때 시작했다 보니까. 그래서 사실 제가 많이 물어보고 다니는 게 어떤 게임을 처음 해봤냐, 그리고 e스포츠의 어떤 게임을 처음으로 경험을 해봤냐? 이렇게 많이 물어봅니다. 사실 한국에서 e스포츠를 좋아한다는 사람이라면 어느 정도 이 대답만 두고도 이 사람이 언제쯤 게임을 시작했고, 언제쯤 e스포츠를 보기 시작했구나, 라는 거를 유추할 수 있습니다.

저에게 있어서 첫 게임은 스타크래프트였습니다. 7살쯤에 컴퓨터라는 게 이제 집에 생겼을 때 접했었고, 아버지에게 스타크래프트를 배워서 플레이했었는데 99

---

5) 일본 기업 타이토에서 1978년에 판매한 아케이드, 슈팅 게임이다. 이후 스페이스 인베이더의 게임 시스템은 갤럭시안 등의 게임으로 이어졌고, 기록적인 인기를 끌었다. 또, 이 게임은 일본 슈팅 게임의 시조 중 하나로 여겨진다(출처: 위키피디아).

년도쯤이 제가. 99년도 00년도 이때쯤 게임을 처음 시작을 해봤습니다. 이때 온게임넷이 생기기 전에 투니버스를 통해서 e스포츠 대회가 진행됐었습니다. 또한 이 당시 PKO(프로게이머 코리아 오픈) 결승전 방송을 온게임넷이 아직 없어서 투니버스에서 방송했던 걸로 알고 있습니다."

[그림 5-2] '99 프로게이머 코리아 오픈6) (좌측부터) 김태형 해설, 정일훈 캐스터, 엄재경 해설

자료: 투니버스

그래서 이런 대회들도 있었고 당시에는 또 전용준 캐스터나 이런 분들이 인천 지역 방송국인 경인TV7) 소속이기도 했어. 실제로 ITV8)는 생각보다 되게 다양한 e스포츠 콘텐츠들을 다루려고 했던 방송국 중 하나였습니다. 그래서 저도 어렸을 때 사실 이윤열 선수를 ITV에서 처음 봤었거든요. 그래서 TV를 통해서 어떤 사람이 나중에 한 시대를 풍미하는 그런 프로게이머가 된다는 게 되게 신기하기도 했습니다. 이때 전용준 캐스터가 나중에 온게임넷으로 옮기면서 이렇게 또 스타크래프트의 대표적인 캐스터로 거듭나셨죠.

"2000년대를 생각해 보면 제가 초등학교 때 나왔던 것 같은데 저희 또래는 거

---

6) 투니버스에서 독자적으로 진행한 스타크래프트 대회. 온게임넷 스타리그의 전신이자 세계 최초로 방영된 e스포츠 대회로, 1999년 10월 2일부터 1999년 12월 30일까지 열렸다(출처: 위키피디아).
7) 1997년 인천방송이라는 이름으로 설립되어, 2000년에 경인방송으로 이름을 바꾼 인천광역시와 경기 서부 지역과 서울 강서 지역을 가청권역으로 하는 지상파 민영 방송사. TV 방송은 2004년 12월 31일에 중단되었다(출처: 나무위키).
8) 경인방송의 지상파 TV 채널. (출처: 위키피디아)

의 다 스타크래프트를 했던 것 같아요. 당시에 부모님께 허락받고 용돈 조금 받아서 피시방 가서 스타크래프트를 정말 열심히 했었어요. 피시방 가면 어쨌거나 다 같이 할 수 있는 게임으로 스타크래프트가 제일 먼저 떠오르던 시대였었죠. 또한 대세 감이라는 게 있다가 보니까 자기가 이 스타크래프트를 몰라서 친구들한테 못 끼면 아쉬우니까, 스타를 혼자 연습해서라도 친구들이랑 같이 게임을 할 수 있게 그렇게 했던 것 같습니다."

[그림 5-3] 지휘 앤 컨커 레드얼럿2[9) 게임 표지

자료: EA

지금은 이런 대세 감을 이어받은 게 리그오브레전드인 것 같은데요. 저도 원래는 스타보다 레드얼럿(Red Alert)이라는 게임을 좋아했었는데요. 90년대 00년대에는 RTS[10)와 같은 전략 시뮬레이션 게임들이 굉장히 유행했던 시기라고 얘기를

---

9) 2000년에 웨스트우드 스튜디오에서 개발한 실시간 전략 게임. 커맨드 앤 컨커: 레드 얼럿의 후속작으로, 연합군과 소련군이 전쟁을 벌이는 내용의 전략 게임이다(출처: 위키피디아).

10) 실시간 전략 게임(Real Time Strategy)은 턴제 전략 게임과 구분되는 전략 게임의 한 장르이다. 실시간이라는 용어는 더 넓은 장르이며 비디오 게임 내외로 더 유구한 역사를 지닌 전략 워게임들과 구분하기 위해서 사용되었다. 실시간 전략 게임의 핵심 요소로는 실시간 컨트리그오브레전드로 이루어지는 전투에 기반한 액션이 있다(출처: 위키피디아).

할 수 있습니다. 이때 블리자드류 RTS의 또 반대쪽에 서 있던 게 CNC[11]류 RTS라고 생각합니다. 근데 한국에서는 사실 그렇게 흥행했던 게임은 아니라서 친구들하고 어울리려고 스타크래프트를 더 많이 하긴 했었어요. 그 외에도 메이플스토리나 마비노기 같은 RPG류도 어렸을 때는 조금씩 했던 것 같습니다. 앞서 말한 게임들은 지금까지도 사람들이 굉장히 많이 플레이하고 있는 게임들이긴 하네요.

> "그래서 어쨌든 이 시기에는 TV를 켜면 이제 스타크래프트 방송들을 굉장히 많이 볼 수 있었는데요. 온게임넷을 비롯한, MBC게임[12]도 나중에 생겼고. 아직도 'So1 스타리그 2005' 결승전이 저는 개인적으로 굉장히 인상 깊게 됐는데요. 이때 제가 정확하게 한 초 6 정도였던 것 같아요. 근데 아직도 그 맵이, 맵 이름까지 기억하고 있거든요. 라이드 오브 발키리라고, 라이드 오브 발키리에서 5세트에 오영종이 이제 임요환을 꺾어서 우승하는 그 장면이 좀 기억이 많이 남는데. 그때는 되게 인상적이었어요."

당시에 스타크래프트 대회가 이렇게 재미있고, 게임하면서 이렇게 많은 사람이 열광할 수 있다는 게 굉장히 인상 깊었어요. 그래서 그 대회는 정말 많은 사람이 보고 즐기는 콘텐츠였고 아마 그걸 부정하는 분들이 많이 없을 것 같아요. 그리고 그때의 향수를 가지고 있는 분들이 많다 보니까 아직도 아프리카TV에서 메인 콘텐츠 중 하나잖아요. 아프리카의 많은 BJ가 또 즐겨하고 있고, 아프리카TV에 은퇴하신 프로게이머분들이 아주 많다 보니까 아직도 대회가 이어지고 있어요. 그래서 스타크래프트는 아직도 현역이라고 볼 수 있는 콘텐츠일 것 같습니다. 아무튼 그렇게 중학교 때까지 되게 스타크래프트 열심히 했었고, 피시방에 가면 가끔 워크래프트3, 카트라이더 하시는 분들이 있었는데 확실히 이때는 RTS 장르의 시기였던 것 같아요.

2005년부터 시작된 카트라이더 리그나 FPS도 꽤 있었는데 서든어택[13]이라든지, 스페셜 포스[14]라든지 이런 FPS들도 종종 보이긴 했지만, 어쨌거나 스타크래프트, 워크래프트 이런 전략 시뮬레이션들이 워낙 주류였다고 생각이 되어요. 한 고등학교 진학할 때쯤에 이런 분위기가 좀 바뀌었던 걸로 기억합니다.

---

11) 커맨드 앤 컨커(Command and Conquer) 시리즈.
12) 2001년 5월 1일 개국하여, 2012년 1월 31일에 폐국한 대한민국의 게임 전문 텔레비전 방송 채널. MBC 플러스 미디어가 운영하는 케이블 TV 네트워크로, MBC 뮤직의 전신에 해당한다. 수많은 e스포츠 중계를 했었지만, 스타크래프트 리그 중 하나인 MBC게임 스타리그는 엄청난 인기를 끌었다(출처: 위키피디아).
13) 넥슨지티(전 게임하이)에서 2005년에 개발한 온라인 1인칭 슈팅 게임. 일반게임, 생존모드, 아포칼립스 등 여러 가지 모드가 존재한다(출처: 위키피디아).
14) 드래곤플라이에서 2004년에 개발한 온라인 1인칭 슈팅 게임. 미국에서는 솔저 프론트라는 이름으로 서비스되며, 후속작으로는 스페셜포스2가 있다(출처: 위키피디아).

제가 부산에서 고등학교 생활을 할 때 기숙사에서 지냈거든요. 기숙사에서 공부하기 위해서 다들 노트북을 다 들고 들어왔는데, 우리 학교는 남자애들이 대부분이었거든요. 한 학년에 144명 중에서 한 9명만 여자고, 나머지가 남자였는데, 또래 남자애들이 노트북 들고 모였으니까 자연스럽게 모여서 게임하는 문화가 만들어졌어요. 그렇다 보니깐 1대1로 즐기는 스타크래프트보다는 좀 더 많은 사람이 함께할 수 있는 게임인 카오스라고 하는 워크래프트3 유즈맵15)을 친구들이랑 굉장히 많이 했던 기억이 납니다. 카오스가 어떻게 보면 리그오브레전드보다 먼저 접했던 MOBA 장르의 게임이라고 할 수 있어요.

"도타, 카오스, 리그오브레전드과 같은 장르와 관련된 에피소드도 아주 많아요. 도타 올스타즈를 사실상 베낀 게임이 카오스고, 그리고 도타를 좀 베껴서 만든 게 리그오브레전드이긴 하죠. 도타 쪽에서는 자기네들이 오리지널이라고 하고 카오스 쪽에서는 도타를 베낀 게 아니다. Aeon Of Strike라는 게 이제 스타크래프트 유즈맵이었거든요. AOS라는 MOBA 장르의 아이디어가 스타크래프트 유즈맵으로 나왔었는데요. 하지만 스타크래프트에는 그런 성장형 시스템이라든지 이런 게 없어서 지금 플레이하면은 리그오브레전드 같은 느낌은 안 납니다. 리그오브레전드 같은 경우에는 도타 색깔을 지우기 위해서 MOBA라는 단어를 처음으로 사용했었는데 지금은 가장 많이 사용하시는 단어가 되었어요."

이 시기가 개인전에서, 팀전으로 메인스트림이 옮겨가는 과정이 아니었을까, 이런 생각을 좀 많이 하고 있습니다. 1대1로 하는 게임은 플레이 하는 입장에서 스트레스가 굉장히 심할 수밖에 없어요. 못하면 순전히 자기 잘못이기 때문이죠. 자연스럽게 스트레스를 덜 받는 쪽으로 흘러가면서 팀게임을 많이 하게 되었어요. 팀 게임에서는 남 탓도 할 수 있고 스트레스 지수를 낮출 수 있는 외부 요인을 찾을 수 있는 모드로 사람들의 관심이 옮겨가던 시기였던 것 같습니다.

그리고 제가 고등학교 3학년 때, 2010년이었는데 그때 스타2가 아마 오픈 베타를 했던 것 같고요. 그래서 학교에서 스타크래프트를 열심히 했었어요. 당시에 게임을 좋아하던 다른 친구들은 북미 서버 리그오브레전드를 내려 받아서 시작했습니다. 한국에서도 처음 리그오브레전드를 보면 매드라이프같은 선수들이 북미 서버에서 활동하다가 넘어왔었거든요. RTS에서 MOBA로 딱 넘어가는 과도시기에 스타크래프트2와 리그오브레전드가 한국에 상륙했었는데요. 저는 스타를 워낙 좋

15) 스타크래프트의 게임 모드 중 존재하는 'Use Map Settings'으로 기존의 MOD와는 달리 게임이 지원하는 변경 한도 내에서만 게임을 바꾸는 것이다. 유저들이 맵 에디터나 트리거(스크립트)편집 기능을 통해서 만들며 유즈맵으로 시작하여 단독 출시(스탠드 얼론)까지 간 게임도 있다(출처: 나무위키).

아해서 리그오브레전드를 안 했었는데 기숙사에서 심심치 않게 리그오브레전드 소리가 많이 들렸던 것 같아요. 아직도 기억나는 게, 트리스타나라는 캐릭터의 영문 보이스에 Ready Aim Fire라는 대사가 있는데, 그게 정말 기숙사에서 맨날 들려서 그랬던 기억이 나요. 저는 어쨌거나 스타2를 열심히 했었고 오픈 베타 시절에 게임 실력이 그렇게 좋았던 건 아니라, 골드 랭크 받고서 게임을 시작했었어요. 이때부터 매치메이킹 시스템와서 게임들에 보급이 많이 됐던 것 같습니다.

그전까지는 사실 게임을 플레이할 때 스타크래프트도 그렇고, 카오스도 그렇고. 어떤 채널에 들어가서 내가 방을 파고, 거기에 같이 할 사람들을 모으는 구조였는데 이때부터 본격적으로 MMR[16]을 활용한 자동 매치 메이킹 시스템들이 생겼어요. 스타크래프트, 리그오브레전드에서 큐만 걸어 놓으면 게임 서버에서 알아서 매칭을 해주는 이런 시스템들이 적용되어서 플레이하기 되게 원활해졌던 것 같아요.

에카(ECCA)의 창립

대학생 때는 스타크래프트2를 하면서 게임을 정말 좋아하는지 보니 'e스포츠에 뭔가 이바지를 하고 싶다'라는 생각을 많이 했었습니다.

그 당시 한국 e스포츠 협회, 국회 쪽에서 스타크래프트와 관련한 공공재 논란이 있었어요. 이러한 공공재 논란 끝에 어느 정도 저작권을 가지고 있는 IP사들이 주도적으로 e스포츠를 하게 되는 그런 패러다임으로 넘어갔다는 생각이 듭니다. 전에는 e스포츠협회랑 방송사들이 주도하는 질서가 있었는데 이거를 거치게 되면서, 완전히 게임사가 주도하는 질서가 좀 생겼어요. 이후 학교 사람들과 게임 동아리를 만들었었는데, 이런 행동은 단순히 게임이 좋아서만은 아니었습니다. 게임이 단순히 좋았으면 그냥 그 채널에서 게임하는 것만으로 만족했을 것에요. 당시에 사회적인 분위기가 조금 배경이 되었었는데요.

> "대학교 들어와서 어떤 일들이 있었는지 좀 말씀을 드리자면, 과학고를 나와서 반도체 전공을 하려고 했었는데 카이스트를 진학하고 게임에 빠지게 되었어요. 그렇다보니 게임 회사에서 일하게 될 줄은 부모님과 저 또한 생각 못 했어요. 부모님이 게임 업계 가는 걸 되게 반대를 많이 하셔서 많은 다툼이 있었었죠.
> 어쨌든 저는 스타2를 열심히 하고 있었는데 채널 커뮤니티 기능을 통해 학교 사람들과 게임을 많이 하게 되었어요. 거기서부터 뭔가 시작이 됐던 것 같습니다. 스타2는 1대1부터 4대4까지 다양한 모드를 지원해서 많은 사람과 게임을 하게

---

16) Match Making Rating의 줄인 말로, 대전 게임 등에서 이루어지는 매치메이킹의 기준이 되는 점수를 말한다. 플레이어의 실력을 측정할 시스템을 만들어 매치메이킹의 기준이 되는 점수를 매기고, 그 점수가 비슷한 플레이어끼리 대결이 이루어질 수 있도록 하여 대등한 실력의 플레이어끼리 매칭시키는 목적으로 사용된다(출처: 나무위키).

되었고 카이스트 옵티머스라는 동아리가 만들어졌어요."

[그림 5-4] 공공재 논란 이후 한국e스포츠협회-프로게임단 공동 기자회견

자료: 스포츠 동아

　　2012년 이쯤에 사회에서 좀 게임을 바라보는 그런 시선이 약간 폭력성 이런 부분들이 좀 많이 묻었던 것 같습니다. 그래서 저희도 옵티머스라는 동아리를 승인받는 과정에서 게임은 해로운 것이라는 편견이랑 많이 부딪히게 되었는데요. 당시 카이스트 동아리연합회 쪽에서는 기존 동아리들의 승인이 일정 이상 있어야 정 동아리로 올려주는 구조였는데요. 거기서 유독 종교계랑 체육계 동아리들이 많이 반대했습니다. 사회적인 분위기도 그랬고 e스포츠가 왜 동아리로 인정을 받아야 하느냐는 그런 의문들을 많이 제기를 했었어요.

　　"물론 이제 문화 쪽 동아리들은 e스포츠도 충분히 이제 문화를 인정받을 수 있다고 지지를 해줬는데 그렇게 해서 굉장히 거의 50대 50으로 첨예하게 대립하던 상황이었고 정말 아슬아슬하게 우호적인 동아리의 지지를 통해 인정받았습니다. 참고로 이때 종교계 동아리에서는 다 반대했더라고요. 체육계하고. 그래서 그런 분위기 속에서 카이스트 학생들이 e스포츠 동아리를 만든 것 자체가 이런 게임 업계에도 좀 퍼져서, 뭔가 좋은 분위기가 형성되었던 것 같습니다."

150

[그림 5-5] 온게임넷 예스 게임 캠페인 관련 기사

온게임넷, 13주년 맞아 게임문화 환경 조성 'Yes, Game' 캠페인 돌입

김용찬 기자 [desk@inven.co.kr]

ongamenet
e-Sports to e-Culture

CJ E&M 게임채널 온게임넷이 건전한 게임문화 환경 조성을 위한 캠페인에 나선다. 오는 7월 24일 개국 13주년을 맞아 'Yes, Game'이라는 캐치프레이즈를 앞세운 캠페인에 돌입하는 것.

자료: 인벤

그러한 와중에 온게임넷하고 협업할 기회가 생겼었는데요. 이때 당시에 온게임넷은 게임의 문화를 인정받을 수 있게 우리의 목소리를 보여주자는 운동을 하고 있었어요.

> "리그오브레전드 아마추어 챌린지라는 방송을 온게임넷에서 했었는데요. 그때 당시에 대학 라이벌리를 이용해서 이벤트 전들을 진행했었고, 카이스트는 포스텍이랑 카포전으로 엮이다 보니까 그렇게 경기를 펼쳤었고. 다른 매치업으로는 서울대 대 서강대, 서서전 이렇게 부르고, 서울여대랑 숙명여대 여대전, 그 다음에 연고전까지 총 4개의 매치를 진행했었고요. 각 학교별로 자신들의 대표팀을 응원하는 분위기도 굉장히 잘 조성이 되었었고, 꽤 흥미진진하게 대회가 진행되었던 것 같습니다."

당시 담당 PD님이 지금 서울에 있는 VSPN 코리아17) 대표님으로 계셔서 가끔 연락하는데 그런 분들이 있어서 되게 좋은 기회를 많이 제공받았던 것 같습니다. 이렇게 점점 대학생들의 e스포츠로 뭔가 해보자는 움직임들이 모이기 시작했고 그래서 그 기회에, 그 흐름에 또 다른 시도를 좀 하게 되었는데요. 여기서 이제 에카(Esports College Clubs Association, ECCA)가 등장을 하게 됩니다.

"아무튼 학교에서 시작을 해왔기 때문에 뭔가 이제 대학교 e스포츠 연합회를 만들고자 하는 의지가 있었어요. 마침 서울대 쪽에서도 스타2 동아리가 생긴다는 소식을 들었거든요. 서울대랑 카이스트랑 어느 정도 교류도 원래 있었고 제 친구들도 많다 보니까 얘기를 잘할 수 있었는데, 이렇게 서울대 쪽에서 연락이 오고 나서 얼마 안 돼서 이화여대 쪽에서도 이런 움직임이 있다는 얘기를 들어서 세 학교가 뭉치게 되었습니다. 나름대로 당시 동아리를 이끌고 있던 학생들이 다들 좀 진취적이고 되게 적극적인 친구들이어서 세 학교가 뭉쳐서 뭔가 해보자는 쪽으로 이야기가 굉장히 빠르게 진행이 되었었는데요. 그래서 세 학교 학생들이 뭉쳐서 에카(ECCA)를 구성을 하게 되었습니다.

2013년 11월 23일 용산에서 지금은 운영 안 하고 있지만 온게임넷 경기장에서 출범식을 가지게 되었습니다. 그때 위에서 언급한 아마추어 챌린지 도와주셨던 PD님이 도움을 많이 주셨는데요. 감사하게도 한 기자분이 취재를 나와 주셔서 이렇게 또 사진과 당시에 그런 기억을 조금이나마 기록으로 남겨둘 수 있었습니다."

[그림 5-6] ECCA 모집 오프라인 설명회

자료: 게임메카

---

17) Versus Programming Network의 약자로, e스포츠 분야 콘텐츠 제작사이다. 현재는 LCK 챌린저스 리그 콘텐츠를 주로 제작하고 있다. VSPN에서는 E 스포츠 리그, 콘퍼런스 등을 주최할 수 있는 V.SPACE 경기장을 보유하고 있다(출처: 위키피디아).

[그림 5-7] ECCA 홈페이지

자료: ECCA

이때 에카라는 단체로서 사회에 이름을 내건 게 처음이었고 기자님도 활동을 시작한 지 얼마 안 된 상황이어서, 뭔가 새로운 걸 찾다가 연이 닿아서 에카 모집 설명회 출범식에 와서 취재를 해주셨어요. 사실 처음에는 좀 많이 힘들었습니다. 모두가 희망찬 생각을 하지만 현실적으로는 절망감도 많이 겪게 되는데 도와주겠다는 사람도 있긴 있었지만 많지는 않았고요. 처음에는 OGN도 적극적으로 도와주기에는 바쁜 상황이었고 후원하겠다고 접근했던 업체 중에서도 대학생들 모여 있는 단체니까 PR 소재로만 좀 써먹고 실제로는 별로 도와주지 않은 적도 허다했습니다. 또한 일부 학교들 같은 경우에는 자기들이 주도하는 새 단체를 만들겠다고 협조하지 않는 상황도 좀 있었는데요. 첫 활동으로 대회 'KCLG'[18]라는 자체 대회를 한번 운영했었는데 당시에 상금이나 선수들 교통비 같은 거를 사비로 지급했던 기억이 나네요. 당시에는 아무래도 어렵다 보니까 용돈도 많이 아끼고 알바도 열심히 하고 그렇게 해서 모아서 진행했던 대회로 기억하고 있습니다. 근데 또 이렇게 열심히 활동하다 보니까 이런 걸 알아주시는 분들도 생기더라고요. 우연한 기회에 저희가 진행했던 하스스톤 대회를 블리자드가 알게 되었고 같이 진행해 볼 수 있는 부분들을 찾아보자고 한번 만나보게 되었습니다.

---

18) Korea Collegiate League Gaming의 약자로, ECCA에서 주최한 전국 대학 e스포츠 리그이다. (출처: ECCA 페이스북)

[그림 5-8] 2014 KCLG 하스스톤 프리시즌 결승전

자료: 디스 이즈 게임

하스스톤은 에카 활동을 하면서 되게 중요했던 게임이었어요. 하스스톤을 이용해서 블리자드랑 진행했던 다양한 캠페인들이 에카에게는 굉장히 좋은 계기가 되어주었습니다. 가장 메인으로 '애프터스쿨 하스스톤'이라고 저희가 자체적으로 운영했던 대회가 하나 있는데요. 쉽게 설명하자면 각 학교에 방문해서 근처 PC방에서 하스스톤 대회를 하는 거였습니다. 아이디어 자체는 단순한데 블리자드 쪽에서 BJ 쥬팬더님이라고 지금은 쥬콘[19]라는 업체를 운영하고 계신 분인데 워크래프트 쪽에서 굉장히 알아주는 BJ분이셨고요. 이러한 BJ분이 PC방에 직접 같이 가서 방송도 좀 해주고 현장에서 직접 이제 상품도 전달해 주고 그렇게 오다 보니까 쥬팬더님 보러 오시는 분들도 있고 대회에 참가해서 아이패드 얻어가려는 학생들도 아주 많아졌어요. 아이패드를 상품으로 줬었는데 하스스톤 이미지가 박힌 거여서 레어 아이템이어서 다들 얻고 싶어 했어요. 그래서 이 하스스톤이 '와글와글 하스스톤'이라는 캠페인의 일환으로 진행이 됐었죠.

"또한 블리자드 쪽에서 도움을 주셔서 크게 한번 행사했던 적도 있습니다. 게임뿐만 아니라 OX 퀴즈 같은 다양한 이벤트들도 했었고, 마이크 모하임 블리자드 사장님께서 현장에 방문을 해주셨었어요. 참가자 중에 한 분 뽑아서 마이크 모하임 사장님하고 촬영하고, 이 게임도 했었는데 이때 이화여대 학생분이 이기셨습니다. '애프터스쿨 하스스톤'이라는 캠페인, 대회는 이후로도 시즌 4까지 이어졌던 걸로 기억하는데요. 제가 생각하기에는 가장 성공적인 에카와 게임사 간의 협업 사례가 아니었나 생각이 듭니다. 대학생들이 먼저 이렇게 작은 커뮤니티

---

19) 2020년에 BJ 쥬팬더가 설립한 영상 콘텐츠를 제작하는 MCN 분야 스타트업 기업. 쥬미디어라는 방송 제작 회사와 2022년에 통합했다. 2023년에 블리자드가 e스포츠 투자를 축소한 이후, 블리자드에서 공식적으로 지원하던 하스스톤 콘텐츠를 자체적으로 제작하고 있다(출처: 나무위키).

를 만들기 시작해서 게임사가 약간의 도움을 줌으로써 좀 더 세련되고 폭발적으로 그런 커뮤니티들이 늘어날 수 있게 한 사례 중 하나인 것 같아서 저는 아직도 에카 얘기를 하면 하스스톤이 떠올라요."

[그림 5-9] 대학 게이머즈 파티 홍보 이미지

자료: ECCA 공식 페이스북

이러한 하스스톤은 대학교에서 인기가 굉장히 좋았습니다. 왜냐하면 하스스톤 자체가 일단 개인전이고, 연습이 조금 부족해도 머리와 운이 좋다면 대회에 나가서 승리를 따낼 수도 있었어요. 또한 벼락치기로도 준비가 가능한 종목이어서 학업이랑 병행하느라 게임을 많이 할 수 없는 대학생들한테 경쟁력이 있는 그런 종목이 아니었나 싶습니다. 그래서 이때는 강의실에 들어가면 게임을 학습하는 친구들이 많이 모였었는데요. 저희 학교에서도 배틀넷 들어가면 근처에 있는 플레이어들이 쭉 뜨는데 100명 넘게 뜨더라고요. 그래서 '애프터 스쿨 하스스톤'을 소개를 한 번 드렸고요. 이 외에도 '게이머즈 파티'라든지 '에카워즈'라든지 이런 자체 행사들도 많이 진행을 했었고 이때도 많은 분들이 도움을 주셨어요. 당시 이제 넥슨아레나 대관을 도와주셨던 넥슨 분들도 있고 그 다음에 '다나와'라든지 '마이크로소프트 코리아'라든지 다양한 분들이 도움을 많이 주셨고요. 이런 행사들을 하나의 콘셉트를 정하고 유지했다기보다는 그때마다 이렇게도 해보고, 저렇게도 해보고, 바꿔가면서 다양한 콘셉트로 행사했었던 것 같습니다. 강연이나 레크레이션으로 진행했던 적도 있고 대회로 진행했던 적도 있었습니다. 이러한 활동들을 게임 업계에 다가가서 학생들한테 좀 도움이 되고자 하는 그런 노력의 일환이었던 걸로 봐주시면 될 것 같습니다.

대학생 e스포츠 프로그램

이제 글로벌 게임사에서 지원하는 대학생 지원 프로그램들에 대해서 말씀을 드려보려고 하는데요. 여기서는 e스포츠 쪽에 있는 대외 활동들이나 그런 것들을 좀 모아봤는데요. 대학생 프로그램 관련해서 중요한 키워드가 취업이더라고요.

> "실제로 스펙에 한 줄 적어보려고 에카에 들어온 친구들도 많았고요. 좋아하는 일을 하다 보면 자연스럽게 취업까지 연결될 수 있는 게 이상인데 현실과 이상은 좀 다른 법이죠. 모두한테 '네가 좀 이런 걸 열정적으로 해봐라.' 아니면 '네가 하고 싶은 걸 열심히 해봐라.' 이렇게 할 수 없는 게 현실이라고 생각은 하고 있습니다."

'케스파(한국e스포츠협회, KeSPA) 대학생 리더스'나 '젠지 e스포츠 마스터 트랙' 이런 것도 있어서 e스포츠 쪽으로 취업을 좀 하거나, 실무 현장 경험을 쌓고자 하는 학생들에게 길을 열어주려는 시도들이 있더라고요. 이거 외에도 넷마블에서는 '마블 챌린저'라든지 스마일게이트 쪽에서도 이러한 대회 활동 운영을 하는 걸로 알고 있어요. 하지만 대부분 아무래도 스펙 쌓기나 과제 이런 쪽에 조금 집중이 되어있어서 대학생만의 그런 창의적인 활동들을 좀 촉진해 주고, 지원해 줄 수 있는 부분이랑은 괴리가 있는 것 같습니다. 또한 주변에서 친구들이 하는 걸 보면 대부분 인턴십 관련 프로그램이거나 취직할 때 해당 회사에 좀 더 도움이 되는 그런 부분들로 많이 참여하시더라고요. 이런 상황 속에서 저는 '테스파(Tespa)'에 기대를 많이 했었습니다.

> "제가 에카를 처음 만들 때도 테스파 쪽 친구들하고도 얘기를 되게 많이 했었어요. 한국이랑 북미랑 대학 문화에 대한 차이가 좀 크다 보니깐 북미 쪽은 자기들이 정말 좋아하는 거 이렇게 하다 보면 알아서 기업들이 픽업해 갔다고 대답했었는데 한국은 아니었으니까요. 취업하기 위해서는 남들과 뒤떨어지지 않는 스펙들을 준비해야 하는 처지다 보니까 좀 더 힘들었던 것 같아요."

156

[그림 5-10] 테스파 코리아 커리어 세미나

자료: TESPA

'테스파'라는 단체가 한국에 2018년 9월에 런칭을 했던 걸로 기억하는데요. 지금은 ABC 클럽이라고 바뀌었던 걸로 기억하고 있어요. '테스파'는 항상 제가 본받아 왔었고, 고평가를 해왔던 단체인데 뭔가 한국에서는 살짝 애매했던 것 같더라고요. 학생들 얘기나 이런 걸 들어봐도 일단은 가장 큰 부분이 블리자드라는 게임사의 지원으로 있는 단체다 보니까 어쩔 수 없이 이해관계가 좀 얽힐 수밖에 없어서 조금 아쉬웠던 것 같고 아까 말씀드린 것처럼 북미랑 한국의 환경들이 많이 다르지 않았나라는 생각이 들더라고요. 나라별로 대학생 문화가 아주 다르므로 각 나라에 맞는 프로그램들을 설계해야 한다는 것이 대학생 커뮤니티를 주도했던 친구들과 함께 공통적인 의견이었습니다.

나라마다 달라서 그런 부분들에 대해 조율이 많이 되지 않으면 이런 구조가 잘 작동하기 어렵지 않나, 이런 생각을 하고 있고요. 지금은 어떻게 되는지 모르겠지만 2021년에는 코로나로 인해서 그런 대학생 지원 프로그램이나 이런 것들을 조금 중단하고 대회 위주로 진행한다는 공지가 올라왔었더라고요. 코로나로 인해서 대학교도 직격타를 맞다 보니까 학생들이 등교도 못 하고 커뮤니티 간의 연결이 약해지는 시기였어요, 그래서 '테스파'도 그런 거를 피해가지 못했다고 해서 되게 아쉬웠습니다. 개인적으로는 그런 사기업들의 이해관계로부터 어느 정도 자유로운 대학생 e스포츠 단체를 만들고 싶었고요. 그래서 지금도 저는 에카가 그런 단체가 되었으면 어땠을까, 이런 생각을 많이 하고 있어요. 지금도 에카가 그런 역할들을 해줄 수 있다면 충분히 가치가 있고 이제 포스트코로나 시대로 대학생들의 그런 문화들이 다시 살아나고 있는 추세니깐요. 열심히 한다면 대학생들한테 소중한 기회를 줄 수 있는 단체가 될 수 있지 않느냐고 생각하고 있습니다.

"대학교 때부터 일을 해서 큰 차이를 느끼지 못했는데 졸업을 하고 나니까, 대학생이라서 가능했던 부분들이 많기는 했더라고요. 예를 들어 학생 신분이었기에 조금 더 도전적인 걸 내밀어도 이해관계를 떠나서 사람들이 고려를 해줬던 것 같아요. 대학생이라서 가능했던 부분들이 분명히 있으니깐 그런 부분들을 많이 해봤으면 좋겠다고 후배들에게 얘기해주고 싶어요."

[그림 5-11] 이터널 리턴 시즌 일정 및 행사

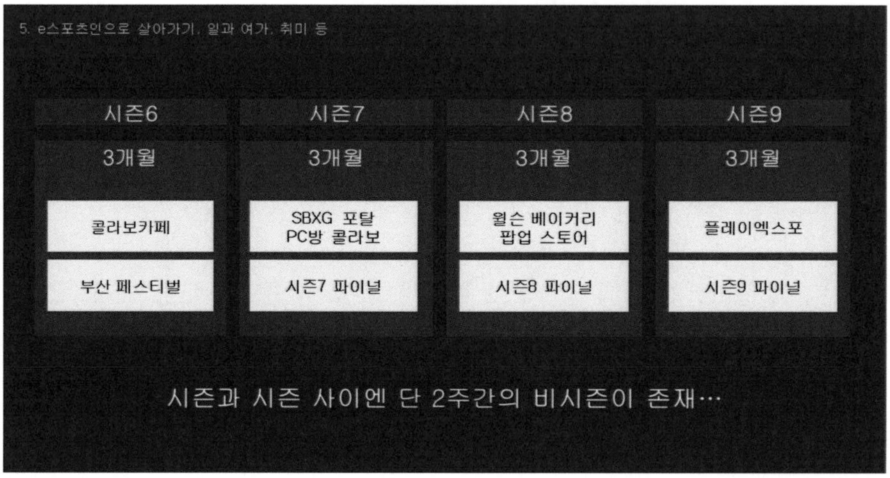

자료: 이터널 리턴

이번 주를 전후로 해서 저희 '이터널 리턴 e스포츠' 일정들인데요. 시즌 중에는 주말에 대부분의 대회를 진행하는 만큼 주말에 쉬는 게 거의 사치일 정도로 쉬어본 경험이 없습니다. 특히 저희처럼 프로게이머라는 게 딱히 없고 아마추어팀들이 자체적으로 준비해서 나올 때는 선수나 이런 참가자, 방송하는 사람들이 본업이 따로 있는 경우가 많아요. 결국 대부분의 대회가 주말로 몰리게 되고 그래서 주말에 저희가 일을 할 수밖에 없는 그런 환경들이 조성되더라고요. 평일에는 또 회사의 업무가 있어서 쉬기가 힘들더라고요. 그래서 좀 더 큰 스케일로 보자면, 저희 게임은 3개월 단위로 시즌이 반복되고 있는데요. 시즌과 시즌 사이에는 딱 2주간의 프리 시즌이 있습니다. 작년 5월부터 시작해서 올해 1년까지 진행되었던 일들을 보면 거의 3개월 동안에 두 번 정도씩은 오프라인 행사가 있어서, 특히 지난주에 있었던 플레이 엑스포 이런 것들은 스케일도 되게 커서 힘들었던 기억이 나요. 그래서 e스포츠인으로 살아가려면 이런 일정들을 좀 버텨낼 수 있어야 한다, 이런 생각이 좀 많이 듭니다.

158

"사실 여가 시간에 뭘 하는 생각을 해봤는데 결국에는 게임이더라고요. 일도 게임인데, 결국 취미도 게임이고, 사실 취미 여가 시간에도 게임을 하지 않으면은, 게임 이해도나 이런 부분에서 좀 뒤처질 수밖에 없다고 생각하고 있어요. 저는. 특히 저희 게임뿐만 아니라 다른 경쟁사 게임들도 다 해봐야 하거든요. 그래서 저희... 예를 들어 발로란트라든지 오버워치2라든지 이런 데 이슈들 팔로워 업을 한다 쳐도, 실제로 게임을 해두지 않으면 와 닿지 않는 부분들이 많아서, 그런 경쟁 게임들도 좀 틈틈이 해줘야 하는 것 같습니다. 그래서 여가 시간에도 사실 게임을 해서 정말 게임하는 게 좋아한다면, 그거를 또 작성에 잘 맞는 게 아닐까 이렇게 생각을 하고 있습니다. 제가 e스포츠 쪽에서 하는 업무를 하나 더 말씀드리자면, 마케팅 쪽에서 하는 이벤트로 봐주시면 될 것 같아요. 게임 IP를 활용해서 되게 다양한 콜라보 행사와 같은 마케팅 이벤트를 진행하고 있어요. 다음 날 꼭 사야겠다고 그 전날 저녁 7시부터 와서 줄 서더라고요. 그래서 요즘 이런 IP의 힘이 확실히 서브컬쳐를 중심으로 해가지고, 중요해진 것 같습니다."

님블 뉴런에 들어오고 나서부터 어떤 변화를 겪었는지 간단하게 말씀을 드리려고 하는데요. 사실 e스포츠가 게임 업계의 부분집합이라고 보지만, 저는 성격이 매우 다르다고 생각했었거든요. 하지만 님블 뉴런에 들어오고 나서 느낀 게 e스포츠가 왜 게임에 종속된 산업이라고도 얘기를 할 수 있는지 느끼게 된 부분들이 아주 많습니다.

게임 마케팅이라든지, 그런 UI적인 부분이라든지, 기획적인 부분이라든지, 다 e스포츠랑 밀접하게 관계가 있어서요. 마케팅은 우리 부서니까 당연한 거고 다른 부서와도 의사소통을 많이 하고 있습니다. e스포츠인들이 희망하는 것 중 하나가 게임사에 들어가는 게 목표인 분들이 아주 많을 것 같은데, 확실히 게임사에 오면 배우는 게 많습니다. 저희가 e스포츠에서 건드리게 되는 다양한 부분들이 다른 부서들과 협업을 통해서 진행되어야 하기 때문에요. 단순히 대행사 같은 데서 이미 만들어진 게임을 즐기고 대회를 하는 것도 물론 좋은 경험이지만, 직접 게임사 안에서 게임을 만들어 나간다는 경험은 또 다른 재미라고 생각하고 있습니다. 이건 우리 회사의 미션인데요. "우리의 게임으로 꿈꾸고 도전하는 모든 이들을 돕는다." 이런 미션을 가지고서 더 재밌는 행사들, 재밌는 e스포츠를 만들어 나가려고 저희는 노력을 많이 하고 있다고 말씀을 드리고 싶습니다.

예전에 저희 오프라인 대회 때 게임이 한번 패치를 크게 실수해서 유저들의 민심이 다 떠나갔던 적도 있는데, 그때도 대회 한 번으로 민심을 많이 되돌렸어요. 그래서 그런지 저희 열심히 하라고 유저 분들이 커피 트럭을 보내줬던 적도 있고요. '지스타(G-star)'에서 하는 게임 대상에서 인기 게임 상을 받은 적도 있고, 이렇듯 유저분들한테 직접 사랑받고 있다는 게 피부로 와닿으니까 더 열심히 하게 되는 부분들도 많은 것 같습니다. 저희는 서브컬쳐 성향이 강하다 보니까 코스프레 하시는 분들, 커뮤니티도 케어를 열심히 하고 있습니다.

지난 3월 때 대전에서는 거의 70 몇 명 정도가 하루 안에 모여 주셨는데 다른 메이저 게임들하고 비교해도 전혀 밀리지 않는 그런 숫자라고 봐주시면 될 것 같습니다. 실제로 '플레이 엑스포' 현장에서도 '이터널 리턴' 코스프레가 정말 많았거든요. 그래서 이런 커뮤니티들이랑 소통하고 이런 거 자체도 되게 중요한 일이라고 생각합니다. 마지막으로 이제 디지털 사회 안에서 e스포츠인으로 산다는 것의 의미를 말씀드리고 싶습니다.

e스포츠인으로 살아가기

요즘 워라벨이라는 얘기를 되게 많이 하잖아요. 이런 부문에서 e스포츠 쪽은 거리가 좀 먼 것 같다는 생각을 많이 합니다. 다른 게임 쪽 일을 하는 친구들도 이직을 고민하고 있고 처음에 비해 지칠 수밖에 없다고 하더라고요.

그래서 그런 부분들을 좀 염두를 해둬야 하고 어느 정도 각오도 있어야 합니다. 좋아하는 일이라고 해서 열심히 하다가 건강을 놓쳐서도 안 됩니다. 이렇게 얘기를 하고 싶었던 게, 저도 작년에 중요한 수술을 하고 퇴원하고 바로 다음 날 현장에 갔던 적이 있거든요. 생각해 보면 저도 그때 '내가 왜 이렇게까지 해야 하나?'라는 느낌을 많이 받았는데 역시 건강이 가장 중요한 것 같습니다. 하지만 워라벨이 e스포츠에서는 좀 개선돼야 하는 부분이긴 한데 아직까지는 열정이나, 이런 부분으로 좀 커버를 쳐야 하는 부분들이 많다고 생각합니다.

취업하기 전에 대학생 때 재밌게 할 수 있는 것들, 그리고 그런 것들이 본인에게 큰 무기가 되어줄 거라고 생각을 하고 있습니다. 어차피 현업에서 하는 것들은 취직하면 많이 해볼 수 있어서 그런 부분들은 좀 나중에 하면 좋을 것 같습니다. 제가 e스포츠 하시는 분들한테 자주 얘기하는 것 중 하나가 린스타트업인데요.

이게 스타트업이 아니더라도 어떤 프로젝트를 함에 있어서 중요한 방법이 될 수 있습니다. 특히 뭔가 e스포츠같이 빠르게 변화하고 사람들의 피드백이나 커뮤니케이션이 직접적으로 와 닿는 곳에서는 더 그럴 수 있는데요. 저희가 흔히 린스타트업에서 빌드, 메져, 런이라는 피드백이라고도 하는데 만들어서 내놓고 그다음에 거기서 오는 피드백을 측정하고, 거기서 배워서 다시 아이디어를 내서, 다시 제품을 만들고, 이렇게 빠르게 반복하는 게 린스타트업의 핵심 개념이라고 할 수 있습니다.

[그림 5-12] 린 스타트업[20]의 핵심 원칙

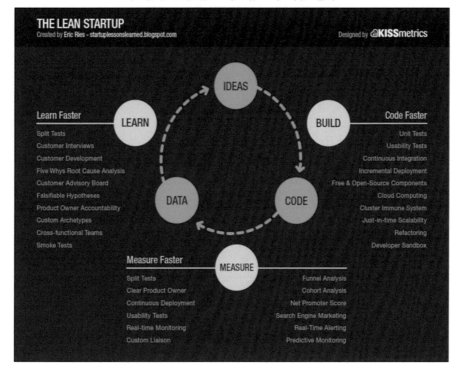

자료: Eric Ries(2021)

"솔직히 대학생이고 사실 할 수 있는 게 한계가 있습니다. 그래서 거창하게 하는 것보다는 일단 하나를 해보는 걸 좀 치중을 하고, 그 다음에 이거를 학우들이나 학교에 한 번 내놓아 보고 참가하는 사람들의 피드백을 받아서 또 개선해 다음 대회를 합니다. 이렇게 계속 반복을 하다 보면 이제 그 안에서 배우는 것들이 아주 많지 않나 이렇게 생각해서 소개를 드려봤습니다. 항상 자신에 대해서도 e스포츠를 하는데 내가 좋아하는 게 e스포츠인가, 특정 게임인가, 이것도 저는 되게 중요하다고 생각합니다."

최근에 e스포츠 쪽 취직한 친구들 보면 사실 e스포츠의 리그오브레전드가 전부가 아닌데, 이제 리그오브레전드 좋아하시는 분들이 다른 종목으로 갔을 때 되게 의욕을 많이 잃으시는 경우들도 있더라고요. 그래서 나는 정말 e스포츠 좋아하는

---

20) 린 스타트업(Lean Startup)은 제품이나 시장을 발달시키기 위해 기업가들이 사용하는 프로세스 모음 중 하나로서, 시장에 대한 가정(market assumptions)을 테스트하기 위해 빠른 프로토타입(rapid prototype)을 만들도록 권한다. 그리고 피드백을 받아 기존의 소프트웨어 엔지니어링보다 훨씬 빠르게 프로토타입을 진화시킬 것을 주장한다(출처: 위키피디아).

데 지금 맡고 있는 게임에 정이 잘 안 붙는다고 하면 자기가 좋아했던 게 정말 e스포츠가 맞는지, 이런 부분에 대해서 고찰을 해보는 게 좋을 것 같아요. 내가 e스포츠 전문가가 정말 되고 싶은 거라면, 특정 종목이 아니라 다양한 종목에 대한 인사이트를 기르는 게 중요하다고 생각하고. 다방면으로 인사이트를 기르는 것이 중요하지 않나 생각하고 있습니다. e스포츠 대회가 경쟁해야 할 상대들이 많아서 시장을 파악하는 능력도 중요합니다.

요즈음 유튜브, 넷플릭스와 같은 OTT 서비스와도 경쟁하고 있어서 예전보다 경쟁하는 것이 어려워졌다고 생각합니다. 그렇기에 나의 잠재적인 고객들이나 경쟁자들이 누구인지 파악하는 능력이 중요합니다. 또한 실무 능력도 중요합니다. 이러한 능력은 다른 부서들하고 소통하다 보면 자연스럽게 활용되는 만큼 중요합니다. 특히 요즘 ChatGPT 우리 회사에서도 되게 많이 쓰고 있거든요. 이런 AI 툴들을 활용하는 능력도 길러두면 도움이 되는 부분이 아닐지 싶습니다. 오늘 제가 준비한 내용은 여기까지고요. 지금까지 들어주셔서 감사합니다.

토론

이상호 교수 개인적으로 P2E는 어떻게 생각하시는지 궁금합니다.

윤서하 파트장 저는 사람들이 좋아하는 거라면 어떤 의미가 있지 않나, 라는 생각을 해서 우리 회사의 방향성하고는 좀 맞지 않을 것 같아요. 저희는 Pay to Win, Play to Earn 이런 부분하고는 조금 거리가 있고 게임성을 되게 중요시하는 회사라고 봐주시면 될 것 같아요. 근데 작년에 태국 게임쇼를 지원을 받아 갔었는데, 동남아 쪽은 P2E이나 이런 게 잘 된다고 하더라고요. 다만 한국에서 먹힌다는 건 잘 모르겠습니다.

김영선 교수 어릴 때부터 기억을 연결해서 지금 일하시는 게임 회사의 활동에 대해서도, 대학동아리 활동의 부분까지도 e스포츠인의 삶을 총체적으로 다 말씀해 주신 것 같습니다. 어떻게 보면 정말 대학생인데 e스포츠 동아리나, 동아리연합회를 만들면서 20대의 모든 열정을 e스포츠를 위해서 태웠다고 하셨습니다. 또 현재까지도 열정을 가지고 계셨다는 그런 부분에서 저는 너무 반갑고 항상 이런 부

162

분들이 저희가 e스포츠 연구를 할 때 밑바탕이 되어야 한다고 생각하고 있습니다. 지금 발표해 주신 내용 중에서 여러 영역이 있습니다. 게임의 장르 영역도 있고, 연합, 어떤 친목을 위한 교류도 있고, 또 글로벌 게임 회사와의 협업도 있고, 현재 국내 게임 회사가 어떻게 또 앞으로 발전해 나갈 것인가에 대한 그런 주제도 있고, 굉장히 다양한 주제들이 포함되어 있습니다.

김재훈 교수 아까 잠시 게임하고 e스포츠의 차이를 설명해 주셨는데. 그러면 지금 '이터널 리턴'은 게임으로 보시는지, 아니면 e스포츠로 보시는지 궁금합니다. 그 이유가, 저나 다른 교수님들하고 연구를 하는 입장에서 어떠한 논문을 쓸 때 정의적인 그 부분에 대해서 모호한 게 사실이거든요. 게임사에서 게임을 개발할 때 처음부터 e스포츠라고 정의를 내리고 개발하지는 않잖아요. 그래서 추후에 이제 케스파(KeSPA)에서 종목이 편입될 수도 있고. 그런 관점으로 봤을 때 그 부분에 대해서 어떻게 생각하시는지, '이터널 리턴'이 게임인지, e스포츠인지 먼저 질문을 드리고 싶습니다.

윤서하 파트장 일단은 '이터널 리턴'은 게임이지만 그 대신에 저희는 e스포츠를 굉장히 중요하게 생각하는 게임이라고 봐주시면 될 것 같아요. 저희가 발표 같은데 나가서도 대표님이나, 다른 분들이 말씀하시는 게 e스포츠가 우리에게 핵심 동력이다, 라고 이야기를 합니다. e스포츠가 중요한 게임들의 특징을 보면 대부분 경쟁적인 게임들이고 또 그런 코어 플레이를 했을 때 재미가 있는 게임이라고 할 수 있는데요. 저희 게임이 진입장벽이 조금 있고 난이도도 있는 게임이지만, 이해하고 적응했을 때 훨씬 큰 재미가 돌아오는 그런 코어한 게임이라고 설명할 수 있습니다. e스포츠도 게임에 완전히 파고들어서 열심히 하고 잘하는 친구들의 대결을 보는 거잖아요. 그렇기에 다른 게임보다 저희 게임이 그런 부분에서 오는 희열이 더 클 거로 생각합니다. 물론 항상 얘기하는 것 중 하나가 게임이 잘 된다고 e스포츠가 잘 되는 건 아니거든요. 그렇다고 e스포츠를 잘 하고 싶다고 해서 잘 되는 건 절대 아니라고 생각해요. 세계에서 국제적으로도 성공한 게임들은 많지만, e스포츠로서 성공한 게임은 극소수라고 생각하거든요. 이러한 부분들이 코어 감성, 코어 플레이에 대한 재미와 연관이 많이 있다고 봅니다. 아무튼 발표해서 말씀드린 것처럼 e스포츠는 어느 정도 게임에 종속적인 부분들이 있다가 보니까 '이터널 리턴'도 당연히 게임입니다. 하지만 게임 안에 종속되어있는 '이터널 리턴'이 e스포츠라는 대회를 키우면서 e스포츠가 하나의 핵심 가치 중 하나로 생각하고 있습니다. 또한 '이터널 리턴'이라는 게임 큰 틀 안에서 재미를 전달하는 방법의 하나가 e스포츠다 이렇게 설명해 드릴 수 있을 것 같습니다.

김재훈 교수 아까 '이터널 리턴' 유저가 충성도가 높다고 말씀하셨습니다. 제가 최근에 진행한 논문 연구 중의 하나가 e스포츠 이용자와 캐릭터 상호작용이 소비자의 욕구 충족과 굿즈 구매 의도에 미치는 영향입니다. 대부분의 굿즈가 소비자의 충성도에 기인하는 것인데 일반적으로 '이터널 리턴'이라는 게임을 모릅니다. 하지만 코어유저로부터의 충성도는 높다고 들었는데 그러면 굿즈를 많이 개발하실 그런 방향성이 있는지 한정판 느낌으로의 굿즈만 계획하실 건지 궁금합니다.

윤서하 파트장 저희 게임이 되게 특징적인 것 중 하나가 아까 말씀하신 것처럼 캐릭터가 매력적이어서 캐릭터 게임으로서 소비를 해주시는 분들이 많고요. 또 이제 하드 코어한 MOBA 장르의 배틀로얄21)로 소비해 주시는 분들도 많습니다. 굿즈나 이런 캐릭터 비즈니스 경우 캐릭터 게임으로서 소비해 주시는 분들을 타겟으로 진행을 많이 합니다. 계획을 두 가지로 나뉘어서 얘기해 볼 수 있는데 먼저 첫 번째는 저희 게임 마스코트 중에 윌슨이 있습니다. 보편적으로 귀엽고 구매충동이 들만한 포지셔닝을 하고 있고, 다음 두 번째는 무기를 형상화한 액세서리, 캐릭터의 상징이 들어있는 키링 등과 같이 코어 유저들을 위한 굿즈가 따로 있습니다.

김재훈 교수 말씀하신 굿즈들이 약간의 제한들이 있는 상품 같은데 그 외적으로 생각하지 않았던 제품 라인이 있을까요?

윤서하 파트장 저희도 대량 제작을 하려면 최소 수량이 확보되어야 하다 보니까 너무 대중성이 떨어지는 것은 만들기 힘들었습니다.

김재훈 교수 그리고 회사에서 자체적으로 만드시는 건지 기업들과 콜라보쪽으로 진행을 많이 하시는지 궁금합니다.

윤서하 파트장 저희 굿즈를 제작하는 업체가 따로 있습니다.

김재훈 교수 자회사 라인인가요?

윤서하 파트장 아, 자회사 라인은 아닙니다. 별도로 이런 서브컬처 쪽 그리고 굿

---

21) 배틀로얄 게임(Battle royale Game)은 비디오 게임의 장르 중 하나로, 주로 다인용 온라인 게임에서 사용된다. 서바이벌 게임의 채집 요소 및 생존과 라스트 맨 스탠딩을 융합한 장르이다. 장르의 이름은 2000년 일본 영화 '배틀 로얄'에서 따온 것이다. 대표적인 배틀로얄류 게임으로는 배틀 그라운드, 포트나이트, 에이팩스 등이 있다(출처: 위키피디아).

즈 사업하시는 분들이랑 콜라보를 하고 있어요. 그거랑 별개로 또 저희의 특징이라면 부산에서 했던 플리마켓이 있는데요. 이게 2차 창작하시는 분들이 자기가 직접 저희 게임 굿즈를 만들어가지고 와서 팔 수 있는 이런 장이거든요. 그 행사 기간에는 IP를 무료로 개방하고 유저 분들이 디자인해서 와서 팔 수 있는데 한 3개월에 한 번씩 계속 진행하고 있습니다. 저희도 굿즈를 많이 만들고 싶지만. 굿즈 만드는 데 드는 비용이 천문학적인 비용들이 들고 대량 생산했는데 안 팔리면 재고는 회사가 떠안아야 하는 상황이라 다양하게 만들지 못하거든요. 하시만 다양한 라인업들을 유저분들한테 선보이기 위해서 2차 창작을 활용하는 그런 방향으로도 가고 있습니다.

김재훈 교수 그러면 그때만 IP를 열어주시는 거죠?

윤서하 파트장 그렇죠. 또한 저희가 셀러로 선정되신 분들한테는 지원을 어느 정도 해드려서 유저들한테 직접 사고팔고 할 수 있게 하고 있습니다.

김영선 교수 저는 관심이 대학 내 e스포츠 동아리를 만들고, 동아리가 서로 연합을 해서 서로 교류를 하고 아마추어리즘을 추구하는 그런 부분이 의미 있다고 생각하는데요. 2013년에 에카를 창단하여 초대 회장까지 맡아주셨잖아요. 현재 회장을 맡고 계신 김민경 회장님이 또 같이 자리해 주셨어요. 10년이라는 기간이 길다면 길고 짧다면 짧은데. 처음에 추구하고자 했던 목적도 있고, 지금 현재도 그걸 지속해 나가기 위해서 노력하고 있는데, 어떻게 보면 그동안의 변화라거나, 아니면 지금 산업에 계시지만, 선배인 입장에서 바라보는, 지금 에카를 운영하는 후배들에 대한 그런 느낌이나, 아니면 앞으로 이렇게 했으면 좋겠다는 그런 방향들에 대해서 조금 얘기를 더 보충해 주시면 감사하겠습니다.

윤서하 파트장 사실 10년이라고 하긴 하는데 제가 약간 처음 시작했을 때가 사실 21살 정도였어서. 제가 얼마나 조언할 수 있을지 잘 모르겠지만, 일단은 사실 에카 처음 만들 때부터 제일 중요하게 생각했던 그런 핵심 가치 중 하나는 어쨌거나 약간 대학생들의 힘으로 뭔가 대학생들이 모여서 재밌는 걸 만들어 보자 이런 부분들이 좀 컸거든요. 사실 일반적으로 대학생들이 모여서 그냥 대회를 하고 이런 건 사실 어디든 할 수 있다고 생각합니다. 그러니까 리그오브레전드도 대학생 리그 따로 하고, 그러니까 요즘 e스포츠 협회에서 대학리그도 따로 하고 이러는데 그렇게 이제 협회 단체, 아니면 사기업에서 하는 대학생 대회랑, 대학생들이 만들 수 있는 대학생 대회랑 재미 요소가 좀 다를 수 있다고 생각하고 있습니다. 대표적으로 예전에 했던 대회 중에서 신촌 쪽에 있는 학교들을 모아서 했던 '신촌 리그'라고 한번 했었거든요.

　10년이긴 하지만 처음 시작했을 때가 21살 정도였어서 얼마나 조언을 할 수 있을지 잘 모르겠습니다. 일단은 에카를 처음 만들 때부터 제일 중요하게 생각했던 가치가 대학생들이 뭉쳐서 재밌는 걸 만들어 볼 자였어요. 일반적으로 대학생들이 모여서 대회를 하는 건 어디든 할 수 있다고 생각합니다. 실제로 리그오브레전드도 대학생 리그로 하고, 그때 이제 아프리카 TV랑 '치킨 마루'에서 되게 협찬해 주셔서 그런 비용적인 부분들을 되게 커버를 많이 해주셨는데. 그때는 또 재밌었던 게 서강대 축제 안에서 신촌 리그 이벤트 전 같은 것도 하고 서강대 공간 안에 이제 무대를 꾸며서 대회를 하고 이렇게 했던 기억이 납니다.

　이렇게 학교 공간에서 뭔가 학생들이 할 수 있는 부분들, 사실 이거 사기업이나 협회 단체에서는 또 하기 힘든 부분이거든요. 학교 안에서 하는 것들은. 그래서 이런 부분들을 좀 더 파 보면 또 에카만의, 그런 대학생들만의 재밌는 콘텐츠가 나오지 않을까 싶습니다. 심지어 그때 이제 뒤풀이로 서강대에서 라운지 같은 걸 빌려서 파티도 했었거든요. 치맥 파티 같은 것도 했었는데. 그 게임 마케팅에서도 나온 얘기인데, 이게 어떤 한 액션이 이렇게 점과 점으로 이제 끝나는 것보다, 사실 점과 점 사이를 잇는 선으로 되는 게 좋은 마케팅이라고 얘기를 하는데요. 이게 어떤 말이냐 하면, 어떤 대회를 할 때 내가 대회 신청을 받고, 대회를 하고, 이제 끝. 방송도 했고, 영상을 올렸고, 끝. 이렇게 하면 점으로 남지만. 이렇게 신청했으면 신청해서 준비하는 과정 자체도 하나의 콘텐츠로 소비하고, 대회를 했으면 이제 대회 끝나고 나서 이제 사람들끼리 교류하고, 다음 대회를 준비하는 과정까지를 또 선으로 이어질 수 있다고 하면, 이게 이제 계속 연결될 수 있는 선이 되는 거니까. 이런 방향으로 고민하다 보면 좀 더 지속성 있고 더 재미있는 활동들을 할 수 있지 않을까 이런 생각이 드네요.

김영선 교수 제가 요즘 논문에 포함하고 있는 내용이. 보통 연고전, 고연전, 포카전, 카포전 이렇게 두 학교가 하는 경우가 많잖아요. 그 운영은 총학생회에서 하는 거잖아요. 그리고 그 대회 자체는 약간 라이벌전의 성격이 더 강하다고 해야 할까요? 그러니까 폭넓은 친목 교류보다는 두 학교에 어느 학교의 라이벌전에서 어느 학교가 승리하느냐. 그런 거에 관심이 많은 것 같아요. 반면 지금 에카는 전국적으로 35개의 대학이 포함되어 친목과 교류를 목적으로 해서 앞선 두 학교 간의 라이벌전을 하는 그 형성 과정하고 꽹장히 다른 특징을 보인다고 생각하거든요. 근데 그 부분을 지금 말씀해 주신 것 같아요. 그래서 그런 부분으로 좀 발전이 잘 됐으면 좋겠는데. 지금 이 자리에 계신 현재 회장님께도 질문을 하고 싶네요. 이 부분에 대해서 어떻게 생각하시는지요?

참여자 사실 지금 에카에서 하는 활동은, 이 두 학교, 세 학교만의 교류보다는 이 제 에카 안에 있는 대학생들끼리 대학교 소속 동아리원들끼리 한번 이제 대회에 다 같이 해서 '어느 학교가 짱인가?' 이런 걸 메인으로 해서 지금 1월부터 5월까지는 그렇게 지금 진행이 되고 있고요. 말씀해 주셨듯이 대학생이라서 할 그런 기회가 아주 많아요. 제안서를 넣고, 기업과 협업해서 뭘 하고 싶다고 이제 바로 세 안서, 기획안 뚝딱뚝딱 만들어서 어디서 여기저기 내보내고 할 기회가 대학생이라서 더 많은 것도 있는 것 같은데. 작년에도 되게 뭔가 많은 시도는 했으나 이제 불발되는 건이 좀 많아서 친구들이 조금 이제 요즘 말로 마음이 꺾였더라고 하죠. 그래서 이제 한번 넣고 안 되니까 저희는 뭘 해도 안 될 것 같아요. 다음에는 이제 저희가 또 어디를 해봐야 하죠, 라는 말이 나오기 전에 일단 저희가 한 것들이 매력적이지 않다는 말을 먼저 하더라고요.

작년에는 좀 불발된 게 좀 많아서 이번에 조금 제대로 준비해 보자, 라고 해서 지금도 기획하고 있는 게 '전국 대학 교류전'이라고 이제 아까 말씀해 주셨듯이 지역별로 따로 리그를 열어서 이제 여기서 올라오는 친구들끼리 할 수 있는 그런 걸 기획 중인데, 다른 타 회사 '게이밍 기어'라든가 스폰서십을 받을 수 있는 에너지드링크, 식품회사인 농심이나 오뚜기 이런 쪽으로 컨택을 지금 좀 해보려고 노력하고 있습니다. 지금은 아까 말씀해 주신 두 학교만의 교류보다는 에카 소속 동아리들끼리 우리 이런 학교 있고 서로 다 같이 잘해보자! 이런 게 더 큰 것 같아요. 그리고 그 안에서 이제 상대... 이제 보통 보면 요즘 대학동아리에 대표팀이 하나씩 이렇게 다 있거든요. 그래서 회장단이나 이렇게 매니저 팀에서 서로 '이 학교 좀 괜찮은 것 같다 잘하는 것 같다.' '실력 좀 괜찮은 것 같다.' 하면 서로 컨택해서 저희 스크림 하죠, 해서 본인 학교들끼리 약속을 잡아서 주 1, 2회씩 이렇게 하고 있고요.

김영선 교수 말씀해 주신 지금 그 내용하고 연결해서 대학생일 때 대학생답게 할 수 있는 그 문화가 참 좋은 것인데. 이거를 유지해 나가기 위해서는 예산도 필요하고, 후원도 필요하고, 그런 실질적인 것들이 많이 필요하잖아요. 그러면 블리자드라든지, 좀 다른 기업들의 후원을 받으면서 어떻게 그 대학생다움을 지켜나갈 수 있을까, 그것도 되게 현실적인 고민이 되지 않을까라는 생각이 들거든요. 대학과 기업의 협업 과정에서 대학 문화의 하나로 어디까지 타협할 것인지 또 어디까지 협업해야 하는가 그런 부분에 대해서 고민해 보신 적이 있나요?

윤서하 파트장 저도 사실 제안서 진짜 많이 쓰고 돌아다녔었는데. 사실 불발된 건이 훨씬 많을 수밖에 없거든요. 그거는 저희가 회사에 들어온다고 해서 달라지는 건 아닌 것 같아요. 제안서를 넣으면 사실 무시당하거나 아니면 미팅 한 번 하고 끝나거나 이런 경우가 훨씬 많은데, 조금 대학생이니까. 사실 활용할 수 있는 거는 어떻게 보면 그럴 때일수록 선배들한테 한번 도움을 요청하는 것도 되게 방법이라고 생각하거든요. 실제로 저도 학교 선배들이나 이런 이제 수소문해서 한번 찾아보고 우리가 이런 거 하려고 한다고 도와 달라, 이렇게 설명했던 적도 되게 많고 분명히 찾아보면 도와주실 수 있는 분들 되게 많을 거라.

전에 한양대 에리카 캠퍼스 쪽에서 축제하는 거에 조금 지원을 해준 부분들이 있거든요. 그래서 이렇게 짧게라도 사실 도움을 받을 수 있는 부분들 분명 찾아보면 있으니까, 그리고 아니면 뭐 내가 어디 연락해 보고 싶은데 연락처 혹시 가지고 있냐, 이런 것도 편하게 물어봐도 선배들한테 좀 괜찮지 않나 이렇게 생각은 들고. 그리고 또 한 가지 얘기하고 싶은 거는 예전에 에카에서 했던 활동 중에서 지금 다시 꺼내보면 괜찮을 것 같은 것들이 좀 있긴 하거든요. 예를 들어 예전에 합동 MT 같은 것도 같았어요. 가서 블리자드한테 협찬 받아서, 하스스톤 굿즈들 이렇게 바리바리 싸들고 가서 합동 MT로 가서 양 학교 간의 그런 대결이라든지, 이런 콘텐츠를 가지고서 되게 상품도 나눠주고 이런 거 했었는데. 어차피 학교들끼리 MT 가는 거 요즘도 많이 가는지 모르겠지만, 어차피 한 학기에 한번 갈 거라면 다른 학교랑 같이 엮어서 또 새로운 콘텐츠를 개발해 보고 이런 것도 괜찮지 않나 이런 생각도 좀 드네요.

김영선 교수 그런 차원에서 사단법인의 필요성이 있다고 하셨던 건가요?

윤서하 파트장 네. 제가 에카 초대 회장으로 한창 활동할 때, 이제 바로 다음 기수 친구들한테 좀 얘기했던 게 우리 사단법인을 한번 도전해 봤으면 좋겠다, 라는 얘기를 실제로도 했었는데. 이게 학생들만의 힘으로는 사실 쉽지 않더라고요. 근데 만약에 진행하게 된다면은 아까도 말씀드렸지만 저는 그런 사기업들의 어느 정도 이해관계에서 조금 벗어난 대학생 단체가 필요하다고 생각은 하고 있습니다. 그래서 기업들의 지원을 받긴 받지만, 어쨌거나 의사결정이나 이런 부분에 있어서는 좀 그런 자주적인 거를 좀 존중받을 수 있는 단체가 있어야 대학생들만의 그런 e스포츠 문화가 어떤 이해관계로 인해서 무너지지 않고, 좀 잘 보존이 될 수 있다고 생각하거든요. 사실 게임은 어차피 그 해, 그 해 유행하는 게임은 달라질 수밖에 없다고 생각해서. 게임이 바뀐다고 해서 사실 e스포츠 문화 자체가 바뀌는 건 아니라고 생각합니다. 그래서 우리가 스타크래프트를 즐겼다고 해서 지금 이제 리그오브레전드로 e스포츠를 하는 사람들이 처음부터, 제로부터 리셋돼서 시작한 건 아니니까요. 어떻게 보면 자연스럽게 팀이나 이런 게 좀 흡수가 됐었는데, 대학생 e스포츠도 마찬가지로 그런 식으로 되려면 어느 정도는 좀 그런 문화를 지키기 위한 단체가 있었으면 좋겠다. 그게 사실 사단법인의 형태에서는 제일 좀 안정적이지 않을까, 이런 생각은 2014년 이때부터 했었거든요.

김영선 교수 안정적이라는 부분이 가장 e스포츠 문화의 중요한 핵심이 될 수 있을 것 같아요. 너무 불안한 상황이기 때문에, 과연 기울어진 운동장과 같은 현실에서 집을 지을 수 있을까? 라는 그런 의문이 들거든요.

이상호 교수 잠깐 발표 중에 보면 e스포츠에서 가장 한국에서 인기가 있던 스타크래프트를 볼 때 공공재의 문제가 있잖아요. 그 이외에 다른 이유도 있겠지만 지금 가장 e스포츠를 연구하는 입장에서는 공공적인 문제거든요. 보통 회사 같은 경우는, 저는 개인적으로 회사 입장에서는 공공재, 공공적으로 뭐 하는 거는 그냥 예를 들어 가지고 신고만 하면 열어주는 거, 그러면은 그렇게 진행할 생각이 있는 거지 회사 입장에서는... 회사에 계시니까 그럼 뭔가를 이렇게 하겠다. 그럼 굳이 지금 뭔가 하려고 하면, 허락을 받아야 하고 뭘 해야 하고, 뭘 해야 하잖아요. 그게 아니라 아예 회사 자체에서 공공재는, 공공적인 능력을 담당하는 사람이 있으면 쉽게 진행할 수 있지 않을까, 똑같이 조금 전에 말씀하셨듯이 에카가 사단법인 만든다는 것도 실질적으로 권력을, 힘을 가지고 있어야지 '우리가 뭔가를 게임을 한다.' 이러면은 굳이 이거는 게임 회사의 IP가 가지 못하게끔 할 수 있는 능력을 갖추기 위해서라도 저는 사단법인을 생각하고 계신 게 아니었나, 하고 생각했습니다. 회사에 있으니까. 그런 공공재의 영역을 어떻게 이해하고 있는지 질문드리고 싶었습니다.

윤서하 파트장 일단은 사실 최근에 많은 IP사들이 되게 본인들의 그런 영역에 대해서 보수적으로 많이 변한 걸로 알고 있습니다. 특히 우리 회사는 지자체 분들이랑 협업을 되게 많이 하는데요. 저희 부산이랑도 같이 대회를 해봤고 대전이랑도 해보고 경기도 기업이다 보니까 경기도랑도 굉장히 얘기를 많이 해보고. 그렇게 하고 있는데 IP사들이 보수적이라서 대화하기가 힘들다, 이런 얘기를 되게 많이 하시더라고요. 이걸 나쁘게 얘기하면 사실 본인들이 일을 한다고 해서 월급이 오르는 건 아니라서 사실 일을 하기 귀찮아하는 분들이 많긴 하다고 하더라고요. 저도 이런 게 궁금해서 우리 회사에 들어오고 나서 다른 분들한테 물어봤는데 '아니 그거 해봤자 어차피 다른 회사들은 어차피 자기들한테 돌아오는 게 딱히 없으니까 그래서 안 하려고 한다.' 이렇게 말씀을 많이 하시더라고요.

　괜히 자기들 이제 검수해야 할 것만 늘어나고, 가서 관리 감독해야 할 것만 늘어나니까. 근데 저는 그 부분에 대해서 좀 반대하는 입장입니다. 사실 그래서 저희는 이제 팀 자체, 마케팅 e스포츠 팀 자체에서도 지자체나 학생들이나 어떤 커뮤니티에서 도움 요청이 들어오면 우리는 그래도 최대한 다가가서 뭔가 하나라도 더 해주자, 라는 모토로 움직이고 있거든요. 그래서 사실 저희는 그런 지자체나 공공기관에서 이런 행사라든지 이런 거 진행을 한다고 하면 사실 좀 더 도와주자는 입장, 그렇게 일단 설명을 한번 드리고 싶고요. 사실 이런 부분들이 IP사들이 조금 더 적극적으로 나서면 사실 e스포츠 쪽으로 배정된 국가 예산이 되게 많은 걸로 알고 있습니다. 그래서 지금도 각 지자체에서 되게 많은 대회를 유치하고 있고 하고 있는데, 사실 허락을 IP 허가를 100% 다 받은 게 아니다 보니까 대회 자체 구성도 좀 웃겨질 때가 있고, 이제 게임 대회인데 게임 관련된 이미지나 이런 거 전혀 사용 못 하게 막는 경우도 있고, 이제 리그오브레전드 같은 경우에 로고 사용이나 이런 것조차 못하게 하다 보니까, 정작 참가자들한테 이게 게임 행사구나, 이런 걸 어필을 전혀 못 하는 경우도 많더라고요. 그래서 그런 IP사들이 이게 어떻게 보면 저희는 그런 이제 공공기관과 협업해서 좀 더 저희 게임이 좀 더 알려지고, 이렇게 성장하는 모습을 보여준다면 저는 오히려 그걸 보고서 다른 IP사들도 조금 열리지 않을까, 이런 생각을 하고 협업을 좀 많이 하고 있습니다.

　저희가 좀 이런 공공기관과의 협업을 통해서 저희 IP가 좀 더 커지고 저희 게임이 좀 더 흥한다면 다른 데서도 생각을 좀 바꾸고, 이게 내가 귀찮은 일이 아니라 이걸 하면서 '우리 게임이 더 좋아지고, 더 많은 사람한테 다가갈 수 있는 기회다'라고 생각이 바뀌면 아마 그런 스탠스들도 좀 바뀌지 않을까? 이렇게 생각하고 있습니다.

이상호 교수 걱정되는 거는 똑같은 입장에서 처음에 왔을 때, 스타크래프트가 블리자드가 게임이나 스타크래프트가 나오고 난 다음에 공공제 문제가 들어서고 난 다음에, 리그오브레전드라는 게 처음 들어왔을 때, 처음에는 그렇게 하겠다고 했거든요. 그렇게 딱 해놓고 중요한 거는 그걸 법적으로 전부 다 만들어 놨어요. 앞에서 암만 그러더라도 법적인 문제가 있으니까, 지금도 마찬가지잖아요. 회사가 어느 정도 성장하는 과정이 있으니까, 지금 예를 들어서 경영진이라는 것도 그 관점에서 진행되지만, 본인의 이 게임이 진짜 전 세계적으로 히트해서 많은 사람이 한다고 하면은 저는 똑같이 리그오브레전드의 경우를 따라갈 것 같거든요. 그러니까 아예 이제 회사 차원에서 이런 문제를 공식적으로 아예 던져 놓으면, 훨씬 더 받아들이는 이용자한테는 새로운 관점에서 시작할 수 있고, 그렇다면 진짜 e스포츠 문화를 새롭게 만들 기회라고 저는 생각을 합니다.

그래야 다른 사람들은 경기만큼은 공공재 영역으로서 답을 줄 수 있지 않을까 그게 바르다고 생각합니다. 어쨌든 한국에서 출발한 새로운 영역의 게임이라고 하면 저는 충분히 공공재의 영역으로 편입 가능하다고 개인적으로 생각을 합니다.

윤서하 파트장 사실 리그오브레전드 같은 경우에는 어쨌거나 외산 게임이잖아요. 외국에서 들어온 게임이고 라이엇 코리아가 있긴 하지만, 어쨌거나 지사일 뿐이고 그래서 사실 의사결정이나 그런 부분에 대해서 조금 제한이 있긴 하다고 들었거든요. 근데 이제 그래서 저는 국산 게임사들은 최소한 그런 부분에 있어서 좀 더 앞장서야 한다고 생각하고 있고, 실제로 얘기 나눠보면 국내에서 게임하시는 분들은 그런 생각하시는 분들도 좀 있긴 하더라고요. 다만 이제 현실적으로 게임업계 전반적으로 깔린 워라벨이나 이런 거에 대한 집착이나 이런 부분들이, 어쨌거나 자기한테 돌아온 일을 굉장히 좀 최대한 줄이려고 하는, 약간 이런 성향으로 드러나는 게 있어서 저는 오히려 게임 업계에서 성공 사례들이 나오는 게 중요할 것 같습니다. 왜냐하면 리그오브레전드도 사실 어쨌건 본인들이 잘해서 성공한 사례라고 생각할 거고 그래서 공공기관이나 이런 데서 손을 대서 잘 되는지 물어봤을 때 자기들은 우리 도움받은 거 없는데, 라고 생각하는 게임들이 훨씬 많을 거예요.

오히려 사실 저희가 올해 이제 케스파 정식 종목에 이제 등록을, 신청해서 들어갔거든요. 근데 그거 할 때도 다른 담당자들이 아니 그거 굳이 해서 뭐 하냐, 어차피 없어도 딱히 불만... 딱히 불편한 거 없는데 이렇게 얘기를 하시는데, 저는 그래도 어쨌거나 문체부에서 지정하는 사업이고, 국산 게임이라도 이런 걸 계속 신청을 들어가서 종목을 계속 순환을 시켜주고 해야, 앞으로 이제 더 많은 종목이 이런 거에 관심을 둘 거고, 또 나라에서도 이렇게 종목들이 늘어나는 걸 보고 더 지원할 수 있는 부분들을 찾아주지 않겠냐, 생각하는 입장이라서 그래서 성공 케이스가 되게 중요할 것 같습니다.

김영선 교수 혹시 공공기관과의 협업 외에 대학과의 협업을 한번 생각해 본 적은 있으세요?

윤서하 파트장 대학과의 협업을 아직 회사 단위에서는 딱히 그렇게 제안을 받아본 적이 없어서, 아직까지는 진행하고 있지 않은데, 저희가 이번에 한양대 에리카 쪽에 축제 지원을 하면서 이렇게 대학생들하고 좀 또 교류를 하고 싶다, 이런 생각을 좀 많이 하고 있어서 대학교 e스포츠, 대학생 e스포츠 쪽에 뭔가 할 수 있으면 좋지 않을까 하는 생각은 가지고 있고요. 실제로 저희 유저들의 대다수가 20대라 대학생들이랑 뭔가 했을 때 시너지는 좀 잘 날 것 같다는 생각은 하고 있습니다.

김재훈 교수 이제 에카 초대 회장님이시고, 지금 회장님 계시니까 질문이 아까 저 인터뷰를 보니까 문화를 얘기하셔서, e스포츠 문화를 얘기하셨고 그다음에 몸이 불편한 학생, 그런 사람들도 다 같이 즐길 수 있는... 정말 e스포츠의 특징이죠. 신체가 좀 불편해도 같이 즐길 수 있는 그런 거를 이제 말씀을 하셨는데, 현 회장 님이 하는 진행이 물론 단편적이겠지만, 들었을 때는 제가 느끼기에는 많은 부분 이 대학교의 그 리그, 대학교 순위를 다루는 그런 경쟁 쪽으로만 지금 현재는 조 금 이렇게 집중이 되어 있지 않을까, 라는 제가 생각이 드는데 물론 10년이라는 폼도 있고, 코로나라는 것도 있고, 폼도 변했으니까 정말 순수하게 대학동아리로 서의, 대학생 만 할 수 있는 기여적인 사회 활동이라든가, 봉사라든가, 혹시 그런 쪽의 어떤 활동도 있는지 궁금합니다.

김민경 학생 지금 에카같은 경우에는 사실 코로나 상황 때문에 오프라인 대회도 거의 없어지다시피 했고, 지금 몇 년 동안 오프라인을 못하고 있어요. 그래서 지 금 당장 사실 제가 발표 들으면서도 드는 생각이지만, 뭔가 10년 전에 초대 회장 님께서 많이 이렇게 활동하신 거에 비해서 저희가 지금 생각하는 것은 이제 이 바 로 앞에 코로나도 있었고, 일단 지금 소속되어 있는 35개의 학교 안에서조차도 어 느 학교가 있는지 모르고, 어느 활동을 하는지도 모르는 약간 좀 그런 정체기를 한번 겪다 보니까, 일단 그분들이 일단 그 동아리들이 나와서 서로 교류하고 알아 가는 단계가 저는 필요하다고 생각해서 경쟁 구도도 있지만, 지금 진행되는, 개강 하고 나서 두 개의 대회가 진행됐거든요. 발로란트 대회랑 리그오브레전드 대회가 진행됐는데 상품이 막 그렇게 큰 규모도 아니고, 티어 대가 엄청 높은... 리그오브 레전드 같은 경우에는 16팀이 나와서 좀 높은 티어도 있었지만, 발로란트 같은 경 우에는 그렇게 높지 않은 티어들도 실버, 골드 아예 배치를 치지 않은 분들도 나 와서, 같이 교류하는 목적으로 나와서, 서로 '어느 학교에 누구 잘하더라'라는 말 이 나오고 경기가 끝나고 나서도 서로 친구 추가해서 같이 게임하자는 말이 나오 고 할 정도로 경쟁이라기보다는 일단 코로나로 인해서 좀 무너졌던 그런 서로 알 아가는 단계를 지금 다시 이렇게 구축하고 있는 단계, 라고 생각해 주시면 될 것 같습니다.

이학준 교수 제가 대학 때 동아리를 했는데 뭐냐 하면 미식축구라는 동아리를 했 는데 미식축구 동아리는 OB하고 YB가 교류를 통해서 지속적인 관계를 유지하고 있고, 대부분 YB 동아리의 비용은 선배들이 각출해서, 선배들이 후원해서 그 돈으로 예산을 만들어서 이렇게 보고 1년에 경비로 사용하고 있고, 그 다음에 미식축구를 했던 사람 중에 잘 돼서 캡스 회장이 돼서 거기서 이제 협회, 대한미식축구협회를 구성하고 또 이 대학에서 미식축구를 한 사람들이 그 회사에 취직하고, 이런 구조 시스템이 이렇게 돌아가고 있는 게 저기 e스포츠 동아리를 보니까 이게 이제 10년쯤, 전국 대학 연합이 10년 정도 된 것 같은데 이게 이제 외부에서 가장 중요한 거는 이제 경영, 어떻게 그거를 유지할 것인가 그런데 아까 말씀하셨지만 선배들에게 어떤 도움을 요청하는 것이 가장 좋을 것 같고, 왜냐하면 기업체 가서 후원받게 되면 기업의 논리에 따라서 동아리가 끌려가기 때문에, 자체적으로 어떤 행사 이런 걸 하기는 상당히 어려운 그런 구조의 문제인 것 같고. 그다음에 대학 때 조정 동아리를 하나 만들어서 조정이라는 걸 아무도 안 해보고 이렇게 해봤거든요.

거기서 중요한 거는 대학 때 이제 처음에 시작했기 때문에 e스포츠 교류가, 함께 모여서 이제 즐겼다, 라는 그게 가장 재미를 함께 한다는 게 가장 큰 건데 그게 현재 지금 10년을 지속되고, YB나 OB나 다 함께 모여서 대학 때 함께 했던 거를 지속해서 얼마나 유지하고 있는가, 그 연대의 힘을 얼마나 가지고 있는가, 그런 제가 한번 궁금하다고 생각하고요. 저는 개인 생각을 얘기하니까 참고하시고, 질문은 아닙니다. 그리고 제가 질문하고 싶은 거는 저는 이제 학문하는 사람인데 이제 학자들이 e스포츠에 대해서 마케팅 전략이라든가, 경영, 이렇게 수많은 논문을 쏟아내고 있는데, 현장에 있는 입장에서 거기서 직접 e스포츠 전문가라는 사람들이 얘기하는 마케팅 전략이라든가, 그 사람들이 추구하는 그런 것들이 현실에 얼마나 활용도가 있고, 얼마나 도움이 되는가, 대부분 현장하고 학자의 어떤 이론이나 주장 등이 따로 놀기 때문에, 학자들이 연구하는 거는 그 논문으로서만 이렇게 되는데 그게 연계되는 게... 그러니까 연구 결과가 얼마나 현장에서 도움이 되고 또 현장을 바탕으로 해서 이런 연구가 진행되는가, 그러니까 현장에서 직접 일을 하시는데 그런 혹시 그런 논문을 한번 찾아보신 적 있고, 그런 것들이 실제 도움이 되시는지 저희가 한번 여쭤보고 싶습니다.

윤서하 파트장 사실 아무래도 연구에 관한 사례들이나 이런 게 대부분 아직까지는 리그오브레전드라든지 크게 산업화된 종목들 중심이다 보니까 참고는 하되 사실 저희한테 적용할 수 없는 경우가 좀 많이 있거든요. 단편적으로 저희가 물론 리그오브레전드하고 비슷한 조작감을 가진 게임이라고 하지만, 대부분 사례들을 적용한다면 안 맞을 거예요. 왜냐하면 게임 규모도 워낙 다르고, 그런 게임이 추구하는 재미도 다르기 때문에.. 그래서 조금 그냥 이거는 현업에 있으면 살짝 아쉬운 부분은 요즘 이제 나오는 대부분의 연구라든지, 대부분의 그런 사례 발표하고, 실태조사까지도 특정 종목에 너무 중심이 치우쳐 있지 않나, 사실 현장에 나와서 저희가 마주하게 되는 종목은 리그오브레전드가 아닌 경우가 훨씬 많을 텐데 해당 게임에서 일할 수 있는 사람은 사실 소수고, 팀이나 이런 것까지 해도 굉장히 소수고, 대부분은 다른 데서 다른 종목들을 하게 될 텐데 이런 부분에 대한 자료는 사실 되게 찾기 어려운 게 사실이거든요. 이렇게 필드마다 되게 중요하게 생각하는 것도 다르고 한데, 특히 저희는 이제 프로게임단이 없거든요. 지금 프로가 없는 상황에서 사실 그런 프로팀들의 마케팅 전략이라든지, 프로팀들이 프로팀들의 선수 매니지먼트 전략이라든지, 이런 거는 사실 저희랑은 되게 관계없는 얘기라서 사실 활용할 수가 없는 부분이라 그런 게 조금 아쉽더라고요.

실태조사에서도 결국에는 메이저리티는 리그오브레전드 선수들이기 때문에, 결국 여기에 바이어스가 껴서 끌려다닐 수밖에 없는 사태고, 제가 사실 '이터널 리턴' 전에는 '레인보우 식스 시즈'라는 게임을 담당했었는데요. 그때 이제 대행사에서 이미 완성된 게임을 가지고 대회를 돌리는 거였는데, 여기에 게임은 정말 세계적으로 유명하고 큰데, 한국의 선수 그런 실태들은 굉장히 열악했거든요. 월급이 아직도 30만 원, 50만 원 받고 하는 친구들도 있고, 근데 애들은 보고 자란 게 리그오브레전드다 보니까, 레식 프로게이머가 되면 나도 저만큼 벌 수 있겠지, 라고 생각을 하는데 이제 현실은 그렇지 않은 거죠. 실태조사 보는 데 평균적으로 연봉을 이만큼 월급을 100만 원, 200만 원 받는다더라. 근데 우리는 왜 30만 원, 50만 원 주냐, 라고 하면 이제 팀들로서는 할 말이 없더라고요.

그거는 이제 리그오브레전드 유저만 60% 이렇게 되니까 여기에 바이어스를 끼우니까 그렇게 되는 거지 너희 하는 게임의 상금 규모나, 스폰서 붙는 규모나, 이런 걸 생각했을 때, 돈을 그만큼 줄 수 없다고 하는데, 그런 괴리 같은 것도 좀 있고 해서 그래서 개인적으로는 그런 리그오브레전드의 중심적인 어떤 사례라든지 이런 부분들이 아닌 것들도 좀 있으면 좀 더 도움이 되지 않을까, 그래서 이런 소형 종목들, 아직 발전하고 있는 종목들, 그런 종목들의 목소리를 좀 낼 수 있는 그런 게 좀 있었으면 좋겠고, 사실 그런 데서도 되게 좋은 전략들이나 이런 게 적용이 돼서 성공한 사례들도 없지는 않거든요. 예를 들어 저는 개인적으로 레인보우 식스 하면서 제일 뿌듯했던 게 한국이 사실 FPS에서는 되게 강하지 않은 지역이거든요. FPS는 사실 되게 서양 쪽이 항상 잘했었고 '카운터 스트라이크'부터 요즘 발로란트 쪽도 사실 해외 쪽이 훨씬 잘하는데 그래서 한국은 항상 나가면 거의 예선에서 탈락하는, 한국 대표로 나간다고 해서 예선에서 탈락하는 수준, 이렇게 했었는데 딱 제가 레인보우 식스 담당자가 되고 나서 리그 구조나 이런 거를 딱 바꿨습니다. 딱 바꿔서 2년, 바꾼 지 2년 만에 한국에서 해외 대회 나가서 4강까지 올라가는 팀이 나왔었어요. 담원 기아가 이제 레인보우 식스팀이 그렇게 됐었는데, 이런 게 사실 이유 없이 운으로 나오는 게 아니라 그 뒤에서 리그를 바꾼 그것도 어떻게 보면 선수들한테 경쟁력을 좀 더 심어주고, 선수들한테 필요한 부분들을 채워주기 위한 전략들이 다 백그라운드가 깔려 있는 건데, 이게 사실 리그 오브레전드가 아니기 때문에 사람들한테 관심을 못 받고, 그래서 잊혀 가는 것들이 좀 아쉽더라고요.

세가 이직하고 나서 리그오브레전드를 담당하지 않게 되면서, 다시 이제 한국이 좀 힘든 시기를 겪고 있는데, 그래서 이런 부분들이 오히려 좀 뭔가 문서로 남고, 뭔가 기록으로 남아서, 이제 리그오브레전드가 아닌 다른 종목에서도 뭔가 보고 배우고 적용할 수 있는 사례들을 좀 더 만들 수 있으면 좋을 것 같습니다.

김영선 교수 맞습니다. 대학 시절에 할 수 있는 게 아까 '신촌 리그'나 '와글와글 하스스톤'을 보면서 어떤 걸 느꼈냐면, 이건 정말 축제구나, 어떤 경쟁이나 어떤 리그 대회 그런 거를 포함하고 있지만, 이 축제의 화력에서 가장 중요한 건 다양성인데, 우리 한국 내에서는 글로벌 게임 기업이 너무 승자 독식하는 편으로 가고, 또 국내 게임 회사의 어떤 균형이 안 맞는 부분도 있고, 굉장히 다양함을 지켜줄 수 있는 게 대학 문화에서부터 나오면 어떨까에 대해 기대하게 되는데, 그런 부분이 저희한테 계속 e스포츠의 문화가 건전한 문화로 형성되려면 아마추어리즘이나 그런 다양한 그러한 경험을 제공해 줄 수 있는 그 시기가 대학생 때만 할 수 있는 그런 어떤 특권일 수도 있다는 생각이 듭니다.

이학준 교수 하나만 더, 대학 e스포츠 동아리연합회가 카운터 컬처, 이렇게 기존의 e스포츠 문화의 잘못된 문화에 대한 하나의 대학 문화로서의 어떤 역할, 그것이 한국의 어떤 e스포츠 문화를 선도하고 또 제자리를 찾게 하는 그런 역할을 가장 큰 대학 e스포츠 연합회가 해야 하는 그런 게 아닌가, 그런 걸 좀 추구해 나가야 하는 게. 첫째, 한번 자성을 할 필요가 있지 않을까. 현재 자꾸 이렇게 흡수해 가다 보면 우리가 대학만이 할 수 있는 그런 공연의 역할. 이게 상실이 되면 좀 안타까운 생각이 듭니다.

김영선 교수 아까 마지막에 '린스타업'이라는 모델을 소개시켜 주셨잖아요. 저희 연구도, e스포츠 연구라는 자체가 역사가 짧고. 그러나 그 현장을 반영해야 되는 이런 연구기 때문에 린스타업이라는 그런 모델을 가지고 완전하진 않지만, 계속 상호작용하면서 점점 나아지는 방향으로 현장과의 연구들도 진행하고, 또 하시는 그 게임 회사에서의 어떤 그런 개발이라든지, 아니면 대회 유치라든지 그런 것들이 잘 전개가 되면 그것이 건전한 문화 쪽으로 더 발전이 되고 그 중심에 또 대학생들의 중요한 아마추어리즘이 계속 지속되면 한국 e스포츠 좀 끄떡없지 않을까 이런 생각도 좀 듭니다.

이학준 교수 전문가로서 e스포츠를 기획하시는데 지방 소도시에 e스포츠에 유치하는 그걸 보고 어떤 생각이 드시는지 궁금합니다.

윤서하 파트장 최근에도 좀 이제 작은 시에서 저희랑 한번 얘기를 했던 적이 있는데. 사실 일반적으로 생각을 했을 때는 지금 제일 잘 나가는 게임을 해야 한다고 생각하시더라고요. 아무래도. 근데 저는 이제 좀 반대인 게 오히려 리그오브레전드 혹은 발로란트 같은 경우에는 이미 프로 대회도 너무 많고 콘텐츠가 되게 과다 공급되고 있으니까, 차라리 되게 코어 팬덤이 있는데 여력이 안 돼서 데뷔를 못하고 있는 게임들이 분명 많을 거거든요. 예를 들어 한국에서 대전 격투 게임들, 철권이라든지. 이런 게임들이 코어 팬덤들이 있는데 사실 대회가 그렇게 많지 않은 게임들이 있어서 아니면 저희 게임도 대회를 사실 많이 하고 싶은데 저희 게임 회사가 여력이 없는 케이스 중 하나고요. 그래서 이런 종목들을 좀 더 발굴해서 진행한다면 분명 이제 메리트를 가져갈 수 있다고 생각하거든요.

예를 들어 대전이 지금, 물론 이번에 오늘 보니까 LCK 서머가 대전에서 한다고 하는데. 저희 이제 유저들 사이에서는 대전이 이터널 리턴의 도시다, 이런 식으로 약간 포지셔닝을 하게 된 게 있거든요. 그래서 정말 그런 좋은 타이틀을 하나 잡고서 하면 좋을 텐데. 아무래도 이제 처음 준비하시는 분들이 게임에 대한 이해도나 이런 게 좀 부족하시다 보니까 '요즘 게임 뭐 잘 나가지?' 하면 리그오브레전드, 발로란트 이렇게 아셔서 종목이 좀 다양화되지 못하는 게 좀 아쉬운 것 같습니다. 오히려 그래서 그런 군소 종목들이지만, 코어 팬덤이 확실한 것들을 잡고 좀 브랜딩을 하다 보면은 좀 더 좋은 행사를 할 수 있을 거라는 생각을 제일 많이 하는 것 같습니다.

이상호 교수 e스포츠를 진지하게 공부하려면 어떤 내용을 학습해야 할지에 대해 고민하고 있습니다. 게임 회사들이 처음으로 e스포츠를 만들고 그 프로세스를 진행하는 과정이 현재 진행 중이며, 어떻게 e스포츠 종목이 매력적으로 다가올 수 있는지, 이를 위한 프로세스와 노력이 필요하다고 생각합니다. 게임을 만들 때 기존 게임을 재구성하는 노력도 있겠지만, 내가 배우고 대학에서 배우고, 특히 내 역할을 어떻게 수행할 것인지에 대한 고민이 중요합니다. 데이터 수집, 계산, 심리적인 측면, 그래픽 및 관련 속도 등 여러 측면이 모두 고려되어야 합니다.

　이러한 다양한 측면을 분석하고 학생들이 학습할 수 있는 좋은 교재가 부족하지 않을까 생각합니다. 이를 통해 개인이나 팀으로 e스포츠를 구축하고 발전시키기 위한 지침을 찾을 수 있다고 생각합니다.

윤서하 파트장　확실히 게임도 어떤 하나의 종합 문화 콘텐츠로 e스포츠도 보면 특히 이제 방송이랑 엮어서 굉장히 종합 문화 콘텐츠가 된다고 생각하는데, 그래서 그런 부분들 아직까지는 e스포츠를 어떻게 가르쳐야 한다. 이런 게 아직 뭔가 정립이 될 것 같진 않더라고요. e스포츠 학과들이나 이런 쪽도 아직 되게 가르치는 부분들이 서로 되게 추구하는 방향도 되게 많이 다르고, 그렇긴 한데 그런 문화 콘텐츠라는 영역에서 e스포츠가 좀 더 뭔가 세분화되고 이게 뭔가 체계가 잡히고 하면 앞으로 이제 나오는 이제 배우고 필드로 나오는 친구들도 이제 좀 더 준비된 상태로 필드로 나올 수 있지 않을까, 사실 이런 생각도 되게 많이 하고 있고요. 그래서 그런 부분들에 있어서 체계를 잡을 수 있도록 저희도 되게 노력을 많이 해야겠다고 생각하고 있습니다.

[그림 출처]

[그림 5-1] http://www.megalextoria.com/wordpress/index.php/2017/04/18/atari-space-invaders-tournament-1980/

[그림 5-2] 경성대학교 e스포츠 연구소 5차 정기포럼 '변화하는 사회에서 E스포츠인으로 살아가기' PPT 중 발췌

[그림 5-3] https://www.ea.com/ko-kr/games/command-and-conquer

[그림 5-4] https://sports.donga.com/it/article/all/20101201/32998562/1

[그림 5-5] https://www.inven.co.kr/webzine/news/?news=61078

[그림 5-6] https://www.gamemeca.com/view.php?gid=456680

[그림 5-7] https://www.esportscca.com/

[그림 5-8] https://www.thisisgame.com/webzine/news/nboard/4//?page=797&n=53330

[그림 5-9] https://m.facebook.com/eSportsCCA/photos/a.178679535664717.1073741827.174009662798371/330545777144758/

[그림 5-10] https://www.thisisgame.com/webzine/news/nboard/4/?category=7&n=87336

[그림 5-11] 경성대학교 e스포츠 연구소 5차 정기포럼 '변화하는 사회에서 E스포츠인으로 살아가기' PPT 중 발췌

[그림 5-12] Eric Ries(2011). The Lean Startup. Crown Business:USA.

참여해주신 경성대학교 e스포츠 동아리 게임존(김준용, 류수현, 이유정, 조소현), 동아대학교 e스포츠 동아리 GameCrew(김민경 회장), 부산산업정보진흥원(오지현 선임, 오휘성 선임) 그 외 김채원, 심영훈님께도 감사드립니다.